本項目研究出版由香港孔教學院院長
湯恩佳博士支持

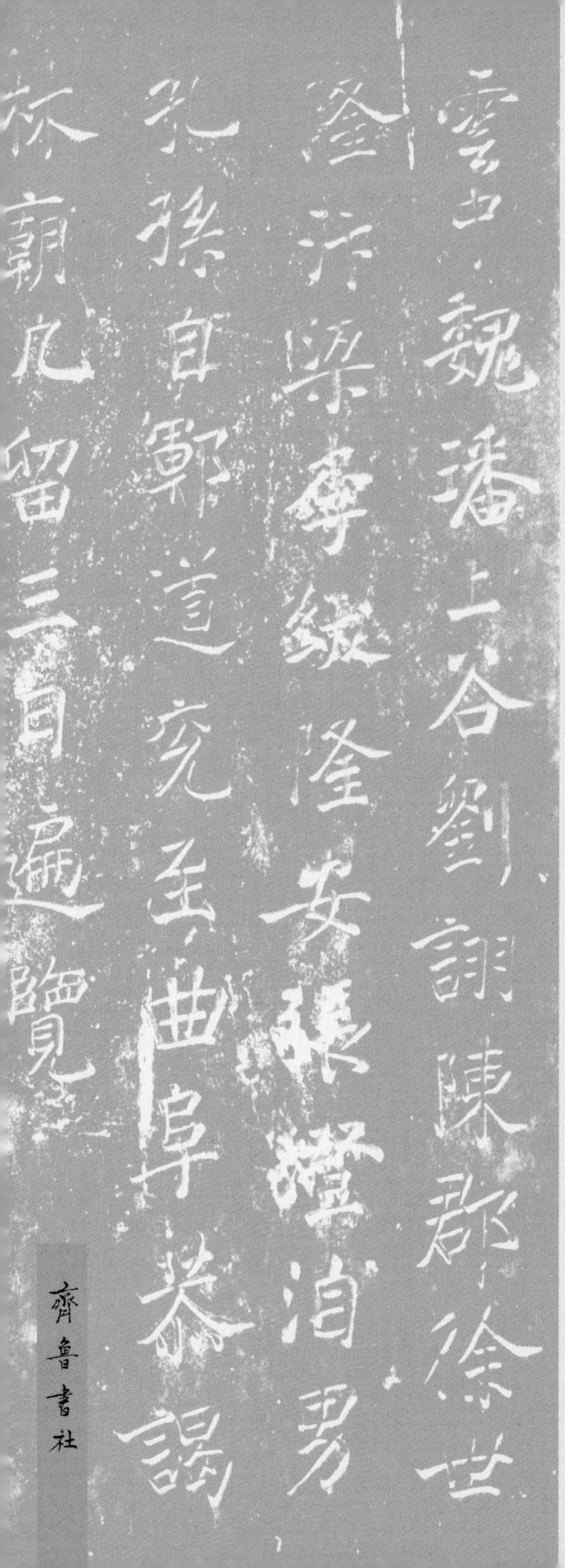

曲阜儒家碑刻文獻輯錄

韓寓題簽

第3輯

楊朝明　主編

齊魯書社

本書爲國家社科基金重点項目“中國曲阜儒家
石刻文獻集成”（13AZD025）階段性成果

前　言

在元代，元武宗即位時，詔書中有這樣一句話："先孔子而聖者，非孔子無以明。後孔子而聖者，非孔子無以法。"又説，孔子"祖述堯舜，憲章文武，儀範百王，師表萬世"。孔子"述而不作"，型範後人，得益於中國文字的記載傳統。從很早的時候起，中國便已經開始"書於竹帛，鏤於金石，琢於槃盂，以傳遺後世子孫"。孔子以前如此，孔子以後更是這樣。中國注重歷史文化的記載，反映了中華民族源遠流長的教化傳統。

作爲民族文化遺産中的燦爛瑰寶，石刻記載歷史久遠，書法高妙，内涵豐富，鎸刻精湛。中國石碑之所以經久不衰，與漢魏以來尊崇儒學、崇尚教化等風尚直接相關。今天思考"孔子思想與當今社會"，離不開對"孔子思想與歷代中國"問題的探討。孔子思想産生後，由其内在特質所決定，便與中國社會結下了不解之緣，那一統又一統的碑碣，其實都從各自的角度，無聲地訴説着當時孔子儒學與傳統中國的深層次關聯。

在中國碑刻遺存中，曲阜可以稱爲"儒家石刻文獻博物館"，這是由其作爲孔子故里的特殊地位所決定的。駱承烈先生稱曲阜碑文是“石頭上的儒家文獻”，的確如此。儒家思想是曲阜刻石的底色和基調，在歷代中國，統治者提倡和推行儒家思想，整個社會的價值觀念都帶有鮮明的儒家特色。曲阜歷史遺跡衆多，碑刻林立。自時間而言，西漢至民國，代代均有；自書寫而言，篆隸行楷，諸體兼備；以文體論，散體駢文，詩歌頌贊，多姿多彩。據統計，歷代碑刻有5000多統，主要集中在孔廟，有1170餘統。另外，孔林存4000餘統（包括大量墓碑），孔府存100餘統，少昊陵存20餘統，周公廟存50餘統，顔廟存60餘統，尼山、石門山、梁公林也有不少。

從内容看，曲阜碑刻包羅衆多，涉及孔子生平、孔子思想、歷代儒學、歷代政治、歷代經濟以及社會文化的方方面面，如祭祀禮儀、典章制度、災異動亂、建築變遷、興建修繕等。考證碑文的價值，闡明其中的儒學意蕴，有利於探討特定歷史時期的儒學特色，瞭解整個歷史進程中文化的變遷、儒學的升降沉浮以及孔子命運的變化等，對研究孔子、儒學與中國傳統文化意義重大。

就歷史價值而言，曲阜石刻足以名揚天下。例如，兩漢時期的石刻，全國以山東收藏最多。在山東的漢代石刻中，曲阜又十分知名，僅年代明確的，曲阜就有魯北陛刻石、五鳳刻石、安漢里刻石、祝其卿墳壇刻石、新富里刻石、陽嘉殘碑、乙瑛碑、孔謙碑、孔君墓碑、禮器碑、孔宙碑、史晨碑、孔彪碑、孔褒碑、熹平殘碑等。藏於曲阜的魏碑同樣重要，著名的有張猛龍碑、東魏李仲璇修孔子廟碑、北齊夫子廟碑、賈使君碑。這些碑大都是記事碑，如張猛龍碑記録魯郡太守張猛龍興辦學校的事；李仲璇修孔子廟碑記録了兖州刺史李仲璇修孔子廟及塑孔子弟子像配祀孔子之事；魯孔子廟碑記曹魏封孔子二十一世孫、議郎孔羨爲宗聖侯使奉祀孔子、修理孔廟之事；賈使君碑記録賈思伯兖州任内的政績。

作爲儒家學説的發祥地，曲阜是中華文明的重要發源地之一,更是歷代中國知識分子的精神家園。曲阜碑刻作爲人類特有的歷史、文化和藝術資源,它與中華文明發展息息相關,也是全人類共有的寶貴財富。歷史上,許多金石學典籍與地方志書曾對碑文有所著録,如《隸釋》《隸續》《孔氏祖庭廣記》《闕里誌》《闕里文獻考》《金石萃編》《曲阜縣志》等,也有專門的記載與評論,如《金石録》《來齋金石刻考略》《金石文考略》《潛研堂金石文跋尾》《山左金石志》《兩漢金石記》等。

不過,歷史上的這些著作大多衹涉及部分碑刻,仔細核對,其著録中有不少硬傷,與曲阜石碑之原文有許多出入,評論性著作也極爲簡短,對於碑文之價值很少有深入探討。當代學者也有相關研究,有的進行碑文選介,不過僅收曲阜境内碑文數十篇,雖有簡單注釋及評介,卻未深入探討碑文的意藴。有的涉及少量名碑如禮器碑、乙瑛碑、夫子廟堂碑等,但僅收局部拓片與簡單評論。有的收録碑文較多,希望進行集成著録,可惜由於人力等因素的限制,進行如此繁重艱巨之工作難免存在不少疏漏。

總括而言,古今著作存在着明顯不足:第一,著録時存在錯字、漏字,甚至有個别衍文,與原碑有違,也缺少校勘,未能給學界提供一個善本。第二,對碑文價值缺少挖掘。一般是就碑中的細部問題立論,既不完備,也難深入。第三,收録不够全面。曲阜碑刻衆多,多數都有重要價值,現在收録最多的著作也衹涉及一千餘座,約占總數的五分之一。

更爲緊要的是,最近三十多年來,氣候變化較大,風雨侵蝕嚴重,幾十年風化剥蝕的程度可能超過以往數百年。三十年前,當我們跟隨老師閲讀、抄録碑文的時候,感覺那時的許多石刻文字還比較清晰,然而,現在有許多字跡已經變得漫漶不清。不言而喻,這些碑刻一旦毀壞便不可再生,亟待搶救性著録與研究。

基於這些考慮,孔子研究院經過認真論證,在曲阜市文物局、曲阜師範大學歷史文化學院的支持下,2013年申請了國家社科基金重點項目“中國曲阜儒家石刻文獻集成”(批准號:13AZD025),還得到香港孔教學院院長湯恩佳先生的捐助支持。一年多來,我們集孔子研究院全院之力,先後召開十餘次會議,確定體例、研討學術、解決難題。團隊成員先進行單碑研究,再討論思路與進展,然後進行研究和寫作,力求描述碑文風貌,全文著録碑文,加以現代標點,適當注釋詮解與分析論證,考證碑文價值,闡明文化意藴。

在該項目進行過程中,本院學術研究部部長孔祥安先生組織聯絡;副研究員路則權、助理研究員王漢峋二位先生鼎力助我主編,進行整理通稿;全院研究人員、資料人員通力配合。於此一併致謝!

楊朝明

2015年1月6日

凡　例

（一）《曲阜儒家碑刻文獻輯録》是國家社會科學規劃辦重點項目成果，收録曲阜地區現存的以儒家文獻爲内容的碑刻。

（二）本叢書按輯出版，每輯所收録碑刻一律按朝代先後排列。同一朝代，按石刻年、月、日先後爲序。若無法考證具體年代者，則放在同朝代相應碑刻之後。

（三）每塊碑刻介紹包括名稱、所立年代、位置、形制、碑頭書體、碑身書體、殘損及修補、著録情况等。

（四）碑刻名稱采用石刻原名，前加年號。若無原名，則按一般約定稱之。若無俗名，則據碑文擬定。

（五）碑文一律照實（以石碑現狀爲準）全録，對於碑文中的通假字、異體字、錯别字等皆不作任何改動。分段，采用新式標點。碑文中的空格、空行、擡頭不予保留，以節省篇幅。

（六）碑文中的殘缺、破損和因漫漶而無法辨認的文字以"□"代替，一個"□"代表一個字，無法確知殘損字數者，則以"□…□"代替。

（七）凡參考歷代著録碑文之文獻及碑帖而可對碑文加以補

足之處則予以補足，並用“（）”標出。

（八）對碑文中出現的疑難字詞、典故、稀見人物等加以注釋。

（九）論説主要圍繞碑文内容展開，注重從深度上下工夫，論説簡練扼要，未對其朝代背景做廣泛論述。涉及引用文獻，用括弧夾注。

目　録

建寧四年博陵太守孔彪碑

此碑立於漢靈帝建寧四年(171)七月,位於漢魏碑刻陳列館北屋,西起第17石(原存孔廟同文門下)。碑高2.83米(含篆書"漢故博陵太守孔彪碑"3行9字,碑頭0.82米),寬0.99米,厚0.27米,隸書。18行,行46字。碑陰13行,行13字,亦隸書。額下有穿,穿下有文,兩旁暈起於圭首之半,至篆處則没其文。

《石頭上的儒家文獻——曲阜碑文録》中"考衷"作"攷衷"、"大君憂"作"大君□憂"、"薦可黜否"誤作"蔫可黜否"、"以孝"誤作"威考"、"安平"作"安乎"、"王沛"誤作"士沛"。

漢故博陵太守孔府君碑

君諱彪,字元上,孔子十九世之孫,潁川君〔一〕之元子〔二〕也。君少履天姿自然之正,帥〔三〕禮不爽〔四〕,好惡不愆,考衷度衷〔五〕,脩身踐言。龍德〔六〕而學,不至於穀。浮游塵埃〔七〕之外,皭〔八〕焉氾〔九〕而不俗。郡將嘉其所履,前後聘召,盖不得已,乃翻爾〔一〇〕束帶〔一一〕,弘論窮理,直道事人，仁必有勇，可以託六〔一二〕，授命〔一三〕如毛，諾則不宿〔一四〕，美之至也，莫不歸服。舉孝廉，除郎中、博昌長，疾病留宿，□遷□京府丞。未出京師，遭大君憂〔一五〕，泣踰皋魚〔一六〕，喪過乎哀，謹畏舊章〔一七〕。服竟〔一八〕還署，試〔一九〕拜尚書侍郎，無偏無黨，遵王之素，薦可黜否〔二〇〕，出□□度，日恪〔二一〕位佇〔二二〕，所在祗肅〔二三〕，拜治書御史，膺皋陶〔二四〕之廉恕〔二五〕，□□參之□□，□□□律。祗用既平，迁博陵太守，郡阻山□，□□以飢饉，斯多草竊，罔不附賊劉寧、張丙等，白日攻剽，坐家不命〔二六〕。君下車之初〔二七〕，敷五教以博施，削四凶以勝殘〔二八〕，乃□□□，爰□桓桓〔二九〕，抍馬蠲害〔三〇〕，醜類〔三一〕已殫。路不拾遺，斯民以安。發號施憲，每合天心〔三二〕。人之所惡，不以彊人，義之所欲，不以禁人。百姓樂政，而歸於德。望如父母，順如流水。遷下邳相、河東太守，舉此□□，君子風也，未怒而懼，不令而從，雲行雨施，□□太和，海內歸公，卿之任矣，勞而不伐，有實若虛，固執謙需〔三三〕，以病辭官。去位闔□，以孝竭情。餘暇〔三四〕徲徲，彈琴擊磬，□□□之味，而不改其靜。上帝棐諶〔三五〕，天秩〔三六〕未究〔三七〕，將據師輔〔三八〕之紀之綱，而疾彌流〔三九〕，乃殞乃□，年卌九〔四〇〕。建寧四年七月辛未，□□哀哉，魂神超邁，窈兮冥冥，遺孤忉絶〔四一〕，於嗟想形。怙幬〔四二〕哀逝，念不欲生。郡臣號咷〔四三〕，靡所復逞。夫逝往不可追兮，功□□□識，惟君之軌跡兮，如列宿之錯置。《易》建八卦，揆肴《繫辭》。述而不作，彭祖賦詩。皆讃所見，於時頌□，於是故吏崔□、□□、王沛等，伏信好古〔四四〕，敢詠顯□，乃刊斯石，欽銘洪基〔四五〕。昭示後昆，申錫鑒思，其辭曰：

穆穆孔君，大聖之胄。惇懿〔四六〕允元〔四七〕，叡〔四八〕其玄秀。惟獄降精，誕生忠良。奉應郡貢，亮彼我□。克明王道，辯物居方。周□□□，□也正名。朝無秕政，直哉惟清。出統華夏，化以典成。巨猾殄迸〔四九〕，賢倚□庭。帝重乃勛，自□□征。所臨如神，□□□□。之屏之翰〔五〇〕，先民是程〔五一〕。宜乎三事〔五二〕，金鉉〔五三〕利貞〔五四〕。而絜《白駒》〔五五〕，俾世憤惻。當享眉耇，莫匪爾極。大□□□，遐矣不意。於嗟悲兮，□□□息。漫漫庶幾，復焉所力。咨乎不朽，没而德存。伊尹〔五六〕之休，格於皇天。惟我君績，表於丹青。永永無涯，與日月並。於嗟□□，於以慰靈。

（以下碑陰）

故吏司徒掾博陵安平崔烈字以孝。

故吏齊□博陵安平崔恢字行孫。

故吏乘氏令博陵安平士沛字公豫。

故吏司空掾博陵安國劉德字伯桓。

故吏外黄令博陵安國劉揚字子長。

故吏白馬尉博陵博陵齊智字子周。

故吏五官掾博陵安平劉麒字幼公。

故吏五官掾博陵安平王瑶字顯祖。

故吏五官掾博陵安平孟循字敬節。

故吏五官掾博陵高陽史應字子聲。

故吏五官掾博陵南深澤程祺字伯友。

故吏五官掾博陵南深澤程祚字元祐。

故吏五官掾博陵安國劉機字□閣。

【注釋】

〔一〕穎川君：孔賢。

〔二〕元子：嫡長子。

〔三〕帥：遵循。

〔四〕不爽：没有差錯。

〔五〕考衷度衷：觀察他心中所蘊藏。

〔六〕龍德：聖人之德。

〔七〕塵埃：指塵世。

〔八〕皭：洁净。

〔九〕汜：止。

〔一〇〕翻爾：猶反而。

〔一一〕束帶：整飾衣服。

〔一二〕託六：托六尺之孤的簡稱。

〔一三〕授命：授予官職的敕命。

〔一四〕宿：過夜。

〔一五〕大君憂：父親病逝。

〔一六〕皋魚：人名。《韓詩外傳》卷九載："孔子行，見皋魚哭於道旁，辟車與之言。皋魚曰：'吾失之三矣：少而學，游諸侯以後吾親，失之一也；高尚吾志，閑吾事君，失之二也；與友厚而小絶之，失之三也。樹欲静而風不止，子欲養而親不待也，往而不可得見者親也。吾請從此辭矣。'立槁而死。"後因用作人子不及養親的典故。

〔一七〕舊章：昔日的典章，此指喪祭之禮。

〔一八〕服竟：服孝三年期滿。

〔一九〕試：任用。

〔二〇〕薦可黜否：推薦君子，罷斥佞邪小人。

〔二一〕恪：謹慎。

〔二二〕位佇：在位久。

〔二三〕祗肅：恭謹而嚴肅。

〔二四〕皋陶：皋陶是舜帝和夏朝初期的一位賢臣，曾經被舜任命爲掌管刑法的"理官"，以正直聞名天下。

〔二五〕廉恕：廉潔寬厚。

〔二六〕不命：不能保命。

〔二七〕下車之初：指官員初到任職地。

〔二八〕勝殘：遏制殘暴的人，使之不能作惡。

〔二九〕桓桓：威武的樣子。

〔三〇〕拼馬蠲害：拔掉害群之馬。

〔三一〕醜類：指壞人。

〔三二〕天心：君主的心意。

〔三三〕謙需：猶謙弱。

〔三四〕餘暇：閑暇逍遥自在。

〔三五〕棐諶：輔助誠信的人。

〔三六〕天秩：爵位。

〔三七〕未究：未到。

〔三八〕師輔：猶師友。

〔三九〕彌流：彌留。

〔四〇〕年卌九：四十九歲。

〔四一〕忉絶：悲痛欲絶。

〔四二〕怙幬：庇護。

〔四三〕號咷：放聲大哭。

〔四四〕好古：謂喜愛古代的事物。

〔四五〕洪基：大業。

〔四六〕惇懿：淳厚善良。

〔四七〕允元：信任仁厚之人。

〔四八〕叡：通達。

〔四九〕殄迸：逃散。

〔五〇〕之屏之翰：是國家的支柱和屏障。

〔五一〕程：典範。

〔五二〕三事：指倡德、和亂、終齊。

〔五三〕金鉉：比喻三公之類重臣。

〔五四〕利貞：和諧貞正。

〔五五〕《白駒》：余冠英《詩經選》認爲是留客惜别的詩。

〔五六〕伊尹：商湯大臣。

【論説】

此碑所記孔彪，字元上，爲孔子第十九代孫。《闕里文獻考》卷八十九記其爲孔賢次子，兄孔宙，官至泰山都尉。“彪舉孝廉，拜尚書侍郎，轉治書御史，出爲博陵太守，遷下邳相，河東太守，以病辭官。”《闕里誌》世表、宗譜中都未見其名字，此碑則留下一些歷史資料。孔彪之名，兩次見於漢碑：一在《韓敕造禮器碑》之碑陰處，稱“尚書侍郎”；一在《史晨後碑》中，稱“河東太守”。孔彪確曾做過河東太守，在此以前曾任過博陵太守，爲什麽此碑以“博陵太守”稱之呢？原來立碑的13人均爲博陵人（見碑陰），爲追念孔彪當年在博陵的政績，故以博陵太守稱之。

碑陰所列13人中，第一人便是崔烈。此人在東漢末年是一著名人物，曾官至太尉，後死於李傕、郭汜之亂。碑上記其字“以孝”，可補史書之不足。

此碑文字多韻文,在漢碑中不多見。碑文清秀飄逸,可與《曹全碑》相媲美。此碑在漢碑中是字體較小者。從筆法上看,似與《孔宙碑》相同。其碑額篆書 10 字,筆勢勁拔有致,體態整飭雋雅,其書法不亞於碑文。孔祥霖在《曲阜碑碣考》中評價此碑説:“萬經云:格式稀疏,字特小,秀潤清逸,楚楚可愛,且純以楷法運用,微作波磔。所謂劍拔弩張者,一切無之。余曰孔宙及宙子褒並此三碑,俱精妙殊絶。”

(孔　玥)

漢石人銘

曲阜存二石人爲東漢時刻，現存漢魏碑刻陳列館院中亭内。左(南)石人高2.54米，體寬0.8米，厚0.83米，胸圍2.9米。10個字在胸前，2行，行5字。右(北)石人高2.2米，體寬0.73米，厚0.65米，胸圍2.54米。4個字在胸前，1行，行4字。

漢故樂安太守麃君亭長。

府門之卒。

【論説】

此石原在曲阜城南張曲莊西，清乾隆五十九年甲寅(1794)阮元將其移至孔廟西之矍相圃内，右石人背刻“乾隆甲寅阮元移置”8個隸字。1953年人民政府移入孔廟，銘其亭曰“漢石人亭”；1998年移入漢魏碑刻陳列館。

元人楊奂《東遊記》曾記此石人。翁方綱評其書曰“筆法正勁”，爲“漢篆之最勁者”。

（孔　玥）

大中元年任城縣令獨孤景墓誌銘

（上石）

此石約刻於唐大中元年(847),撰書人不詳,現存漢魏碑刻陳列館西屋,南起第9石。石高0.6米,寬0.6米,厚0.08米。4行,行4字。

唐故任城縣令獨孤公墓誌銘。

（下石）

此石位於漢魏碑刻陳列館西屋,南起第10石。石高0.6米,寬0.6米,厚0.09米。李華宗書,正書。共18行,行約26字。民國年間出土於曲阜時莊鄉伊家村,1978年移入孔廟,後又移入漢魏碑刻陳列館。

駱承烈《石頭上的儒家文獻——曲阜碑文録》中"家諜"誤作

"家諒","開国子"漏字作"開子","權殯"誤作"相殯","故司徒公之女姪"句首多一"皆"字,今删去,"以相知見託斯文悲銘貞石"多一"會"字,今删去,"何補於幽怨"前漏一"復"字,今補上。

唐故任城縣令獨孤氏墓誌銘並序

前兗海館驛巡官、文林郎、前試太子通事舍人、飛騎尉李華宗撰。

公諱景,字司光,其先派分劉氏,實河南伊洛人也。徵〔一〕其出處〔二〕,雄冠北州。繇是〔三〕世為后戚,昭著家諜,凡曰類我,皆無與京〔四〕。公幼以文業求仕進,中以史□赴知已宰邑紭〔五〕郡十餘,其政不獨稱理,深者遺思。再娶河東薛氏,故司徒公之女姪,並先公亡父傾歿,銘誌昭然。有子六人,有女二人,上林〔六〕之光,是遵家法。君子之美,咸曰〔七〕戚哉。曾祖籍,皇同州韓城〔八〕縣令,贈使持節平暘郡太守。祖明,皇銀青光祿大夫、太僕卿、上柱國、陽武縣開子、駙馬都尉,食邑三千戶。父泳,皇永州同知、贈緋魚袋。歷代勳賢〔九〕,世傳重德。公既承積慶〔一〇〕,又景行〔一一〕如斯,但官不稱才,年纔中壽,天之報施何其謬歟。享年五十有一。會昌六年〔一二〕十一月廿四日遘疾〔一三〕,歿於兗府之私第,以大中元年二月六日權殯〔一四〕於瑕丘〔一五〕縣依仁里,後夫人祔〔一六〕之,禮也。嗚呼哀哉,華宗面公二紀〔一七〕重以相知見託斯文悲銘貞石,詞曰:

白日昭昭兮,青雲甚遠。踐履誠高兮,循途何蹇。逝川滔滔兮,永永不返,徒使親分舊兮,抱此興嘆。已矣哉,獨孤公遺孤累累兮,復何補於幽怨。

【注釋】

〔一〕徵:驗證。

〔二〕出處:源頭。

〔三〕繇是:從此。

〔四〕與京:無與倫比。

〔五〕糺:收。

〔六〕上林:泛指帝王的園囿。

〔七〕咸日:或作"咸曰"。

〔八〕同州韓城:陝西同州(今大荔)韓城。

〔九〕勳賢:有功勳、有才能的人。

〔一〇〕積慶:接踵而來的喜慶事。

〔一一〕景行:比喻行爲光明正大。

〔一二〕會昌六年:公元846年。

〔一三〕遘疾:碰上生病。

〔一四〕權殯:古代安葬習俗。

〔一五〕瑕丘:古縣名。春秋魯負瑕邑,西漢置縣,治所在今山東兗州東北。

〔一六〕祔:合葬。

〔一七〕二紀:約指二十餘年。

(孔　玥)

大中祥符元年宋真宗文宣王贊並序

宋真宗於大中祥符元年(1008)十月許朝臣及兖州父老詣闕所請,到泰山封禪。十一月初順道駕幸曲阜,設奠孔林,躬謁孔廟,追封孔子爲玄圣文宣王,於是刻碑勒銘,記事表彰。原碑立於宋真宗大中祥符元年十一月。根據清代畢沅《山左金石志》卷十五和乾隆甲午新修《曲阜縣志》卷五十二《金文》記録,原碑曾立於曲阜孔廟奎文閣後。現碑立於漢魏碑刻陳列館東屋,北起第4石,碑身已殘斷數截,經修復聚成一體。又按《山左金石志》卷十五所釋,現碑應是明嘉靖十五年(1536)所立。碑高1.82米,寬0.94米,没有碑頭,碑身左右兩邊雕刻祥雲紋。碑文共11行,行20字,正書。現碑形制與碑文同原碑。

主要著録:

1.[清]孔繼汾:《闕里文獻考》卷三十八《藝文》有碑文,名爲《真宗宣聖贊养殖业並序》。

2.乾隆甲午新修《曲阜縣志》卷五十二《金文》有記,名爲《宋真宗贊孔子碑》。

3.[清]孫星衍、邢澍:《寰宇訪碑録》卷六有記,名爲《元聖文宣王贊》。

4.［清］畢沅:《山左金石志》卷十五有原文及釋,名爲《御製文宣王贊碑》。

玄聖文宣(王)〔一〕贊並序〔二〕

(御)製御書並篆額。奉勅改謚曰至聖文宣王。

若夫檢(玉)介丘〔三〕,迴輿(闕)(里),緬懷於先聖,躬謁於嚴祠〔四〕,以(為)易俗化民,既仰師於彝訓〔五〕;崇儒尊道,宜益峻於徽章〔六〕。增焉崇名,聿陳明祀。思形容於盛德,爰刻鏤於斯(文)。贊曰:

立言不朽,垂教無疆。昭然令德,偉哉素王。

人倫之表,帝道之綱。厥功(茂)(實),其用允臧〔七〕。

升中既畢,盛典載揚。洪名有(赫),懿範彌彰〔八〕。

(大)中祥符元年十一月一日。

【注釋】

〔一〕括号内残字據清孔繼汾《闕里文獻考》補足,以下凡不注明者皆同。

〔二〕關於此碑的變化情況,清畢沅《山左金石志》卷十五有釋曰:"右碑文凡十一行,字徑一寸八分,縣志云:'碑凡五石,中即此贊,其旁則羣臣分贊,碑陰有幸魯封誥,手敕題名。明弘治十二年毀,嘉靖十五年重摹於石。首行標題下小字注云:奉敕改謚曰,至聖文宣王。案改謚在大中祥符五年十二月,以同國諱故也。此注當是後來所增。'"

〔三〕介丘:也作"介邱",大山。這裏指泰山。

〔四〕嚴祠：莊嚴肅穆的祠堂，這裏指曲阜孔廟。

〔五〕彝訓：指尊長和前輩對後輩的教誨。彝，《説文解字》釋："彝，宗廟常器也。從糸；糸，綦也。廾，持米，器中寶也。彑聲。"宗廟常器，是指宗廟祭祀時用的青銅禮器。古代社會視祭祀爲"國之根本"，具有不可動摇的地位，所以"彝"引申出"常""常規"的意思。訓，指教導、教誨、訓誡等。

〔六〕徽章：古代以顔色和紋飾爲等級標志的禮服。除顔色不同外，禮服綉有日月、星辰等圖案。每圖爲一章，天子十二章，羣臣按品級以九、七、五、三章遞減。

〔七〕允臧：指完美，完善。允，信。臧，善。《詩·鄘風·定之方中》："卜云其吉，終然允臧。"

〔八〕懿範彌彰：美好的道德風範更加彰顯。彌，更加。彰，明顯。晉陸雲《贈顧驃騎·有皇》："思我懿範，萬民來服。"

（宋冬梅）

大中祥符元年羣臣贊孔廟從祀先賢先儒碑〔一〕

此四碑無年月日記録,正書。凡四石,碑高1.82米,寬0.80米。每碑各正書20行,行約60字,分列於《宋真宗文宣王贊碑》兩側,現立於漢魏碑刻陳列館東屋,北起第2、3、5、6石。四碑碑身均已殘斷數截,經修復聚成一體,碑上字跡五分之四不能辨認。按清代畢沅《山左金石志》卷十五所釋,現碑應是明嘉靖十五年(1536)所立。碑文内容是宋真宗於大中祥符元年十月駕幸曲阜時朝臣奉命所撰孔廟從祀先賢先儒的贊詞。所贊先賢先儒共93人,都列出了當時所得到進封的公、侯、伯等封號,撰者也都記録其官爵與姓名。碑名中的"大中祥符元年"是筆者加的,因爲此四碑與"大中祥符元年宋真宗文宣王贊"碑一體,本身没有注明時間,内容也是羣臣奉真宗當時的命令而作,故記此時間。

此四碑,有乾隆甲午新修《曲阜縣志》卷五十二《金文》記録爲:"《宋真宗贊孔子碑》右碑在奎文閣後東,大中祥符元年立碑,凡五版。中爲真宗御製,其傍則羣臣分贊,碑陰有幸魯封誥手勅題名。明弘治十二年毁,嘉靖十五年重書於石。"

本次著録該碑文根據現有殘存碑,參考清畢沅《山左金石志》卷十五所記碑文爲底本,又參閲清孔繼汾《闕里文獻考》卷三十八《藝文》中的碑文,加以整理而成。因碑文中羣臣所贊先賢先儒的人數與贊詞較多,筆者著録時按碑文中先賢先儒出現的次序依次編以序號,以便翻閲查看。

主要著録:

1.[清]畢沅:《山左金石志》卷十五有原文及釋,名爲《孔廟從祀先賢先儒贊碑》。

2.[清]孔繼汾:《闕里文獻考》卷三十八《藝文》有碑文,名爲《大中祥符二年廷臣奉勅分撰諸賢贊》。

3.[清]孫星衍、邢澍:《寰宇訪碑録》卷六有目,名爲《孔廟從祀先賢先儒贊碑》。

4.乾隆甲午新修《曲阜縣志》卷五十二《金文》對四碑有記,與名爲《宋真宗贊孔子碑》一同記録。

5.駱承烈:《孔子家族全書·文物古跡》有记,名爲《孔子及從祀先賢先儒贊碑》。

(1)顔回,字子淵,魯人。贈兖公,今進封兖國公。贊:

金紫光禄大夫中書侍郎兼刑部尚書同中書門下平章事集賢殿大學士兼修國史上柱國臣王旦撰。

賢哉子淵,惟仁是好。如愚屢空,臨幾覩奥。用行舍藏,與聖同道。封岱丁辰,蓋兹榮號。

(2)閔損,字子騫,魯人。贈費侯,今進封瑯邪公。贊:王旦撰。結銜同前。

子騫達者,誾誾成性。德冠四科,孝先百行。人無閒言，道亦希（聖）〔二〕。公衮增封，均乃天慶。

（3）冉耕，字伯牛，魯人。贈鄆侯，今進封東平公。贊：

金紫光禄大夫禮部尚書知樞密院事脩國史上柱國臣王欽若撰。

聖門達者，德行為先。洙泗來學，顏閔差肩。天封展禮，公衮褒賢。生則命寡，歿而道宣。

（4）冉雍，字仲弓，魯人。贈薛侯，今進封下邳公。贊：

王欽若撰。結銜同前。

不佞之人，具體之賢。登彼堂奧，用之山川。代逢偃革，禮畢升煙。錫以三壤，賁兹九泉。

（5）宰予，字子我，魯人。贈齊侯，今進封臨淄公。贊：

金紫光禄大夫尚書左丞參知政事上柱國臣馮拯撰。

綽彼宰予，服膺宣父。學洞堂奥，名揚鄒魯。再朞設問，五常垂矩。遇我慶成，增封茅土。

（6）端木賜，字子貢，衛人。贈黎侯，今進封黎陽公。贊：

馮拯撰。結銜同前。

賜之望回，獨云知二。器稱瑚璉，在禮斯貴。服道稱師，名（垂）（萬）世。公爵進崇，時（惟）肆類。

（7）冉求，字子有，魯人。贈徐侯，今進封彭城公。贊：

金紫光禄大夫行尚書左丞知樞密院事脩國史上柱國臣陳堯叟撰。

謙謙令德，少著嘉聞。敏於從政，洽以斯文。垂鴻報本，適遇明君。永錫徽稱，載揚清芬。

(8)仲由,字子路,卞人。贈魏侯,今進封河内公。贊:

陳堯叟撰。結銜同前。

猗歟魯哲,義勇無儔。獨立不懼,從政惟優。欽屬仁聖,勒封介丘。褒賢進號,載顯英猷。

(9)言偃,字子游,吳人。贈吳侯,今進封丹陽公。贊:

朝奉大夫尚書工部侍郎參知政事脩國史上柱國賜紫金魚袋臣趙安仁撰。

魯堂登科,覩奧將聖。武城之小,可以觀政。澹臺之舉,行不由徑。追建上公,素風逾盛。

(10)卜商,字子夏,衛人。贈魏侯,今進封河東公。贊:

朝奉大夫尚書。(下闕銜名,應是趙安仁撰。)

詩動天地,起予者商。温柔立教,文學升堂。雅頌得所,治亂攸彰。慶成嘉贈,其道彌芳。

(11)曾參,字子輿,魯人。贈郕伯,今進封瑕丘侯。贊:

光禄大夫尚書右僕射上柱國臣張齊賢撰。

孝乎惟孝,曾子稱焉。唐虞比德,洙泗推賢。服膺受旨,終身拳拳。封巒飾贈,永耀青編。

(12)顓孫師,字子張,陳□□□伯,今進封宛丘侯。贊:

張齊賢撰。結銜同前。

堂堂張也,商德與鄰。尊賢容衆,崇德依仁。入趨函丈,退而書紳。升中優贈,道與名新。

(13)澹臺滅明,字子羽,武城人。贈江伯,今進封金鄉侯。贊：

特進行戶部尚書上柱國臣溫仲舒撰。

不由徑行，其直可貴。不私見人，其公可畏。擊蛟既勇，毀璧且義。紀號益封，旌厥賢士。

(14)宓不齊，字子賤，魯人。贈单伯，今進封單父侯。贊：

溫仲舒撰。結銜同前。

(天)生良材，為魯君子。堂上琴作，邑中民治。伍人致逸，受教成美。展禮崇賢，疏爵有煒。

(15)南宮縚，字子容，魯人。贈郯伯，今進封龔丘侯。贊：

特進行戶部尚書上柱國臣寇準撰。

南容君子，尚德聖門。有道不廢，危行遜言。白圭三復，執慎思存。慶成旌善，胙壤佳藩。

(16)公皙哀，字季次，齊人。贈杞伯，今進封曲阜侯。贊：

寇準撰。結銜同前。

賢哉季次，履潔居貞。卷懷不仕，家臣是輕。素王攸嘆，式昭令名。封巒均慶，侯社疏榮。

(17)曾點，字子晳，魯人。贈宿伯，今進封萊蕪侯。贊：

三司使脩玉清昭應宫使朝請大夫給事中護軍賜紫金魚袋臣丁謂撰。

侍坐魯堂，各言其志。舍瑟而對，超乎冉季。浴沂舞雩，詠歌道義。遇我慶成，錫壤進位。

(18)顏無繇,字子路,魯人。贈杞伯,今進封曲阜侯。贊:

丁謂撰。結銜同前。

素王將聖,實為我師。顏子殆庶,趨庭學詩。請車無愧,陋巷安卑。追榮侯服,逢此上儀。

(19)商瞿,字子木,魯人。贈蒙伯,今進封須昌侯。贊:

翰林學士朝散大夫守給事中知制誥同脩國史上輕車都尉賜紫金魚袋臣晁迥撰。

易之為(書)〔三〕,窮理盡性。瞿也親受,抗心希聖。韋編靡釋,素風允競。展禮封侯,千載輝映。

(20)高柴,字子羔,衛人。贈共伯,今進封共城侯。贊:

晁迥撰。結銜同前。

猗歟子羔,孝心篤矣。慎終銜恤,未嘗見齒。難能而能,君子知己〔四〕。(考)(古)(褒)崇,于斯為美。

(21)漆雕開,字子若,蔡人。贈滕伯,今進封平輿侯。贊:

翰林學士同修玉清昭應宮使中散大夫行尚書工部郎中知制誥護軍賜紫金魚袋臣李宗諤撰。

闕里之堂,邈矣難造。猗歟子若,實覩其奥。學優當仕,非乃攸好。明祀益封,式稽古道。

(22)公伯寮,字子周,魯人。贈任伯,今進封壽張侯。贊:

李宗諤撰。結銜同前。

孔門達者,服膺聖域。函丈摳衣,其儀不忒。顯允君子,有典有則。禮洽慶成,爵封侯國。

(23)司馬耕,字子牛,宋人。贈向伯,今進封楚丘侯。贊:

翰林學士中大夫行尚書兵部員外郎知制誥同脩國史判史館事柱國賜紫金魚袋臣楊億撰。

仁遠乎哉,其言也訒。虛往實歸〔五〕,耽思旁訊。違難迷邦,奚虞悔吝。疏爵丁辰,寵名以峻。

(24)樊須,字子遲,齊人。贈樊伯,今進封益都侯。贊:

楊億撰。結銜同前。

學優乃仕,齒於家陪。戎車為右,誓眾靡回。質疑辨問,仁智既該。建侯追榮,垂裕方來。

(25)公西赤,字子華,魯人。贈郜伯,今進封鉅野侯。贊:

銀青光祿大夫行御史中丞兼尚書工部侍郎上柱國臣王嗣宗撰。

翊聖賢者,徂徠之英。謙言小相,終成大名。立朝儒雅,出使光榮。佐佑禮法,諸侯作程。

(26)有若,字子有,魯人。贈汴伯,今進封平陰侯。贊:

王嗣宗撰。結銜同前。

魯國高士,(克)念烝民。□□□□,殊類聖人。□□□□,信義是陳。□□□□,龜鑑羣臣。

(27)原憲,字子思,魯人。贈原伯,今進封任城侯。贊:

光祿大夫行尚書右丞上柱國臣向敏中撰。

賢哉子思,介然清淨。貧惟固學,道乃非病。衣冠忘敝,草澤遂性。升中進秩,垂芳尤盛。

(28)公冶長,字子之,魯人。贈莒伯,今進封高密侯。贊:

向敏中撰。結銜同前。

德行貞純,公冶孰倫。本非其罪,枉拘厥身。魯堂推善,孔門配姻。俾(侯)之貴,久而彌新。

(29)巫馬施,字子期,魯人。贈鄫伯,今進封東阿侯。贊:

金紫光禄大夫行尚書吏部侍郎上柱國臣趙昌言撰。

英英子施,受天和氣。(名)登魯堂,位沉周季。猶(勤)戴星,庇民為治。讓德進封,垂芳永世。

(30)陳亢,字子禽,陳人。贈潁伯,今進封南頓侯。贊:

趙昌言撰。結銜同前。

於美子禽,服膺尼父。問一得三,垂訓千古。名由實賓,德以位序。運屬封巒,爵崇分土〔六〕。

(31)梁鱣,字子魚,齊人。贈梁伯,今進封千乘侯。贊:

朝請大夫行尚書金部(員)(外)(郎)知制誥判集賢院事上護軍賜紫金魚袋臣周起撰。

元聖舊邦,森然精爽。於惟子魚,式瞻遺像。紀號停鑾,侯封錫壤。儒道有光,百王所仰。

(32)(顔)(幸),(字)(子)柳,魯人。贈蕭伯,今進封陽穀侯。贊:

周起撰。結銜同前。

增封雲嶺,詔蹕魯堂。顯允君子,令儀有章。英槩如挹,德(音)不忘。横亘千古,淳風載揚。

(33)冉孺,字子魯,魯人。贈紀伯,今進封臨沂侯。贊:

朝奉大夫尚書户部郎中知制誥上護軍賜紫金魚袋臣李維撰。

聖人之道,一以貫之。允矣子魯,堂奥斯窺。惟帝登岱,克陳上儀。追封侯社,沂水之(湄)。

(34)冉季,字子產,魯人。贈東平伯,今進封諸城侯。贊:

李維撰。結銜同前。

冉子挺生,鍾是純粹。游聖之門,切磨道義。時邁升中,禮成肆類。錫壤諸城,式昭遺懿。

(35)伯虔,字子哲,魯人。贈聊伯,今進封沭陽侯。贊:

朝散大夫行尚書比部員外郎知制誥同知通進銀臺司兼門下封駁事上輕車都尉賜紫金魚袋臣王曾撰。

肅肅魯堂,侁侁闕里。伯氏達者,克肖夫子。運偶慶成,禮崇追美。後學式瞻,高山仰止。

(36)公孫龍,字子石,楚人。贈黄伯,今進封枝江侯。贊:

王曾撰。結銜同前。

子石鉅賢,探微博古。禀粹荆衡,從師鄒魯。令聞不已〔七〕,儀型斯覩。展義疏封,遂荒故土。

(37)秦冉,字子開,蔡人。贈彭衙伯,今進封新息侯。贊：

起復銀青光祿大夫行右諫議大夫知制誥上柱國臣錢惟演撰。

惟聖享天，陟於神房。惟帝遵道，升茲魯堂。允矣君子，宛兮清揚。式賁先烈，錫諸衮章。

(38) 秦祖，□□□□□□。贈梁伯，今進封鄄城侯。贊：

錢惟演撰。結銜同前。

□□□□，□穆章甫。□□□□，□□之輔。□□□□，□□□□。□□□□，□□□□。

(39)漆雕哆，字子敏，魯人。贈武城伯，今進封濮陽侯。贊：

朝請大夫尚書戶部郎中龍圖閣待制集賢殿脩撰上護軍賜紫金魚袋臣戚綸撰。

闕里稱賢，哆也其一。學以適道，名參入室。昔為達者，今逢盛日。俾侯濮陽，膺茲寵秩。

(40)顏高，字子驕，魯人。贈瑯邪伯，今進封雷澤侯。贊：

戚綸撰。結銜同前。

魯國諸生，顏氏為盛。達者升堂，是亦希聖。龍章載加，侯服輝映。名著遺編，人師往行。

(41)壤駟赤，字子徒，秦人。贈化徵伯，今進封上邽侯。贊：

朝請大夫尚書工部郎中龍圖閣待制集賢殿修撰同修起居注上護軍賜紫金魚袋臣陳彭年撰。

猗歟壤駟,信而好古。(驅)駕咸秦,摳衣鄒魯。言必成文,動不踰矩。成禮介邱,追榮社土。

(42)漆雕徒父,字子期,魯人。贈須句伯,今進封高苑侯。贊:

陳彭年撰。結銜同前。

受教聖人,服勤墳籍。如彼時術,故能日益。元封慶成,介圭追錫。圖形繪素,鏤美金石。

(43)石作蜀,字子明,秦人。贈(郈)邑伯,今進封成紀侯。贊:

朝散大夫尚書工部郎中直昭文(館)□□□都尉臣陳充撰。

宣尼日月,無(得)而踰。粵有哲士,嘗(為)學徒。登封偶聖,至德崇儒。以地進爵,斯文(乃)殊。

(44)任不齊,字子選,楚人。贈任城伯,今進封當陽侯。贊:

陳充撰。結銜同前。

荆衡誕粹,賢生其中。服膺數仞,誠明感通。地邇長坂,爵嘉素風。虔遵祀典,列在儒宫。

(45)林放,字子丘,魯人。贈清河伯,今進封長山侯。贊:

朝散大夫尚書主客郎中直秘閣上護軍賜紫金魚袋臣刁衎撰。

子邱明哲,道洽素風。問禮之本,為儒所宗。東岳稱美,長山表封。云亭告畢,慶澤薦隆。

(46)商澤,字子季,魯人。贈睢陽伯,今進封鄒平

侯。贊:

刁衎撰。結銜同前。

子季從師,服膺儒雅。闕里垂名,同於達者。昔寵睢陽,今旌鄒野。運偶登對,薦臻純嘏。

(47)申棖,字子續,魯人。贈魯伯,今進封文登侯。贊:

朝散大夫行右司諫直史館輕車都尉臣張知白撰。

洙泗之秀,横經魯堂。名亞十哲,道尊五常。時巡駐蹕,闕里增光。封侯錫命,(永)(代)(流)(芳)。

(48)公良孺,字子幼,魯人。贈東牟伯,今進封牟平侯。贊:

張知白撰。結銜同前。

子幼眞賢,從師宣父。服膺大猷,配享終古。運屬聖神,時巡鄒魯。五等疏封,三綱式敍。

(49)曹卹,字子循,蔡人。贈魯伯,今進封上蔡侯。贊:

朝散大夫尚書兵部員外郎直史館護軍賜紫金魚袋臣楊紳撰。

三千孔徒,七十賢者。子循服道,聖門之下。笙簧經籍,輔翼儒雅。爵為蔡侯,名器匪假。

(50)奚容蒧,字子皙,魯人。贈下邳伯,今進封濟陽侯。贊:

楊紳撰。(結)(銜)(同)(前)〔八〕。

雍容子皙,(服)勤儒墨。闕里横經,魯堂師德。昔從游騁,今逢檢勒。皇錫信圭,洙泗改色。

(51)句井疆,字子野,衛人。贈淇陽伯,今進封滏陽侯。贊:

朝散大夫行尚書刑部員外郎直史館護軍賜紫金魚袋臣查道撰。

衛之君子,達者比肩。服勤鼓篋,學慕韋編。升中覃慶,儒術攸先。徹侯疏爵,闕里之賢。

(52)申黨,字子周,魯人。贈邵陵伯,今進封淄川侯。贊:

查道撰。(結)(銜)(同)(前)[九]。

猗歟子周,軀蒙垂裕。昔參八九,今逢三碁。淄川錫壤,儒風載路。檢玉旌賢,昭我王度。

(53)縣成,字子祺,魯人。贈鉅野伯,今進封成武侯。贊:

朝散大夫行尚書祠部員外郎直集賢院上輕車都尉臣石中立撰。

異能之士,孔徒寔繁。悅服至德,祖述微言。富稟天爵,游乎聖門。追崇之典,胙以侯藩。

(54)左人郢,字子衡,魯人。贈臨淄伯,今進封南華侯。贊:

石中立撰。(結)(銜)(同)(前)[一〇]。

循循善誘,從師(奉)(聖)。□□□義,□□□□。□脩道隆,終古斯盛。興儒建侯,□□休命。

(55)公祖句茲,字子之,魯人。贈期思伯,今進封即墨侯。贊:

朝請大夫(行)尚書祠部員外郎直集賢院輕車都尉梅

詢撰。

子之生魯,從師尼父。恂恂闕里,峩峩章甫。非聖勿(言),惟道是與。千古而(下),(俾)侯齊土。

(56)榮旂,字子祺,魯人。贈雩婁伯,今進封厭次侯。贊:

梅詢撰。(結)(銜)(同)(前)〔一一〕。

聖人之門,學者侁侁。彼美子祺,行脩志淳。異端茲害,微言服勤。格於我宋,侯封是新。

(57)顔之僕,字子叔,魯人。贈(東)武伯,今進封冤句侯。贊:

朝奉郎行太常博士直史館同修起居注輕車都尉賜緋魚袋臣崔遵度撰。

洙水悠悠,子叔優優。及肩等賜,升堂並由。元後時邁,禮成介邱。旌此達者,爵為列侯。

(58)蘧瑗,字伯玉,衛人。贈衛伯,今進封内黄侯。贊:

崔遵度撰。結銜同前。

達哉君子,外寛内正。好禮直躬,衛風斯競。瑞命昭錫,元符報慶。俾執(信)(圭),千齡遇聖。

(59)顔噲,字子聲,魯人。贈朱虚伯,今進封濟陰侯。贊:

三司監鐵判官宣德郎太常博士充集賢校理賜緋魚臣張象中撰。

回也庶幾,諸顔近之。洙泗授業,汶上從師。輔翊儒道,經營德基。俾侯於濟,君子攸宜。

(60)步叔乘,字子車,齊人。贈淳于伯,今進封博昌侯。贊:

張象中撰。結銜同前。

聖人之門,子車服勤。學以時習,道益日新。數仞爰處,函丈是親。追封遺烈,旌美儒臣。

(61)叔仲會,字子期,魯人。贈瑕丘伯,今進封博平侯。贊:

朝散大夫行太常博士直史館上護軍臣劉鍇撰。

斯文有宗,吾道不窮。執筆迭侍,惟賢比崇。少成習貫,函丈順風。東巡駐蹕,霈澤儒宮。

(62)顏何,字子冉,魯人。贈開陽伯,今進封堂邑侯。贊:

劉鍇撰。結銜同前。

木鐸興教,英賢輔翼。猗歟子冉,恢章文德〔一二〕。孝悌承風,詩禮是則。千歲丁辰,始開侯國。

(63)狄黑,字子晳,魯人。贈臨濟伯,今進封林慮侯。贊:

朝散大夫行太常博士直史館上輕車都尉臣姜嶼撰。

矯矯子晳,來學有(方)。依仁游藝,攝齊升堂。羽儀先聖,物色上(庠)。林慮錫壤,百世之光。

(64)燕伋,字子思,秦人。贈漁陽伯,今進封汧源侯。贊:

三司戶部判官朝奉郎行太常博士直史館騎都尉賜緋魚袋臣陳知微撰。

八九之徒,俱傳大義。賢哉子思,道本無媿。鐘靈咸鎬，浴德洙泗。增封汧源，皇澤斯被。

(65)鄭國，字子徒，魯人。贈滎陽伯，今進封朐山侯。贊：

陳知微撰。(結)(銜)(同)(前)〔一三〕。

懿彼子徒，挺生闕里。日遊聖門，躬授微旨。德音孔昭，令聞不已。疏爵朐山，式旌遺美〔一四〕。

(66)秦非，字子之，秦人。贈汧陽伯，今進封華亭侯。贊：

朝奉郎行太常博士直史館騎都尉賜緋魚袋臣王隨撰。

七十之賢，(皆)傳聖道。彼美之子，(學)臻堂奧。珍席圭璋，(儒)宮黼藻。列爵華亭，(令)名長保。

(67)施之常，字子恒，魯人。贈乘氏伯，今進封臨濮侯。贊：

王隨撰。結銜同前。

懿彼施常，學深儒雅。魯國(上)賢，孔堂達者。跡晦(名)(彰)，德高言寡。侯封是(邦)，(昭)錫純嘏。

(68)孔忠，字子蔑，魯人。贈汶陽伯，今進封鄆城侯。贊：

開封府推官承奉郎守太常丞直集賢院騎都尉賜緋魚(袋)臣□□□撰。

賢哉先生，(接)(蹤)夫子。道貴希聖，(勤)斯行己〔一五〕。闕里服膺，國庠從祀。載享封侯，式昭德(美)。

(69)邽巽，字子歛，(魯)〔一六〕人。贈平陸伯，今進封高堂侯。贊：

朝奉□□太常丞直史館陳□撰。

展(矣)(子)歛,孔門高弟。(模)範將聖,博約六藝。斯謂達者,顯於當世。追封列侯,流芳來裔。

(70)公西輿,字子上,齊人。贈重丘伯,今進封臨朐侯。贊:

宣德郎守□□□□□□□(直)(集)賢院騎都尉賜緋魚袋臣范□撰。

鍾美齊疆,從師魯國。展矣斯人,道臻聖域。禮墨金繩,慶敷文德。薦享侯封,永光廟食。

(71)公西蒧,字子上,魯人。贈祝阿伯,今進封徐城侯。贊:

朝奉郎大理寺丞秘閣校理武騎尉臣劉筠撰。

魯多學者,(服)勤游聖。祝鸁惟肖,蒧也成性。綽有餘裕,是亦為政。追侯於徐,用均天慶。

(72)琴牢,字子開,衛人。贈南陵伯,今進封頓丘侯。贊:

(大)(理)(寺)(丞)(集)(賢)(校)(理)〔一七〕宋綬撰。

反魯之始,從師去里。不試故藝,善言攸紀。非義罷弔,崇仁為美。銘嶽益封,用旌君子。

(73)左邱明,今封瑕丘伯。贊:

丁謂撰。結銜同前。後仿此。

猗歟左氏,聞道素王。依經作傳,微旨用彰。詞有餘韻,人希末光。慶封錫壤,廣魯之疆。

(74)公羊高,今封臨淄伯。贊:

晁迥撰。

高也解經,辯裁咸服。學官所傳,齊名左穀。追奬肇封,宸心允屬。闕典彌縫,斯文載郁。

(75)穀梁赤,今封龔丘伯。贊:

李宗諤撰。

仲尼脩經,感麟絕筆。赤也發揮,奧義斯出。立學名家,道隆盛日。列爵疏封,式崇儒術。

(76)秦博士伏勝,今封乘氏伯。贊:

楊億撰。

伏生明經,為秦博士。祖習微言,流離耄齒。壁藏其文,口授厥旨。建號旌儒,錫封仁里。

(77)漢博士高堂生,今封萊蕪伯。贊:

周起撰。

秦(歷)告窮,炎靈啓祚。篤生令人,允貞(王)度。名教斯宗,(禮)文有素。勒封告成,式昭餘裕。

(78)漢九江太守戴聖,今封□□伯。贊:

李維撰。

安上治民,惟禮為急。賴君大儒,發揮講習。傳授實繁,其(學)遂立。均慶疏封,寵(章)斯及。

(79)漢河間博士(毛)(萇),□□□□□□。贊:

(王)(曾)(撰)。

孔(徒)受業,商也言詩。研精詁訓,誰其嗣之。毛公興學,永代師資。疏封錫命,禮治禎期。

(80)漢臨淮太守孔安國,今封曲阜伯。贊:

錢惟演撰。

顯顯臨淮,聖人之系。訓傳遺文,克示永世。繪像廟庭,聿彰善繼。東巡受封,是(為)(褒)異。

(81)漢中□校尉劉向,今封彭城伯。贊:

戚綸撰。

漢宣之世,穀梁興學。子政(大)(儒),煥乎(先)覺。道業(光)(顯),(風)流遐邈。展采逢(辰),寵章優渥。

(82)後漢大司農鄭眾,今封中牟伯。贊:

陳彭年撰。

經禮三百,垂世作程。仲師為訓,其義昭明。周官先覺,漢室名卿。元封班慶,茂爵追榮。

(83)後漢河南杜子春,今封緱氏伯。贊:

查道撰。

三川二室,英(靈)(所)(鍾)。學窮周制,譽藹儒宗。杏壇闕里,差有比蹤。一命作伯,慶我天封。

(84)後漢南郡太守馬融,今封扶風伯。贊:

崔遵度撰。

季長博洽,為世通儒。名立訓傳,善誘生徒。東觀文炳,南國化孚。躬圭之贈,明我弁服。

(85)盧植,今封良鄉伯。贊:

朝散大夫行太常博士直史館輕車都尉臣路振撰。

堂堂子幹,學洞今古。業紹師聞,驤交四府〔一八〕。登朝抗議,排戈赴主。吉禮告成,遂聯圭組。

(86)後漢大司農鄭康成〔一九〕,今封高密侯。贊:

路振撰。

漢德云季,藝文乖舛。實生純儒,克明六典。學徒既盛，師道益顯。疏爵昌辰，允彰積善。

(87)九江太守服虔，今封榮陽伯。贊：

路振撰。

子慎清介，文采(詳)(練)。博通經史，爰作(訓)(傳)。百世之下，皇明(乃)睠。登岱錫封，永昭(廟)(奠)。

(88)後漢侍中賈逵，今封岐陽伯。贊：

王曙撰。

猗歟景伯，為世通儒。發明左氏，富而不誣。禮成大報，澤浹中區。躬圭褒異，垂勸生徒。

(89)後漢諫議大夫何休，今封丘城伯。贊：

朝奉郎太常博士騎都尉賜緋魚袋臣王曙撰。

何侯博達，含章履溫。作為墨守，是謂專門。仙閭接統，鸞冕推(恩)。思樂膠序，儒風(益)(尊)。

(90)衛將軍太常蘭陵亭侯王肅，今贈司空。贊：

王曙撰。

子雍秉彝，凜然正色。達學多聞，能窮先識〔二〇〕。益厚增高，崇儒尚德。介圭追榮，丹(青)載飾。

(91)魏尚書郎王弼，今封偃師伯。贊：

朝奉郎守太常丞直史館臣陳□撰。

易之為教，潔靜精微。卓哉輔嗣，極慮研幾。大才逸辨，元理發揮。慶成疏爵，用峻等威。

(92)杜預，字元凱，今封司徒。贊：

大理寺丞充秘閣校(理)(□)(□)(撰)〔二一〕。

博學多聞，昔稱傳癖。釋例既詳，異論斯斥。逮我慶成,布昭純錫。追寵公臺,增封疏秩〔二二〕。

(93)漢豫章太守范甯,今封新野伯。贊:

朝奉郎大理寺集賢校理臣宋綬撰。

豫章篤學,通覽墳籍。研講清婉,沉精善釋。準裁羣疑,敷陳至賾。運偶慶成,疏封霈澤。

【注釋】

〔一〕關於此四碑的變化與碑文,清畢沅《山左金石志》卷十五有釋曰:"此與前文文宣王廟贊皆嘉靖丙申重摹本也,末有蔡經跋云:宋祥符間真宗有事泰嶽,駐蹕闕里,躬率侍臣虔修祀典,先聖諸賢咸有贊述,勒珉建亭,用垂永久。迨元兵燹,文字剥落至不可辯。兹加考校,重刻諸石。其有弗徵姑闕以俟,今碑中空處皆原闕也。文内南宫縚進封龔邱侯誤作龔邱鄭國,贊式旌遺美誤作式精馬融,贊明我弁服服字與上文儒徒孚韻不諧。至顔噲孔忠二人贊,撰人皆賜緋魚袋,碑脱袋字,蓋摹刻之失也。先賢凡七十人,先儒凡二十一人,其次序則左右列二碑,第一人從左碑起,第二人從右碑起,自此一左一右以迄於終。今皆依原次録之,以存一代掌故云。"

〔二〕括号内殘字據清孔繼汾《闕里文獻考》補足,以下凡不注明者皆同。

〔三〕書:畢沅《山左金石志》卷十五中爲"善",現據孔繼汾《闕里文獻考》卷三十八改爲"書"。

〔四〕君子知己:同上,將"巳"改爲"己"。

〔五〕虚往實歸:同上,將"德"改爲"往"。

〔六〕爵崇分土:同上,將"介"改爲"分"。

〔七〕令聞不已:同上,將"巳"改爲"已"。

〔八〕〔九〕〔一〇〕〔一一〕〔一三〕結銜同前：此处四字爲筆者著録時所加，畢沅《山左金石志》卷十五中無。

〔一二〕恢章文德：同〔三〕，將"張"改爲"章"。

〔一四〕式旌遺美：同〔三〕，將"精"改爲"旌"。

〔一五〕勤斯行己：同〔三〕，將"巳"改爲"己"。

〔一六〕魯：同〔三〕，將"日"改爲"魯"。

〔一七〕大理寺丞集賢校理：畢沅《山左金石志》卷十五中無宋綬的官職稱謂，著録時據孔繼汾《闕里文獻考》增補。

〔一八〕驥交四府：同〔三〕，将"六"改爲"交"。

〔一九〕鄭康成：同〔三〕，将"元"改爲"康成"。

〔二〇〕能窮先識：同〔三〕，将"空"改爲"窮"。

〔二一〕理□□撰：畢沅《山左金石志》卷十五中無此内容，本次著録時筆者據孔繼汾《闕里文獻考》增補。

〔二二〕增封疏秩：同〔三〕，将"佚"改爲"秩"。

（宋冬梅）

大定八年三省奉旨存留大乘寺鑄鐘銘碑

此碑立於金世宗大定八年(1168)七月,位於漢魏碑刻陳列館東屋南間,北起第2石。碑高2.7米(含篆書"三省同奉聖旨存留大乘寺鑄鐘之銘"14字碑頭0.8米),寬0.9米,厚0.71米。花邊。宋瀾撰,正書。17行,行16字。此碑原在城南白村,1956年山東省博物館李步青等移入孔廟。

駱承烈《石頭上的儒家文獻——曲阜碑文録》中"考"作"攷"、"長淨"作"長□"。補"佛""繼"二字;並補齊"淨因""智越""智仁""朱瀾""元誧"等漏録人名。

三省〔一〕同奉聖旨存留大乘寺鑄鐘之銘並序

大定七年〔二〕秋,兗州曲阜縣白村大乘寺苾芻〔三〕之長淨,謂女凡朱瀾曰:吾寺古矣,創自隋唐,天寶碑銘具在可考,近世墮毁棟宇,僅存有大檀越豪族秦公秉心慈善,家世奉佛,惜此勝也。修復伽藍〔四〕殿、堂、寮、廚,象教〔五〕所須一二具足,唯闕鴻鐘,無以警震。秦公思惟,若無鳴鐘,人天受食,何以為節。劍輪〔六〕諸苦,何以時息。一切衆生,何以常得聞聲見佛,百億世界,何以悉聞釋迦如來説,脩多羅思維是已,即發上願〔七〕,願復施財,以作大鐘。皇統己巳〔八〕,鼓鑄成就。乃建崇樓,高懸樅〔九〕虡〔一〇〕。表揚福田〔一一〕,利益幽明〔一二〕,意願所期,罔不應遂。其後秦公家道益昌,令子〔一三〕以功榮膺爵賞。積善餘慶〔一四〕,信而有徵〔一五〕。我欲紀此,刻之豐碑,以勸來者。子其濡筆〔一六〕,助作佛事。固辭不可,乃為之銘曰:

佛制鴻鐘警聾愚,春雷一聲萬物蘇。
幽靈息苦人天餔,化佛继講貝葉書。
劍輪解脱千頭魚,十縑寄謝夢不誣。
魯人秦公大□□,割斷妄念期無餘。
傾家佈施類給狐,敲鑄大鐘鎮浮圖。
陰暘為炭天地爐,金精倒瀉成須臾。
碧尼朱莞插青虚,華鯨奮躍蒲牢呼。
大千聞聲悟本無,衣中邃識牟尼珠。
秦公惠利信美歟,福極無盡鐘與俱。
寄語婆竭龍王徒,勿私大海空閻浮。

大定八年七月旦日。住持講《經律論》。沙門淨因,小師智越、智仁。經武將軍、兖州觀察判官、騎都尉、隴西縣開國男、食邑三百戶李致道篆額。鄉貢進士朱灡撰。邑人元誧書丹。信武將軍、行兖州曲阜縣尉、騎都尉、蘭陵縣開國男、食邑三佰户王奪里刺。承奉郎、行兖州曲阜縣主簿、飛騎尉、賜緋魚袋李道。奉議大夫、行兖州曲阜縣令、驍騎尉、賜緋魚袋王時行。古沇楊元、王冊。

【注釋】

〔一〕三省:即中書省、門下省和尚書省。

〔二〕大定七年:公元 1167 年。

〔三〕苾芻:即比丘。

〔四〕伽藍:爲僧伽藍摩的簡稱,華譯爲衆園,即僧衆所居住的園庭,亦即寺院的通稱。

〔五〕象教:釋迦牟尼離世,諸大弟子想慕不已,刻木爲佛,以形象教人,故稱佛教爲象教。

〔六〕劍輪:佛教語,阿鼻地獄之一。其間罪人,不斷受利劍的斬截之苦。

〔七〕上願:最大的願望。

〔八〕皇統己巳:公元 1149 年。

〔九〕樅:崇牙。即虡上的載釘,用以懸鐘。

〔一〇〕虡:懸鐘的木架。

〔一一〕福田:佛教語。佛教以爲供養佈施,行善修德,能受福報,猶如播種田畝,有秋收之利,故稱。

〔一二〕幽明:人與鬼神。

〔一三〕令子:猶言佳兒。

〔一四〕餘慶:造福子孫。

〔一五〕信而有徵:真實而有依據。

〔一六〕濡筆:謂蘸筆書寫。

（孔　玥）

大定二十五年思堂記碑

此碑立於金世宗大定二十五年(1185)十一月,現位於孔林思堂正殿下東首。碑高0.96米,寬0.62米,厚0.2米,碑座高0.23米。碑头0.25米,篆书“思堂記”三字。碑身正書,孔元措立,共9行,正文現存88字,落款25字。

駱承烈《石頭上的儒家文獻——曲阜碑文録》著録全碑,“親莅”誤作“親涖”,“乙巳”誤作“乙已”。清孔祥霖《曲阜碑碣考》卷三丙部有記,名爲“思堂記”。

思堂記

每歲,春清明前三日暨冬十月朔〔一〕,衆族待祭於此,追念祖先,故名曰思堂。自經兵革〔二〕以來,摧毁幾半,有五十世孫摴〔三〕,年高七十有七,林廟之事皆親莅焉。尚不知興建之始,因權襲〔四〕封祀事,乃督工役修完其堂一新,遂勒諸石。

時歲乙巳年十一月乙未〔五〕,五十一世孫襲封衍聖公孔元措〔六〕謹記。

【注釋】

〔一〕朔：月相名，農曆每月初一。《説文》："朔，月一日始蘇也。"

〔二〕兵革：指戰争。

〔三〕孔㭊：孔子五十世孫，《孔子世家譜》載：權主祭祀事，無傳。

〔四〕權襲：即權襲衍聖公，是爲代理衍聖公主持孔子祭祀、保護林廟。孔尚任《闕里志·封爵志》"權襲"條説："金元以來，凡衍聖公老病或冲幼，或有故，或去國，承爵無人，廟祀墮廢者，准立本宗老成族人權主祀事。"並列舉了權襲衍聖公的孔端操、孔端稟、孔元用、孔之全、孔㭊、孔元長、孔元讓、孔之深、孔之文、孔治、孔思度和孔思進等十四人。

〔五〕乙巳年十一月乙未：即南宋淳熙十二年（1185）十一月三日。

〔六〕孔元措：字夢得，孔子五十一世孫，生卒年月不詳。生平事跡《闕里文獻考》《孔子世家譜》有載。金章宗明昌二年（1191）襲封衍聖公，授中議大夫，賜四品勛。後敕封衍聖公兼曲阜縣令。金宣宗年間授東平府通判，改太常博士、太常寺丞、同知集賢院。金末帝年間授泰定軍節度使、兖州觀察使兼行太常少卿，後遷光禄大夫，晋太常卿。金滅亡後，元太宗命孔元措仍襲封衍聖公，主奉祀事。他曾上言元太宗，召集熟悉禮樂之人整理禮樂，獲准。元朝一代禮樂，由孔元措整理創編。同時編纂《孔氏祖庭廣記》一書，記録有關孔氏宗族的歷史情況。

（陳以鳳）

承安二年党懷英撰重修至聖文宣王廟碑

此碑立於金章宗承安二年(1197)三月,位於孔廟十三碑亭南面東起第3亭内,中右石。碑高3.6米(含篆書“大金重修至聖文宣王廟之碑”12字碑頭1.2米),厚1.58米,寬1.8米。龜趺高1.05米,長3.2米,寬1.8米。花邊。党懷英撰並書,隸書,篆額。29行,行74字。碑陰除記有碑文落款劉燁等募勒、楊元刊外,另有題記、詩、祭文等共16則。第1則:高擇等題記,共3行,行12字不等,行書。第2則:耿懷義等題記,共3行,行12字不等,行書。第3則:蕭元題記,共7行,行6字,正書。第4則:魏璠等題記,共9行,行11、12字不等,行書。第5則:元好問等題記,共8行,行8、9字不等,行書,左行。第6則:嚴忠濟題記,共6行,行8字,正書。第7則:王玉汝等題記,共6行,行9字,正書。第8則:張德輝等題記,共6行,行10字,隸書。第9則:郝經題記,共5行,行6、7字不等,行書,左行。第10則:高翊題詩絶句兩首,共13行,行7字,行書。第11則:曾椿年題記,共3行,行9字,正書。第12則:楊奂七律詩一首,共6行,行10、11字不等,行書。第13則:文劇七律詩一首,共6行,行9、10字不等,行書。第14

則：刘詡七律詩一首，共6行，行11、12字不等，草書。第15則：劉文等題記，共10行，行13字，行書。第16則：劉文祭孔、顔、孟祭文3篇，共20行，行15、16、17字不等，行書。碑文及碑陰部分現保存相對完好。

駱承烈《石頭上的儒家文獻——曲阜碑文録》著録此碑，個别字詞有誤，未録開頭“翰林學士朝散大夫知制誥兼同修國史上護軍馮翊郡開國侯，食邑一千戶，食寶封壹佰戶，賜紫金魚袋。臣党懷英奉勑撰並書丹篆額”。《金石萃編》卷一百五十七完整著録此碑碑文及碑陰，且有釋。《闕里誌》卷之十八有碑文原文。《曲阜縣志》卷二十六《通編》之《秋八月命兖州節度使孫康以修廟成祭告孔子立廟碑》中有原文，開頭爲“祭文曰國家禮崇儒術，道尊聖師，闕里廟貌，于以新之，雅樂具舉，法服彰之，庶幾鑒格，永集繁禧”，其後便爲“党懷英撰碑文曰”；卷五十二《金石》有釋：《金重修至聖文宣王廟碑》“石碑在大成門南第六樓内，金明昌二年立，共十九行，行七十五字，八分書，第一行大金重修至聖文宣王廟碑，第二行翰林學士朝散大夫知制誥兼同修國史上護軍馮翊郡開國侯，食邑一千户，食寶封一百户，賜紫金魚袋。臣党懷英奉勑撰並書丹篆額，文載《通編》”。《闕里文獻考》卷三十三《藝文》有原文。《山東通志》卷十一之七載《金重修至聖文宣王廟碑（明昌六年翰林學士党懷英）》。上述文獻《闕里誌》《曲阜縣志》《闕里文獻考》《山東通志》皆未録碑陰。

《金石萃編》：“厚”作“厚”，“拜以”作“并以”，“計功”作“計工”。碑陰部分未録“曽椿年題記：歲壬子夏六月朔旦陽曽椿年自燕來拜奠林廟”。“脩”作“蓚”，“几留”作“凡留”，“弍十五”作“二十五”，“銷尽”作“銷盡”，“礼”作“禮”，“思”作“恖”。

《闕里誌》：“受”作“膺”，“厚”作“厚”，“政機”作“機政”，“灋”作“法”，“同歸”作“同歸於”，“其”作“甚”，“餘千”作“緡”，

“竝賜之”作“並賜之”，“亟成”作“急成”，“位敘”作“位序”，“櫎”作“横”，“完葺”作“全加葺”，“才居”作“十居”，“基址”作“基架”，“羣”作“群”，“揑素”作“揑塑”，“拜以”作“以”，“聖德之致”作“聖德之至”，“并書”作“並書”，“謹諸”作“謹識”，“褒崇之實”作“褒崇之意”，“系”作“係”，“迄”作“訖”，“竝起”作“並起”，“沿”作“沿”，“典學”作“興學”，“汎掃”作“洒掃”，“釦砌”作“階砌”，“奇”作“竒”，“它日”作“他日”，“閎”作“宏”，“惟”作“伊”，“施于”作“施於”。

《曲阜縣志》：“厚”作“厚”，“灋”作“法”，“廼今”作“乃今”，“六千四百”作“四百六十”，“竝賜之”作“並賜”，“位敘”作“位序”，“至于”作“至於”，“增剏”作“增創”，“基址”作“基構”，“揑素”作“揑塑”，“拜以崇成”作“並以崇盛”，“并書于石”作“並書於石”，“計功”作“計工”，“系”作“係”，“竝起”作“並起”，“汎掃”作“灑掃”，“繇是”作“由是”，“弘文”作“宏文”，“睠”作“眷”，“庳”作“卑”，“効功”作“效功”，“植”作“殖”，“施于”作“施於”。

《闕里文獻考》：“厚”作“厚”，“暨于”作“暨於”，“灋”作“法”，“廼今”作“乃今”，“六千四百”作“四百六十”，“竝賜之”作“並賜之”，“至于”作“至於”，“增剏”作“增創”，“基址”作“基構”，“揑素”作“揑塑”，“拜以崇成”作“並以崇盛”，“于石”作“於石”，“計功”作“計工”，“竝起”作“並起”，“汎掃”作“灑掃”，“繇是”作“由是”，“它日”作“他日”，“庳”作“卑”，“効功”作“效功”，“植”作“殖”，“施于”作“施於”。

《山東通志》：“受”作“膺”，“擧宋”作“破虜”，“厚”作“厚”，“暨于”作“暨於”，“政機”作“幾政”，“灋”作“法”，“同歸”作“同歸於”，“先聖”作“先生”，“其”作“甚”，“餘千”作“縉”，“竝賜之”作“並賜之”，“亟成”作“急成”，“位敘”作“位序”，“至于”作“至於”，“櫎”作“幌”，“完葺”作“全加葺”，“才居”作“十居”，

"基址"作"基架","羣"作"郡","揑素"作"揑塑","首階"作"晉階","拜以崇成"作"並以崇奉","聖德之致"作"聖德之至","并書于石"作"並書於石","謹諸"作"謹識","褒崇之實"作"褒崇之意","系"作"係","訖"作"迄","竝起"作"並起","沿"作"沿","六藝為經傳章句"作"六藝經傳為章句","歷代"作"歷代","典學"作"興學","汎掃"作"洒掃","釦砌"作"階砌","它日"作"他日","玩意"作"鋭意","閎"作"宏","植"作"殖","惟"作"伊","施于"作"施於"。

《石頭上的儒家文獻——曲阜碑文録》:"厚"作"厚","曁于"作"暨於","灋"作"法","廼今"作"乃今","六千四百"作"四百六十","竝賜之"作"並賜之","至于"作"至於","座"作"屋","增刱"作"增創","基址"作"基構","揑素"作"揑塑","眾功"作"眾","拜以崇成"作"並以崇盛","刋紀"作"刋記","并書于石"作"並書於石","計功"作"計工","系"作"係","竝起"作"並起","從出"作"以出","汎掃"作"灑掃","繇是"作"由是","它日"作"他日","六經"作"大經","効功"作"效功","庳者"作"卑者","植"作"殖","歎息"作"嘆息","施于"作"施於"。碑陰部分未録"曾椿年題記:歲壬子夏六月朔旦陽曾椿年自燕來拜奠林廟"。"季"作"年","夏四十日"漏録"四十","耿懷義"作"耿義","脩"作"蓚","劉詡"作"劉翊","自"作"至","几留"作"凡留","聖蹟"作"聖跡","湯陰"作"蕩陰","率諸將"漏録"率","盧武賢"作"膚武賢","弍十五"作"二十五","敬謁聖師祠下"漏録"聖師","銷尽"作"銷盡","礼"作"禮","火于秦"作"火於秦","會見"作"曾見","蹤跡"作"縱跡","杖策"作"仗策","倚欄"作"依欄","泉通"作"家通","己未"作"乙未","延祐六年"作"延祐元年","祭于"作"祭於","出乎"作"出於","未悟"作"未晤","式陳"作"式陳","皷瑟自怡"作"鼓琴自治","禮祀"作"禮記"。

大金重修至聖文宣王廟碑

翰林學士朝散大夫知制誥兼同修國史上護軍馮翊[一]郡開國侯,食邑一千戶,食實封壹佰戶,賜紫金魚袋。臣党懷英[二]奉勑撰並書丹篆額。

皇朝誕受天命,累聖相繼。平遼舉宋,合天下為一家。深仁澤,以福斯民。粤自太祖,暨于世宗,撫養生息,八十有餘年。庶且富矣,又將教化而粹美之。主上紹休祖宗,以潤色洪業為務。即位以來,留神政機,革其所當革,興其所當興。飭官厲俗,建學養士,詳刑瀍,議禮樂,舉遺修舊,新美百為。期與萬方同歸文明之治,以為興化致理,必本於尊師重道。於是奠謁先師,以身先之。嘗謂侍臣曰:昔者夫子立教於洙泗之上,有天下者所當取瀍。廼今[三]遺祠久不加葺,且其隘陋,不足以稱聖師之居,其有以大作新之。有司承詔,度材庀工,計所當費,為錢七萬六千四百餘千。詔竝賜之。仍命選擇幹臣,典領其役。役取於軍,匠傭於民。不責亟成,而責以可久。不期示侈,而期於有制。凡為殿堂、廊廡、門亭、齋廚[四]、黌舍[五],合三百六十餘楹。位敘有次,像設有儀。表以傑閣,周以崇垣。至于榩座欄楯簾櫎[六]罘罳[七]之屬,隨所宜設,莫不嚴具。三分其役,因舊以完葺者,才居其一,而增刱者倍之。蓋經始於明昌二年春,逾年而土木基址成。越明年,而髹漆彩繪成。先是羣弟子及先儒像,晝於兩廡[八],既又以捏素[九]易之。又明年,而眾功皆畢,罔有遺制焉。上既加恩闕里，又澤及嗣人，以其雖襲公爵，而官職未稱，與夫祭祀之儀不備，特命自五十一代孫元措〔一〇〕，首階中議大夫，職視四品，兼世宰曲阜。六年，又以祭服祭樂為賜。遣使策祝，拜以崇成之意告之。方役之興也，有芝生於林域及尼山廟與孔氏家園，凡九本。典役者采圖以聞，且言瑞芝之生，所以表聖德之致。廟成之日，宜有刊紀，敢請并書于石。又廟有層閣，以備庋〔一一〕書，願得賜名，揭諸其上，以觀示四方。詔以奎文名之，而命臣懷英記其事。臣魯人也，杏壇舊宅猶能想見其處。今幸以諸生備職藝苑，其可飾固陋之辭，絜楹計功，謹諸歲月而已乎。敢竊敘上之所以褒崇之實，備論而書之。而後系之以銘。臣嘗謂唐虞三代〔一二〕致治之君，皆相授以道。至周末世不得其傳，而夫子載諸六經〔一三〕，以俟後聖。降周訖漢，異端竝起，儒墨道德，名灋陰陽。分而名家，而以六藝為經傳〔一四〕章句〔一五〕之學。歸之儒流，不知六藝者，夫子所以傳唐虞三代之道。眾流之所從出，而儒為之源也。後世偏尚曲聽，沿其流而莫達其本，用其偏而不得其醇。自是歷代治蹟，嘗與時政高下。洪惟聖上以天縱之能，典學稽古，游心於唐虞三代之隆。故凡立功建事，必本六經為正，而取信於夫子之言。夫惟信之者篤，則其尊奉之禮宜其厚歟。臣觀漢魏以來，雖奉祠有封，汎掃有戶，給賜有田，禮則修矣，未有如今日之備也。初廟傍得魯廢池，發取石甃〔一六〕，以為柱礎〔一七〕釦砌〔一八〕之用。浚〔一九〕井得銅，以為鋪首〔二〇〕浮漚〔二一〕諸飾。繇是省所費錢以千計者，

萬四千有奇,方復規畫為它日繕治無窮之利。然則非獨今日之新,蓋將愈久而無弊也。銘曰:

惟古治時,以道相繼。不得其傳,粵自周季。天生將聖,遭世不綱〔二二〕。垂統六經,以俟後王。六經維何,為世立道。有王者興,是惟治要。於鑠我皇,聖性自天。玩意〔二三〕稽古,傳所不傳。建學弘文,崇明儒雅。躬禮聖師,率先天下。乃睠〔二四〕闕里,祠宇弗治。矧〔二五〕其舊制,既隘且庳。乃詔有司,乃疏泉府。揆材庀工〔二六〕,眾役具舉。梓人〔二七〕獻技,役夫〔二八〕効功。隘者以閎,庳者以崇。崇焉有制,閎焉惟灋。即舊以新,增其十八。植植其正〔二九〕,翼翼〔三〇〕其嚴。魯人來思,歎息仰瞻。魯人有言,惟今匪昔。豈伊魯人,四方是式。瞻彼尼山,及其林園。有芝煌煌〔三一〕,表我聖恩。聖恩之隆,施于後嗣。顯秩峻階〔三二〕,視舊加異。廟樂以雅,祭服有章。錫爾奉祠,名教〔三三〕是光。有貞斯石,有銘斯勒。揚厲〔三四〕鴻休〔三五〕,以詔無極。

(以下碑陰)

監修官從仕郎曲阜縣主簿權縣事劉燁〔三六〕同監修徵事郎、宣聖廟教授聶天覺〔三七〕,四十九代孫琛、瑭、璘募勒,五十代孫楨、揚同募勒。

承安二季〔三八〕三月旦日訖功。楊元刊。

(高擇等題記:)

龍山高擇〔三九〕同弟民范拜謁林廟,承安二年夏四十日。

（又耿懷義等題記：）

晉臺耿懷義〔四〇〕同雲中魏伸古、脩史煜敬謁林廟，承安五年閏二月初六日。

（又蕭元題記：）

東遼北野山黄冠蕭元〔四一〕從五十一代襲封特來敬謁林廟，壬寅歲十二月謹題。

（又魏璠等題記：）

雲中魏璠〔四二〕、上谷劉詡、陳郡徐世隆、汴梁李紱、隆安張澄洎男孔孫，自鄆道兖至曲阜恭謁林廟，几留三日，遍覽聖蹟。時經亂已久，廟貌未復，追想盛明，不勝慨嘆。然聖道隆替，繫時戚休，褒崇之典，豈無所待云。甲辰秋七月廿有一日，世隆謹題。

（又元好問等題記：）

太原元好問〔四三〕、劉浚明、京兆邢敏、上谷劉詡、東光句龍瀛、湯陰張知剛、汝陽楊雲鵬、東平韓讓恭拜聖祠，遂奠林墓。乙巳冬十二月望日謹題。

（又嚴忠濟題記：）

歲在己酉，率諸將佐恭拜林廟，周覽聖蹟，留三日而去。二月四日，東平嚴忠濟〔四四〕謹題。

（又王玉汝等題記：）

東平王玉汝〔四五〕、燕山畢英、范陽盧武賢、清亭杜仁傑，從行臺公拜奠祠林。歲舍己酉立秋日上谷劉詡謹識。

（又張德輝等題記：）

太原張德輝〔四六〕，由真定抵東平，從闕里諸容敬拜林廟，周覽勝跡，留一夕而去，男復侍行。歲乙卯夏五月式十五日識，古兗丁丕顯同來。

（又郝經題記：）

乙卯秋九月十有三日，陵川郝經[四七]拜謁祠下，遂奠墳林。

（又高詡題詩：）

庚子歲七月上旬，益津高詡[四八]敬謁聖師祠下，謹題二絕句，以誌其來。

帝王而下幾興亡，銷尽繁華作戰場。獨有東家詩礼[四九]在，子孫萬古讀書堂。

六經不幸火于秦，日月曾何礙片雲。用舍從來開治亂，皇天本不喪斯文。

（又曾椿年題記：）

歲壬子夏六月朔旦陽曾椿年[五〇]自燕來拜奠林廟。

（又楊奐詩：）

會見春風入杏壇，奎文閣上獨憑欄。淵源自古尊洙泗，祖述何人似孟韓[五一]？竹簡不隨秦火冷，楷林空倚魯城寒。飄零蹤跡千年後，無分東家老一簞。杨奐[五二]。

（又文劇詩：）

萋萋野草翳[五三]雩壇[五四]，回首尼山一憑欄。空想文風復鄒魯，豈知俗學尚申韓[五五]。虛堂晝寂禽聲雜，高閣春深檜影寒。樂道獨憐紫陽子[五六]，忘情軒冕[五七]羡瓢簞[五八]。文劇[五九]。

（又劉詡詩：）

乘閑杖策上郊壇，絕勝登樓靜倚欄。千古遺蹤思孔孟，百年雅集[六〇]數楊韓[六一]。泉通黿背[六二]波紋冷，月照龍門夜色寒。此去闕西有東魯〔六三〕,柳塘沙路走〔六四〕壺簞(紫)(陽)(方)(有)(歸)(秦)(之)(興),(故)(及)(之)。劉詡〔六五〕。

(又劉文等題記:)

朝列大夫〔六六〕山東東西道〔六七〕肅政廉訪〔六八〕副使劉文〔六九〕,因理東原〔七〇〕等處郡邑獄囚,路經曲阜,率分司書吏徐介、周瑞、奏差羅文郁,從嗣聖五十四代孫中議大夫襲封衍聖公孔思晦〔七一〕,偕三氏子孫教授〔七二〕王不矜、學録〔七三〕竇淳德、掌書〔七四〕任明善,敬謁林廟,瞻仰奠拜,禮成而還。時延祐歲次己未六月二十又五日也。

(又祭文:)

大元延祐六年歲次己未六月乙酉朔越二十五日乙巳朝列大夫山東東西道肅政廉訪副使劉文謹以清酌之奠敬,致祭于大成至聖文宣王〔七五〕:

惟王爰出乎類,自生而知。德配乾坤,道光日月。總無極於覆載,破未悟以通明。為古今師,懷帝王器。全集大成之教,決開榮進之源。希用報章,式陳明薦。

尚饗。

兗國公〔七六〕:

惟公位崇亞聖,名冠四科〔七七〕。皷瑟自怡,樂道為任。有攀鱗附翼之志,無施勞伐善之心。禮祀大賢,光隆永世。

尚饗。

鄒國公〔七八〕:

惟公生稟淑質,名推大才。立王化之基,治儒術之道。遵行仁義，距放邪淫。垂萬世之憲言，宜諸生之禮祀。

尚饗。

【注釋】

〔一〕馮翊：郡名。三國魏改左馮翊置。治臨晉（今陝西大荔），轄境相當今陝西韓城、黄龍以南，白水、蒲城以東和渭河以北地區。北周時廢置。隋唐時曾改同州爲馮翊郡。

〔二〕党懷英（1134—1211）：字世傑，號竹溪，北宋太尉党進十一代孫，金朝文學家、書法家、史學家。舉大定進士，官至翰林學士承旨，修《遼史》未成卒，謚號文獻。工詩善文，兼工篆籀，"當時稱爲第一，學者宗之"（《金史》本傳）。曲阜孔廟其墨跡甚多。著有《竹溪集》十卷。

〔三〕迺今：而今、如今之意。

〔四〕齋廚：廟宇的廚房。又稱香積廚。

〔五〕黌舍：校舍。亦借指學校。

〔六〕橫：擱置物品的器具。

〔七〕罘罳：古代的一種屏風，設在門外。

〔八〕兩廡：特指文廟中先賢從祀之處。

〔九〕揑素：即塑像。

〔一〇〕元措：字夢得，衍聖公孔揔（孔誥）之子。金章宗明昌二年（1191）襲封衍聖公，授中議大夫，賜四品勳，後敕封衍聖公兼曲阜縣令。金宣宗年間，授東平府通判，改太常博士、太常寺丞、同知集賢院。金末帝年間，授泰定軍節度使、兖州觀察使兼行太常少卿，後遷光禄大夫，晉太常卿。有《孔氏祖庭廣記》。

〔一一〕庋：本義爲依託屋柱搭建成的儲物木架，此處爲置放、收藏之意。

〔一二〕唐虞三代：指唐、虞二代和夏、商、周三代。

〔一三〕六經：《詩》《書》《禮》《易》《樂》《春秋》，合稱爲“六經”。

〔一四〕經傳：舊稱儒家的重要代表作品和儒家祖述的古代典籍爲“經”，解釋經文的書籍爲“傳”，合稱“經傳”。如《春秋》是經，《左傳》《公羊傳》《穀梁傳》是傳。後世以尊經之故，把古代傳注之作也稱爲經。清章學誠《文史通義·經釋》：“今之所謂經，其强半皆古人之所謂傳也。”經傳統稱聖賢所著的書。

〔一五〕章句：剖章析句，經學家解説經義的一種方式。亦泛指書籍注釋。

〔一六〕石甃：石砌的井壁。甃，井壁。

〔一七〕柱礎：承柱的礎石。柱礎是中國建築構件的一種，俗稱磉盤，或柱礎石，是承受屋柱壓力的墊基石，凡是木架結構的房屋，可謂柱柱皆有，缺一不可。古代人們爲使落地屋柱不潮濕腐爛，在柱脚上添上一塊石墩，就使柱脚與地坪隔離，起到絶對的防潮作用；同時，又加强柱基的承壓力。因此，對礎石的使用均十分重視。

〔一八〕釦砌：用金玉鑲嵌的臺階。

〔一九〕浚：疏通、挖深。

〔二〇〕鋪首：舊式門上銜著門環的底座，多用銅製成獸形。

〔二一〕浮漚：門上的環紐，因形似水面上的浮漚，故名。

〔二二〕不綱：指朝廷失去綱紀，政治混亂。語出《論語·述而》：“子釣而不綱。”謂孔子不用大網横斷流水以取魚。

〔二三〕玩意：應爲“鋭意”，指勇於進取、意志堅決專一。

〔二四〕睠：即眷，眷顧、顧念之意。

〔二五〕矧：况且。

〔二六〕掄材庀工：選材，召集工匠，開始動工。

〔二七〕梓人：古代木工的一種。《考工記·總序》載，木工有七，其一爲梓人，專造飲器、箭靶和鐘磬的架子。後世亦稱建築工人爲"梓人"。

〔二八〕役夫：服役的人。

〔二九〕植植其正：植植，爲草木叢立貌。此處應爲"殖殖"，平正貌。

〔三〇〕翼翼：莊嚴雄偉貌。

〔三一〕煌煌：明亮輝耀貌，光彩奪目貌。

〔三二〕顯秩峻階：顯赫、顯耀的官位、職位。

〔三三〕名教：此處應指以孔子的"正名"思想爲主要内容的禮教。

〔三四〕揚厲：意氣風發，引申爲發揚光大。

〔三五〕鴻休：大善，美德。

〔三六〕劉燁：時任監修官從仕郎曲阜縣主簿，掌管曲阜縣事務。

〔三七〕聶天覺：時任監修徵事郎、宣聖廟教授。

〔三八〕承安二季：此處爲立碑時間，"季"爲"年"字之異體。《曲阜縣志》將立碑時間記爲明昌二年是不對的，碑陰部分已明確標明立碑時間："承安二季三月旦日訖功。"

〔三九〕高擇：未找到相關史料記載，據碑文可知應爲龍山一地的官員。

〔四〇〕耿懷義：未找到相關史料記載，據碑文可知應爲晉臺官員。

〔四一〕蕭元：未找到相關史料記載，據碑文可知應爲東逵一地的官員。

〔四二〕魏璠：元代詩人魏初的祖父，金進士，授翰林修撰，金亡後還鄉里，後被元世祖徵訪，卒謚靖肅。《明一统志》卷二十一有记:"元世祖徵播訪以當世之務,播條陳三十餘事,舉名士六十餘人。"

〔四三〕元好問:字裕之,號遺山,世稱遺山先生,金元之際著名文學家。正大元年(1224),中博學宏詞科,授儒林郎,充國史院編修。八年秋,受詔入都,轉員外郎。工詩文,在金元之際頗負重望,詩詞風格沉鬱,並多傷時感事之作,有《中州集》《南冠録》《壬辰雜編》等。

〔四四〕嚴忠濟:一名忠翰,字紫芝。嚴實之子。元太宗時襲父職爲東平路行軍萬户。從元世祖攻宋,有戰功。至元二十三年(1286)授中書左丞,行江浙省事。《元史》卷一百四十八有傳。明朱權《太和正音譜》將其列於"詞林英傑"一百五十人之中。

〔四五〕王玉汝:字君璋,元代名宦,爲人清廉,曾與嚴實父子共事。《元史》卷一百五十三有傳。

〔四六〕張德輝:字耀卿,號頤齋。《元史》卷一百六十三有傳。與元裕、李冶游封龍山,時人號爲龍山三老云。著有《塞北紀行》《元遺山詩箋注》。

〔四七〕郝經:字伯常,元初名儒,主張天下一統,推崇理學。《元史》卷一百五十七有傳。著述頗豐,收於《陵川集》中。

〔四八〕高詡:此處極可能爲高翿。高翿,字文舉,號松岩真隱,金元之際益津人。善古篆,曾以篆書書寫《道德經》,並刻成現存於陝西樓觀臺的"古老子"碑。在曲阜碑刻中,高翿曾以篆書書寫"齊國公墓"碑、"宣聖墓"碑、"顔子廟"碑等。

〔四九〕礼:此處碑文刻爲簡體字,表明元代字體簡化現象較爲明顯。

〔五〇〕曾椿年:未找到相關史料記載,大概爲金元時期的文官。

〔五一〕孟韓:孟子與韓愈的並稱。

〔五二〕楊奂(1186—1255)：又名知章，字焕然。《元史》卷一百五十三有傳。著作很多，有《還山前集》八十一卷、《還山後集》二十卷、《近鑒》三十卷、《韓子》十卷、《概言》二十五篇、《硯纂》八卷、《北見記》三卷、《正統記》六十卷等。

〔五三〕翳：原指用羽毛做的華蓋，後引申爲起障蔽作用的東西，此處作動詞，意爲遮蔽，隱藏。

〔五四〕雩壇：古時祈雨所設的高臺。

〔五五〕申韓：戰國時法家申不害和韓非的並稱。後世以"申韓"代表法家，亦以稱申韓之學。

〔五六〕紫陽子：指楊奂。

〔五七〕軒冕：原指古時大夫以上官員的車乘和冕服，後引申爲借指官位爵禄，國君或顯貴者，泛指爲官。

〔五八〕瓢簞：安貧樂道。語出《論語·雍也》："一簞食，一瓢飲，在陋巷，人不堪其憂，回也不改其樂。"後因以"瓢簞"喻安貧樂道。

〔五九〕文劇：未找到相關史料記載，據碑文可知應爲有元一代的詩人。

〔六〇〕雅集：文人雅士吟詠詩文，議論學問的集會。

〔六一〕楊韓：指揚雄、韓愈。揚雄，司馬相如之後西漢最著名的辭賦家。韓愈，唐代傑出的文學家，世稱"韓昌黎""昌黎先生"。

〔六二〕鼇背：借指大海。唐劉禹錫《送源中丞充新羅册立使》詩："煙開鼇背千尋碧，日浴鯨波萬頃金。"

〔六三〕東魯：原指春秋魯國，後以指魯地（相當於今山東省）。此處指山東曲阜。

〔六四〕走：此處文字《石頭上的儒家文獻——曲阜碑文録》《金石萃編》皆爲空，但碑文刻字清晰，經辨識爲"走"字。

〔六五〕劉詡：金元之際上谷（今河北張家口，因建在大山谷上邊而得名)文官,與魏璠等皆爲著名儒士。

〔六六〕朝列大夫:文散官名。金始置,原名奉德大夫,海陵王天德二年(1150)改朝列大夫,從五品下。元陞爲從四品。明爲從四品初授之階。清廢。

〔六七〕山東東西道:元代設立的屬地名。山東以在太行山之東而得名。唐大部分屬河南道;宋設京東路,後分京東東、西路;金更名山東東、西路,爲山東得名的開始;元設山東東西道;明置山東省,後改山東布政使司;清改山東省,省名至今未變。

〔六八〕肅政廉訪:掌監察百官。蒙古至元初置提刑按察司,糾察地方吏治、政治得失,所巡視地區稱道。初置山東東西、河東陝西、山北京西、河北河南四道。大德初,全國分二十二道,遍於全國。元至元二十八年(1291)改稱肅政廉訪司。其長官爲肅政廉訪使,兩名,正三品;副使兩名,正四品;僉事四名,正五品。

〔六九〕劉文:時任山東東西道肅政廉訪副使。

〔七〇〕東原:古地區名,即漢東平郡地,"東平"因《尚書·禹貢》中的"東原厎平"得名。相當於今山東東平、汶上和寧陽一帶。

〔七一〕孔思晦(1267—1333):字明道,孔子五十三代孫。少年时天姿穎秀,從孔顔孟三氏學教授張䇓,講求義理,尊尚德行,不拘泥於詞章之學。元成宗大德七年(1303),遊學於京師,得國子監祭酒耶律有尚賞識,欲舉爲官,以老母年高爲由謝絶。元武宗至大三年(1310),居母喪期滿,薦爲孝廉,授范縣儒學教諭。元仁宗延祐二年(1315),轉任寧陽縣教諭,儉約自律,盡職盡責,深受生員愛戴。當時,孔氏族人以衍聖公孔思誠乃孔元用之後,不屬嫡系,上書朝廷請求罷免。元仁宗詳核孔氏族譜,以爲孔思晦系孔子嫡裔,當襲封。遂罷免孔思誠。於延祐三年授孔思晦以中議大夫,襲封衍聖公,給四品印。襲爵後,孔思晦請求朝廷新置典籍、管勾、司樂三人,分掌書籍、錢穀出納、音樂。編修孔氏譜牒,刻譜於石,以垂永久。得朝廷之命,恢復尼山祭田一百五十畝,歲收入粟四十八石,又獲命增置尼山書院,重開鄒縣子思書院。元英宗至順元年(1330),他上書請追封孔子父爲啓聖王,母爲啓聖王夫人。泰定四年(1327)陞嘉議大夫,改給三品銀印。

〔七二〕教授:古代學官。此處指爲孔顔孟三氏子孫教授學問的學官。

〔七三〕學録:元代路、州、縣學學官,協助教授、學正教育所屬生員。

〔七四〕掌書:古代職掌符節及文史記載的官。

〔七五〕大成至聖文宣王:元代給予孔子的最高封號。大德十一年(1307)元武宗孛兒只斤海山加封孔子爲"大成至聖文宣王"。

〔七六〕兖國公:即顔回。宋真宗封其爲兖國公,元文宗至順二年(1331),尊其爲兖國復聖公,明嘉靖九年(1530),尊稱"復聖"。

〔七七〕四科:孔子門徒的四種科目。《論語·述而》有:"子以四教,文行忠信。"

〔七八〕鄒國公:即孟子。北宋神宗元豐六年(1083),孟子被追封爲"鄒國公",元文宗至順二年(1331),加封孟子爲"鄒國亞聖公",明嘉靖九年(1530),孟子被尊封爲僅次於"至聖"孔子的"亞聖"。

(宋振中)

元太宗十五年顏子廟碑

此碑立於元太宗十五年(1244)二月,位於顏廟歸仁門下南側,西面北石。碑高1.48米,寬0.76米,厚0.22米(碑座高0.17米),高翺篆書,中刻"顏子廟"3個大字。

顏子廟〔一〕

(以下題名右)

門生益津〔二〕高翺〔三〕書。

(以下題名左)

甲辰〔四〕春二月既望〔五〕宣聖〔六〕五十一世孫元措〔七〕立石。

【注釋】

〔一〕顏子廟:即顏廟,又叫復聖廟,是祭祀孔子弟子顏回的廟宇。

〔二〕益津：古縣名。

〔三〕高翻：字文舉，號松岩貞隱，山東益津（今河北霸州）人。元朝書法家，李道謙稱其爲魯之大儒。高翻自稱金朝前進士。

〔四〕甲辰：此碑時代衹記甲辰。按孔元措生於金大定二十一年（1181），其一生中經過兩個“甲辰”。第一次衹有四歲，應爲第二個“甲辰”。這一年是南宋理宗淳祐四年，但曲阜一地已由蒙古人統治，此時還未建元朝，時當太宗十五年。

〔五〕既望：陰曆十五爲望，十六爲既望，古時稱“既望”之時間較長，或指十四、十五至二十三、二十四之時段。

〔六〕宣聖：漢平帝元始元年謚孔子爲褒成宣尼公，此後歷代王朝皆尊孔子爲聖人，詩文中多稱爲“宣聖”。

〔七〕元措：字夢得，衍聖公孔摠之長子，孔子五十一世孫。生於南宋淳熙八年，卒年不詳。金章宗明昌二年（1191）襲封衍聖公，授中議大夫，賜四品勳，後敕封衍聖公兼曲阜縣令。金宣宗年間（1213—1224）授東平府通判，改太常博士、太常寺丞、同知集賢院。金哀宗年間（1224—1234）授泰定軍節度使、兖州觀察使兼行太常少卿，後遷光禄大夫，晉太常卿。

（盧巧玲）

大德五年大元重建至聖文宣王廟之碑

此碑立於元成宗大德五年(1301),位於孔廟十三碑亭南面西起第4亭内,中石。碑高4.2米(含篆書“大元重建至聖文宣王廟之碑”12字碑頭1.6米),寬1.8米,厚0.48米。龜趺高1.02米,長3米,寬1.8米。閻復撰,劉賡正書,劉慗篆額。共30行,行80字,各行字數不一。現保存相對完整,有個别殘缺之處,字跡難以辨識。

駱承烈《石頭上的儒家文獻——曲阜碑文録》著録此碑,個别字詞有誤。《闕里誌》卷之十八有碑文原文。《曲阜縣志》卷二十六《通编》有原文,卷五十二《金石》爲《元重修夫子廟碑》:“大德五年立,閻復撰文,文載《通编》。”《闕里文獻考》卷三十三《藝文》有原文及釋。《闕里文獻考》注:“考元世祖至元二年,盡罷林廟灑掃户,至成宗大德九年始給復二十八户。今碑云復户二千八者,蓋刊勒之誤也。”《山東通志》《元文類》對碑文内容均有完整記載,《山東通志》載《元重建至聖文宣王廟碑》,《元文類》卷十九載《曲阜孔子廟碑》。

《闕里誌》“璧雍”作“辟雍”,“對颺”作“对揚”,“雇力”作“顧力”,“配酺”作“配侑”,“廟碣”作“廟神”,“敕”作“敇”,“二千八”作“二十八”,“事下”作“仍下”,“於石”作“于石”,“達乎”作“達于”,“迪”作“廸”,“厲俗”作“勵俗”,“宸獄”作“庶獄”,“震曜”作“振曜”,“緜緜”作“綿綿”。

《曲阜縣志》“作廟於京師”一句中漏録“師”字,“璧雍”作“辟雍”,“燬”作“毁”,“曆錢”作“歷钱”,“按檀不華”作“按檀不花”,“對敭”作“对揚”,“丹雘”作“丹艧”,“侵”作“祲”,“脩”作“修”,“配酺”作“配侑”,“竒”作“奇”,“廟碣”作“廟碑”,“敕”作“勅”,“二千八”作“二千八户”,“洒掃”作“灑掃”,“事下”作“仍下”,“達乎”作“達於”,“詔求”作“乃詔求”,“肇於此矣”作“肇於此也”,“迪”作“廸”,“宸獄”作“庶獄”,“寔”作“實”,“緜緜”作“綿綿”,“於萬斯年”作“於斯萬年”。

《闕里文獻考》“作廟於京師”一句中漏録“師”字,“璧雍”作“辟雍”,“燬”作“毁”,“曆錢”作“歷钱”,“按檀不華”作“按檀不花”,“對敭”作“对揚”,“侵”作“祲”,“脩”作“修”,“期月”作“期年”,“配酺”作“配侑”,“竒”作“奇”,“廟碣”作“廟碑”,“敕”作“勅”,“洒掃”作“灑掃”,“事下”作“仍下”,“仁及天下”作“仁極天下”,“達乎”作“達於”,“恒規”作“恆规”,“詔求”作“乃詔求”,“學宫”作“學官”,“宸獄”作“庶獄”,“寔”作“實”,“緜緜”作“綿綿”,“洒掃”作“汛掃”。

《山東通志》“久”作“乆”,“璧雍”作“辟雍”,“甞”作“嘗”,“曆錢”作“歴钱”,“對敭”作“对揚”,“雇力”作“顧力”,“鉛砌”作“鉛砌”,“丹雘”作“丹艧”,“侵”作“祲”,“脩”作“修”,“配酺”作“配侑”,“竒”作“奇”,“廟碣”作“廟碑”,“敕”作“勅”,“二千八”作“二十八”,“事下”作“仍下”,“達乎”作“達於”,“厲俗”作“勵俗”,“宸獄”作“庶獄”,“寔”作“實”,“緜緜”作“綿綿”,“於萬斯年”作“於斯萬年”。

《元文類》"祗述"作"述","夂"作"从","璧雍"作"辟雍","甞"作"嘗","曆錢"作"歷钱","丁卯"作"丁夘","鄉風"作"鄉威","對敭"作"对揚","帛幣"作"泉幣","雇力"作"顧力","釦砌"作"鉗砌","丹雘"作"丹艧","侵"作"祲","脩"作"修","大成有門配酭諸賢有所"作"大成有門七十二賢有廡","竒"作"畸","輻輳"作"輻湊","廟碣"作"廟碑","畝"作"畂","二千八"作"二十八","事下"作"仍下","蓋"作"葢","學官"作"學官","纘"作"纉","宸獄"作"庶獄","寔"作"實","洒掃"作"汎掃","緜緜"作"綿綿"。

駱承烈《石頭上的儒家文獻——曲阜碑文録》"作廟於京師"一句中漏録"師"字,"奉表以聞"漏録"表"字,"考"作"攷","璧雍"作"辟雍","燬"作"毀","嚴公忠濟"作"嚴忠公濟","甞"作"嘗","曆錢"作"歷钱","歲"作"嵗","按檀不華"作"按檀不花","從出"作"以出","對敭"作"对揚","傭工雇力"作"傭功傕力","暇"作"睱","丹雘"作"丹艧","侵"作"祲","期月"作"期年","配酭"作"配侑","竒"作"奇","落成之旦"作"落成之日","廟碣"作"廟碑","敕"作"勅","洒掃"作"灑掃","事下"作"仍下","仁及天下"作"仁極天下","達乎"作"達於","係"作"繫","恒規"作"恆规","詔求"作"乃詔求","餘"作"余","學官"作"學官","需賢"作"儒賢","志"作"誌","厲俗"作"勵俗","宸獄"作"庶獄","先業"作"千業","觀文化下"作"觀文化不","寔"作"實","垂之"作"垂至","聿新"作"韋新","緜緜"作"綿綿","於萬斯年"作"與萬斯年"。

大元重建至聖文宣王[一]廟之碑

翰林學士承旨正奉大夫知制誥兼修國史臣閻

復[二]撰。

翰林侍講學士中大夫知制誥兼脩國史臣劉賡[三]書。

集賢學士通議大夫臣劉愻[四]篆。

聖上嗣服[五]之初,祇述祖考之成訓。興學養士,嚴祀先聖。自曲阜始制誥。若曰:孔子之道,垂憲萬世,有國家者所當崇奉,中外聞之。咸曰大哉聖言,拭目太平文明之治。粵明年元貞改元,先聖五十三代孫密州尹治[六]入朝,(璽)[七]書錫命中議大夫襲封衍聖公。月俸百千,秩視四品。孔氏世爵弗傳者久,至是乃復,申命有司[八],制考璧雍[九],作廟於京師。由是四方嚮風,崇建廟學,惟恐居後。闕里祠宇燬於金季之亂,閣號奎文,若大中門闔[一〇]存者無幾。右轄[一一]嚴公忠濟[一二]保魯,嘗假清臺頒暦錢,佐營繕之費。歲戊申始復鄆國後寢,以寓先聖顔孟十哲像。至元丁卯衍聖公治尹曲阜,主祀事,將圖起廢,奎文、杏壇、齋廳、黌舍[一三]即其舊而新之,禮殿則未遑也。國初封建宗室,畫濟、兖、單(三)州為魯國大長公主[一四]駙馬濟甯王[一五]分地。置濟甯總督府,屬縣十六,曲阜其一也。濟甯守臣按檀不華[一六]恭承詔旨,會府尹僚佐鄉長者謀曰:方今聖天子守成尚文,此鄉風化之,源禮義之所從出。為守臣者,敢不對敭[一七]休命[一八],以廟役為任。首出帛幣萬緡,衆翕然[一九]助之,傭工雇力,市木於河,輂石於山,掄材於野,宊棟櫨桷楹礎[二〇]之屬悉具。又得泗水(渠)(堰),積石數百石堊,稱是露階(釦)砌,咸足用焉。郡政之暇,躬為督視甄陶[二一]、鍛冶[二二]、丹雘[二三]、髹漆[二四],以至工師廩積,各有司存。經始於大德二年之春,屬歲侵[二五]中止,蕆事[二六]於五年之秋,不期月而告成,殿矗重簷,亢以層基,(繚)(以)(脩)廊,大成有門配酭,諸賢有所,泗沂二公有位。黼座[二七]既遷,更塑鄆國像於後寢。締構堅貞,規模壯麗,大小以楹計者百二十有六,貲用以緡計者十萬有奇。落成之旦,遠近助祭者,衣冠輻輳[二八],眾庶瞻顒千禩,祖庭頓還舊觀。於是,衍聖公治遣子曲阜令思誠[二九]奉表以聞,且以廟碣為請,會博選胄子入學,擢思誠國子監丞,特敕中書。賜田五千畝,以供粢盛[三〇]。復戶二千八[三一],以應洒掃。事下翰林書其(事)(於)石。臣復承命,踧踖[三二]既述興造始末。竊惟聖人之道與天地並,聖人之祀與天地無極。堯舜湯文之君不作而道,在洙泗立言垂教,推明堯舜湯文致治之由,模範百王,仁及天下,後世(願)(治)之主,莫不宗之。廟貌相望,達乎四海。聖人之道,固無係於祀禮之隆殺[三三],夫尊其道而崇其祀,蓋治古之恒規,王政之所先也。洪惟聖元,神武造邦,天兵傳汴,戎事方殷,不忘存敬先聖之祀,詔求五十一代衍聖公元措[三四]歸魯,裒集奉常禮樂於兵燼之餘。燕冀之謀,肇於此矣。世祖聖德神功,文武皇帝仁霑義洽。九域混同,文物煥然可觀。內立國學,外置郡邑學宮,而於先聖之後,尤所注意遴選,師儒訓迪,作成需賢,以嗣封爵,玆志未究。皇上纘[三五]而成之,故自紹膺景命,以敦化厲俗為先務,至於博施濟眾,敷文來遠,哀矜宸獄[三六],惠鮮鰥寡,由天縱之聖,見於設施,皆堯舜湯文武之舉。揆[三七]諸聖經之言,若合符契,用能張皇教本,光昭先業,以致魯國臣民思樂泮水,如附

靈臺,子來之衆至矣哉,觀文化下必世後仁之效,豈特震曜〔三八〕一時,寔宗社無疆之福也。銘曰:

道之大原,寔出於天。天何言哉,乃以聖傳。傳道維何,唐虞三代。儀範百王,萬世永賴。聖人之功,與天比隆。聖人之祀,垂之無窮。皇元肇基,撥亂右武。天兵趨汴,周禮在魯。烝哉世皇,載整乾綱。始定終綏,遂臣萬方。肅肅魯庭,嗣封有典。德音孔昭〔三九〕,聖謨〔四〇〕丕顯。王者之作,必世後仁。繼序不忘,成於孝孫。遹觀厥成,是訓是則。思樂泮水,作廟翼翼。如矢斯棘,如翬斯飛。籩豆靜嘉〔四一〕,陟降有儀。祀世孔嚴,世爵以延。洒掃有戶,粢盛有田。聖政聿新,希蹤治古。僉曰皇明,登三咸五。泰山巖巖,聖祀緜緜。與國無疆,於萬斯年。

【注釋】

〔一〕至聖文宣王:宋真宗大中祥符元年(1008)加號孔子爲"玄聖文宣王",五年(1012)又改爲"至聖文宣王",尊孔子爲"至聖文宣王"。

〔二〕閻復:字子靖,號靜軒、靜山,累遷翰林學士承旨。平陽和州人,金末隨父避居高唐。穎悟過人,讀書過目成誦。初入東平府學,拜名儒康曄爲師。又簡拔習"進士"課程,經元好問校試,預選他與徐琰、李謙、孟祺四人,號"東平四傑"。元貞元年(1295),上疏言:"京師宜首建宣聖廟學,定用釋奠雅樂。"從之。其後詔賜田並孔林灑掃人户,皆從其請也。繼因星變上疏言"定律令,頒封贈,重郡守,減公田租"諸要務時,多採用之。武宗立首陳"惜名器,明賞罰,擇人材"三事尤剴切。後以平章致仕,卒謚文康。有《靜軒集》。

〔三〕劉賡:字熙載,洺水人。幼有文名,師事翰林學士王磐。至元間,薦授國史院編修官。大德二年(1298),陞翰林直學士。至大二年(1309),遷禮部尚書仍兼翰林學士,尋拜侍御史。頃之,還翰林爲學士承旨兼國子祭酒,曾以讓之美德聞於六館之士。皇慶元年(1312),遷集賢大學士仍兼國子祭酒,延祐年間又入翰林爲承旨。其後,加光禄大夫,卒。劉賡久典文翰,當時大製作多出其手,以耆年宿德,爲朝廷所推重。

〔四〕劉愻:威縣劉肅之子,大名路總管,正三品。

〔五〕嗣服:指繼承帝位。

〔六〕治:字世安,一字先己。父之全,祖元用。孔貞叢重修《闕里誌》卷二《世家誌》載:"五十三代治字世安:壬子年,替父之全闕充曲阜管民長官。中統元年(1260),改曲阜令,四年權主祀事。"據《闕里誌》載,"年登二十,襲尹鄉邑",任曲阜縣尹達三十餘年,於元貞元年,由成宗特授中議大夫,襲封衍聖公。孔治襲爵結束了"孔氏世爵弗傳者久"的歷史現狀,"孔子林廟祭祀終於有了法定主祀者"(趙文坦《蒙元時期曲阜縣尹與孔子林廟祭祀》,《齊魯文化研究》第九輯,第174頁)。

〔七〕括弧内缺字據《闕里誌》《曲阜縣志》和《闕里文獻考》相互對照補足,下同。

〔八〕有司:指官吏,出自《史記·孝武本紀》。古代設官分職,各有專司,故稱有司。

〔九〕璧雍:即辟雍。本爲周天子所設大學,校址圓形,圍以水池,前門外有便橋。東漢以後,歷代皆有辟雍,作爲尊儒學、行典禮的場所,除北宋末年爲太學之預備學校(亦稱"外學")外,均爲行鄉飲、大射或祭祀之禮的地方。

〔一〇〕闥:相當於門,小門。

〔一一〕右轄:右丞的别名。左右丞管轄尚書省事,故右丞稱右轄。

〔一二〕嚴公忠濟:一名忠翰,字紫芝,長清人,魯國公嚴實之子。《元史》有傳。其人儀表不凡,長於騎射,襲父職任東平路行軍萬户。元世祖忽必烈攻宋,忠濟奉詔率兵進軍,所戰多捷。大臣有言其威權太盛,召還。命其弟忠範代之。治理東平時,"借貸於人,代部民納逋賦,歲久愈多。及謝事,債家執文券來征。帝聞之,悉命發内藏代償"。"東平廟學故隘陋,改卜高爽地於城東,教養諸生,後多顯者。"至元间,特授資德大夫、中書左丞、行江浙省事,以老予告。賜鈔並宅,召其子瑜入侍。至元三十年(1293)卒,後謚莊孝。

〔一三〕黌舍:校舍。亦借指學校。

〔一四〕魯國大長公主(1283—1331):名祥哥剌吉,係元世祖忽必烈的曾孫女,武宗海山之妹,通漢文,好收藏,尊儒重道。武宗海山加封孔子爲"大成至聖文宣王"後,至大元年(1308),大長公主因林廟在她的湯沐之地,而"不待聞金石絲竹而起敬,蓋將致肴羞菹醢以薦誠",遣承務郎應昌路同知王謙前往孔廟造酒,擇日致祭。泰定四年(1327),大長公主又遣承務郎位下總管府總管趙昌齡等奉香酒詣闕里致奠。這兩次遣使祭奠的盛況及經過都詳細地記載於石碑。(見《曲阜儒家碑刻文獻輯録(第2輯)》之《至大元年懿旨釋奠祝文碑》和《泰定四年皇姊大長公主降香碑》。)

〔一五〕濟寧王:《元史》有記。曼濟台駙馬,元貞元年封爲濟寧王,後進封魯王。

〔一六〕按檀不華:又作"按檀不花"。據張佳佳所撰《元濟甯路景教世家考論——以按檀不花家族碑刻材料爲中心》(《歷史研究》2010年05期)一文,按檀不花,"世爲阿里馬里人氏",作爲蒙古貴族弘吉剌氏的家臣,按檀不花家族至少三代先後在濟寧路各地爲官。

〔一七〕對敭：古代常語，屢見於金文。凡臣受君賜時多用之，兼有答謝、頌揚之意。

〔一八〕休命：美命，美善的命令。多指天子或神明的旨意。

〔一九〕翕然：一致貌，形容言論行爲一致。

〔二〇〕宎棟櫨桷楹礎：宎，棟也，房屋的大樑。韓愈《進學解》："夫大木爲宎，細木爲桷。"棟，房屋的脊檁。櫨，柱上方木，斗拱。桷，方形的椽子。楹，柱也，堂屋前部的柱子。礎，墊在房屋柱子底下的基石。

〔二一〕甄陶：燒制瓦器。

〔二二〕鍛冶：打鐵的反復過程。

〔二三〕丹雘：塗飾色彩。

〔二四〕髹漆：以漆塗物。

〔二五〕祲：古代稱荒年，五穀不生，謂之大祲。

〔二六〕蕆事：事情已辦理完成。蕆，完成、解決。

〔二七〕黼座：帝王的寶座。天子座後設黼扆，故名。黼，古代禮服上繡的半黑半白的花紋。

〔二八〕輻輳：形容人或物聚集像車輻集中于車轂一樣。也作輻湊。

〔二九〕思誠：孔治之子，至元二十五年(1288，孔治年五十三)襲替曲阜縣尹。

〔三〇〕粢盛：古代盛在祭器内以供祭祀的穀物。

〔三一〕二千八：應爲二十八。《闕里文獻考》注："考元世祖至元二年，盡罷林廟灑掃户，至成宗大德九年始給復二十八户。今碑云復户二千八者，蓋刊勒之誤也。"

〔三二〕踧踖：恭敬而不安的樣子。

〔三三〕隆殺：猶尊卑、厚薄、高下。《禮記·鄉飲酒義》："至於衆賓，升受，坐祭，立飲，不酢而降，隆殺之義别矣。"鄭玄注："尊者禮隆，卑者禮殺，尊卑别也。”

〔三四〕元措：字夢得，衍聖公孔摠（孔拯）之子。金章宗明昌二年（1191）襲封衍聖公，授中議大夫，賜四品勳，後敕封衍聖公兼曲阜縣令。金宣宗年間，授東平府通判，改太常博士、太常寺丞、同知集賢院。金末帝年間，授泰定軍節度使、兖州觀察使兼行太常少卿，後遷光禄大夫，晉太常卿。有《孔氏祖庭廣記》。

〔三五〕纘：繼承。

〔三六〕宸獄：應爲庶獄，蓋刊勒之誤。庶獄，獄訟也，諸凡刑獄訴訟之事。

〔三七〕揆：度，揣測。

〔三八〕震曜：亦作震燿，震動，顯耀。

〔三九〕孔昭：十分顯著彰明。《詩·小雅·鹿鳴》：“我有嘉賓，德音孔昭。”鄭玄箋：“孔，甚。昭，明也。”

〔四〇〕聖謨：語出《書·伊訓》：“聖謨洋洋，嘉言孔彰。”本謂聖人治天下的宏圖大略，後亦爲稱頌帝王謀略之詞。

〔四一〕静嘉：潔净美好。《詩·大雅·既醉》：“其告維何，籩豆静嘉。”鄭玄箋：“籩豆之物，絜清而美，政平氣和所致故也。”

（宋振中）

元貞間闕里廟祭器記碑

此碑約立於元元貞間，今存孔廟，碑頭高0.43米，碑身高1.16米，寬0.84米，厚0.17到0.18米不等，碑頭篆書“闕里廟祭器記”（記字籀文），碑身楷書，總計714字，現存710字。民國《續修曲阜縣志》、駱承烈《石頭上的儒家文獻——曲阜碑文録》著録碑文。

《續修曲阜縣志》缺“釜”字、“參”字、“廉訪使”之“使”字、“㝑”字、“決”字、“軒”字，“踈”作“疎”，“眀”作“明”，“緫”作“總”，“攻金”誤作“政金”，“丗安”作“世安”，“髙”作“高”，“丗儀”作“世儀”，“疏布巾”作“疏布巾”，“尊之數”誤作“遵之數”，“祭器”誤作“祭品”，“中議”誤作“中儀”，“摸勒”誤作“摸勤”。《石頭上的儒家文獻——曲阜碑文録》“于”作“於”，“踈”作“疎”，“眀”作“明”，“杭浙西廉訪副使晉君唐卿”中“杭”字誤作“抗”，“按察”誤作“按高”，“屬郡幕”誤作“屬都幕”，“攻金”誤作“政金”，“曰”誤作“白”，缺“江浙省參政”中“省”字、“參”字，“丗安”作“世安”，“髙”作“高”，“省幕”誤作“首幕”，“盧君”誤作“聲君”，“丗儀”作“世儀”，“簠百五十有一”中“簠”字誤作“器”，

"范"作"範","簠二"中"簠"字誤作"器","疏布巾"作"疏布巾","俎豋"誤作"俎豆","旁"作"旁","决"作"决","聞而喜"誤作"開而喜","如是"誤作"如是也","世儀父"誤作"儀父","余"誤作"餘","爲兹器"、"爲天下國家"中"爲"字作"為","既望"作"既望","同修"作"同脩","中議"誤作"中儀","摸"作"模"。

闕里廟祭器記

聖天子踐祚之歲之月之日,孔子五十三世孫行御史臺掾淑世儀父請于臺曰:惟曲阜祖廟祭器未備,願乞身鳩僝功。于句吴與曠禮而留,寧曠官而去無憾。中丞踈堂先生吳公衍暨同僚韙其誼,監察御史完顏君貞贊逾力。江東廉訪副使廉君希貢〔一〕贈以漢釜一,臺幕獨吉君元振、賈君惟政〔二〕、李君庭詠帥臺掾察院,江東提舉李君浩帥屬學,各以幣贈有差。是月館蘇,五月道秀邸,杭浙西廉訪副使晉君唐卿,僉事朱君思誠,薛君彦明,張君孝思〔三〕,平江總管耶律侯慶堅,嘉興總管劉侯(煒)〔四〕,杭州總管寇侯元德〔五〕,兩浙轉運司帥乃屬暨前田財賦提舉胡君士亨,亦各以幣贈有差,潤常蘇秀杭學幣贈如江東,而前浙西按察僉事王君煥贈以幣特厚。方世儀父去蘇而杭也,屬郡幕張君德元、文學掾李淦白淵以攻金之工,曰:子勉之,期再歲而竣事。六月,遣其子思遹來告,曰江浙省(參)〔六〕(政)李公世安允廉訪使高公睿、容齋先生徐公琰之請,悉以先代禮器平其賈見售,省(幕)盧君克治、蕭君玠、李君濟又帥省掾幣贈如臺幕。而今而後,勤子者或寡矣。秋八月，世儀父航所售過蘇，大尊二，山尊四，著尊四，壺尊六，犧尊面者八、體者五，象尊體者十、面者二十有二，爵百三十有五，罍二，洗三，豆三十有五，簠百五十有一，簋百六十有二，槃燎百有二十，而蘇所范豆二百，簠二，簋二，坫五十，龍勺三十，始成，籩二百五十，篚十，蹝布巾圓如籩之數、方如尊之數，帨四，亦成，蓋將以是歸闕里矣。或曰，俎乏若何。會完顔君按蘇，贈以文木五，倭産也，斵而髹之，得俎百七十有四，合昇杭蘇祭器凡千七百有三。繇漢迄今，千有餘歲，而世儀父旁收遐集於十有二旬之中，決非偶然者。集賢學士靜軒先生閻公復聞而喜曰：天將興禮樂乎，何文物待聖人而出如是。世儀父既歸，以記見屬余，故亹亹道省臺之事、集賢之意，不獨爲兹器賀，且爲天下國家斯文將興賀焉。至元三十有一年八月既望，江西李淦謹記。翰林直學士、朝列大夫、知制誥、同修國史劉賡書。奉直大夫、國子司業楊桓篆額。

五十三代孫，中議大夫、襲封衍聖公治〔七〕立石。

五十二代孫，廟學直學之朙〔八〕摸勒。張德刋。

【注釋】

〔一〕廉君希貢：《書史會要》卷七：“廉希貢，字薌林，畏吾人，官至昭文館大學士，封薊國公，善扁牓大字。”

〔二〕賈君惟政：據《至正金陵新志》卷六，賈惟政自“至元二十八年”起任“承務”。

〔三〕張君孝思：據《至正金陵新志》卷六，張孝思自“大德四年”起任“奉訓”。

〔四〕括號中文字除下文"参",皆據民國《續修曲阜县志》卷八補。

〔五〕寇侯元德:據《平宋録》卷下,寇元德曾任"少中大夫、杭州路總管兼管内勸農事";又據《全元文》所收《處士寇君墓表》,元德係寇靖次子,有文采,官至"兩浙都轉運使"。

〔六〕参:據《吴文正公集》卷四十二《元故榮禄大夫江西等處行中書省平章政事李公墓志銘》,李世安"元貞、大德間授正奉大夫,参江浙、河南二省","参"字據此補,李氏當在至元末年已任江浙参政。

〔七〕據《孔治神道碑》及《孔子世家譜》,治於元貞元年始爲"衍聖公",立碑時間疑即在其後不久。

〔八〕之明:《孔子世家譜》:"之明,字晦甫,曹州教授、聊城主簿、從事郎、同知兖州事。"

(王漢峋)

至治元年王慶謁林廟題名碣

此石碣立於元英宗至治元年(1321)七月,鑲於孔廟西齋宿北牆,東起第12石上。石高0.53米,寬1.05米。李秉恕立石。正書,共12行,行9字。駱承烈《石頭上的儒家文獻——曲阜碑文録》著録此碑,漏録"至""齊"二字。《寰宇访碑录》卷十二有記:"《王慶拜孔林題名》正書,至治元年七月,山東曲阜。"

至治初元夏六月,奉議大夫〔一〕僉山東東西道〔二〕肅政廉訪司事〔三〕王慶〔四〕按治〔五〕至曲阜,瞻拜林廟,誠敬而還。從行書吏〔六〕齊璧〔七〕、君寶〔八〕,奏差〔九〕王益、唐佐。

濟甯路曲阜縣達魯花赤怯列失八〔一〇〕。

承事郎濟甯路曲阜縣尹孔〔一一〕。

進義校尉〔一二〕濟甯路曲阜縣主簿李秉恕。

至治初元秋七月日立石。

【注釋】

〔一〕奉議大夫:文散官名,正五品官。

〔二〕山東東西道：元代設立的屬地名。山東以在太行山之東而得名。唐大部分屬河南道；宋設京東路，後分京東東、西路；金更名山東東、西路，爲山東得名的開始；元設山東東西道；明置山東省，後改山東布政使司；清改山東省，省名至今未變。

〔三〕肅政廉訪司事：掌監察百官。蒙古至元初置提刑按察司，糾察地方吏治、政治得失，所巡視地區稱道。初置山東東西、河東陝西、山北京西、河北河南四道。大德初，全國分二十二道，遍於全國。元至元二十八年(1291)改稱肅政廉訪司。其長官爲肅政廉訪使，兩名，正三品；副使兩名，正四品；僉事四名，正五品。

〔四〕王慶：未見相關史書記載，據碑文可见其时任肅政廉訪司事。

〔五〕按治：巡視部屬。

〔六〕行書吏：記事的史官。亦指掌文書等事的吏員。

〔七〕齊璧：時任行書吏。《至大金陵新志》卷六載："齊璧，順德人，文林，至元二年上。"

〔八〕君實：指王珣。据《元史》載："王珣，字君實，本姓耶律氏，世爲遼大族，金正隆末契丹斡罕叛祖成。從母氏，避難遼西，更姓王氏，遂爲義州開義人。父伯俊，伯父伯亨無子以珣爲後。珣，武力絶人，善騎射，尤長於擊鞠。"

〔九〕奏差：元、明、清時在某些官署中設置的供差遣的官職。

〔一〇〕達魯花赤：由成吉思汗設立，廣泛通行於蒙古帝國和元朝。在元朝的各級地方政府裏面，均設有達魯花赤一職，掌握地方行政和軍事實權，是地方各級的最高長官。在元朝中央政府裏面，也有某些部門設置達魯花赤官職。達魯花赤一般必須由蒙古人或色目人擔任。

〔一一〕孔：应指时任曲阜县尹的孔濟。趙文坦《蒙元時期曲阜縣尹與孔子林廟祭祀》(載《齊魯文化研究》第九輯，第172頁)

一文分析“孔濟兩度任曲阜縣尹,第一次是在至大四年前後,第二次是在延祐年間”。

〔一二〕進義校尉:武散官名。南宋始置,列第五十四階(共六十階)。金正九品,元陞正八品。

(宋振中)

泰定元年段輔謁林廟題名碣

此石碣立於元泰定帝泰定元年(1324),鑲於孔廟西齋宿北牆,東起第13石上。石高0.53米,寬0.8米。達魯花赤、孔思凱立石。正書,共12行,行8字。駱承烈《石頭上的儒家文獻——曲阜碑文録》著録此碑。

泰定初元九月十有四日,太常禮儀院〔一〕判稷亭段輔〔二〕、山東肅政廉訪〔三〕副使淇上王笴〔四〕同奉旨,使齊魯,獲拜廟林,以償夙願。仰惟聖德,泰岱是瞻。工部掾〔五〕馮彬〔六〕,憲史〔七〕王珪、趙秉常偕來。

曲阜縣達魯花赤〔八〕望家同縣尹孔思凱〔九〕立石。

【注釋】

〔一〕太常禮儀院:元官署名。掌重大禮樂事宜、祭祀宗廟社稷、封贈謚號等事。元世祖中統元年(1260),始置太常寺。至元二年(1265)由翰林兼攝;九年,太常寺設置分立。至大元年(1308),改名太常禮儀院,正二品衙門;四年復稱太常寺。延祐元年(1314)再改太常禮儀院。有院使、同知、僉院、同僉等官。屬官有奉禮部、協律部等。並轄太廟、郊祀、社稷、大樂四署。

〔二〕段輔：時任太常禮儀院判稷亭，曾官至監察御史、廉訪使等職。

〔三〕肅政廉訪：元代巡視監察地方行政、吏治的專職機關。蒙古至元初置提刑按察司，糾察地方吏治、政治得失，所巡視地區稱道。至元二十八年(1291)改稱肅政廉訪司。其長官爲肅政廉訪使，兩名，正三品；副使兩名，正四品；僉事四名，正五品。

〔四〕王笴：時任山東肅政廉訪副使，曾官中議大夫、監察御史。泰定二年(1325)，王笴用柳體書寫徑尺的“超然臺”三個大字，刻石嵌於原處。據《秘書監志》卷十載：“王笴，大德七年閏五月初二日上，字君貢，衛輝人。”

〔五〕工部掾：工部，元官職名，掌管營造工程事項。元代工部屬中書省。初時或以兵、刑、工爲右三部，或以工部自立。世祖至元五年(1268)後，工部單立成爲定制。

〔六〕馮彬：未見相關史書記載，據碑文可知其應在工部掌管營造工程事宜。

〔七〕憲史：元代官職名。

〔八〕達魯花赤：官名，始設於成吉思汗時期，是蒙元時期具有蒙古民族特點和設置最爲普遍的官職，相當於督官。

〔九〕孔思凱：孔之全之孫，孔濟之子，時任曲阜縣尹。据《闕里誌》卷八“世襲知縣”載：“至治二年(1322)，思凱由國子生襲縣尹。”曲阜很多碑刻，末皆署曲阜縣尹孔思凱立石。

（宋振中）

天曆二年曹元用代祀闕里孔子廟碑

此碑立於元文宗天曆二年(1329),位於孔廟十三碑亭院西南部,西起第5石。碑高1.53米(含篆書"代祀孔子廟碑"6字雲龍紋碑頭0.42米),寬0.81米,厚0.22米。除碑頭的雲龍紋飾之外,碑身其他三周也雕刻花紋。孔子第五十三代孫、衍聖公孔思晦立石,時任孔顔孟三氏子孫教授的張恒篆書。共26行,滿行62字。石碑保存大體完好,右側及左上方因風雨侵蝕致使碑面斑駁,另外,左下方有較爲嚴重的凹痕,碑面損傷比較明顯。因此,此碑碑文大部分清晰可辨,但有幾處字跡損壞嚴重,已經模糊不可辨認。《續修曲阜縣志》卷八《藝文·金石》著有原文,駱承烈《石頭上的儒家文獻——曲阜碑文録》著録此碑,但均有與原碑碑文不相符或錯誤之處,下面一一勘正。

《續修曲阜縣志》"皇帝嗣大臣",缺"大臣";"寧邦家",缺"寧";"浹于"作"浹於";"公矦其宗子"、"公矦"作"公侯",缺"宗";"衮冕"作"袞冕";"仍其舊",缺"仍";"曆日銀"缺"曆日";"欽惟"誤作"钀惟";"天曆"誤作"天歷";"将命至兖"作"将命至兗";"東廳"誤作"东聽";"措四海"誤作"指四海";"丕祚是承,文命誕舉”缺“丕祚是承”;“金幣輝輝粵自□□□□駿□竭□以祀”作“金幣輝輝粵自□□□駿竭□以祀”;“克□克遵”缺“遵”;“寔康□國”作“實康□國”;“聖哉天皇”缺“天皇”;“羌由兹始”作“羗由兹始”;“永昭德美”作“承昭德美”;“四月日”缺“日”。

駱承烈《石頭上的儒家文獻——曲阜碑文録》“同修國史”作“同脩國史”;“寧邦家”誤作“典邦家”;“浹于人心”作“浹於人心”;“公矦”作“公侯”;“衮冕”誤作“冠冕”;“洒掃”作“灑掃”;“仍其舊”缺“仍”;“曆日銀”缺“曆日;“欽惟”誤作“鐵惟”;“至兖”作“至兗”;“薦祼”誤作“薦稞”;“自昔帝王”誤作“自昔帝國”;“措四海”誤作“指四海”;“丕祚是承,文命誕舉”缺“丕祚是承”,“誕舉”誤作“誕與”;“金幣輝輝粵自□□□□駿□竭□以祀”作“金幣輝輝粵自□□駿竭以祀”;“具曰來享”誤作“且曰來享”;“克□克遵”缺“遵”;“寔康□國”作“實康□國”;“聖哉天皇”缺“天皇”;“羌由兹始”作“羗由兹始”;“永昭德美”誤作“承昭德美”;“四月日”缺“日”;“衍聖公公孔思晦”作“衍聖公孔思晦”。

代祀闕里孔子廟碑

翰林侍講學士〔一〕通奉大夫〔二〕知制誥〔三〕同修國史兼經筵官曹元用〔四〕撰。

孔顔孟三氏子孫教授〔五〕張恒書篆。

皇帝嗣大臣服命〔六〕翰林臣元用,捧白金百五十兩,幣帛二十有六純〔七〕,祭闕里孔子廟。祀畢,嘉議大夫襲封衍聖公思晦〔八〕、奉直大夫濟寧路判官董昭請文諸貞□〔九〕,(以)〔一〇〕紀昭代盛事。元用竊謂孔子之教非帝王之政不能及遠，帝王之政非孔子之教不能善俗。教不能及遠，無損於道；政不能善俗，必危其國。由漢以來，有天下者，消禍亂於未萌，寧邦家於悠久，以孔子仁義綱常之訓，浹[一一]于人心，忠孝迭發[一二]，默有以相之也[一三]。是故歷代所以崇奉其教者甚。至漢魏為孔廟置百石卒史[一四]，掌禮器，出王家錢以祭，既又給戶錫田，公侯[一五]其宗子以主祀事。至唐開元則衮冕而王之[一六]，令天下州縣皆立學。漢高帝、明帝、章帝、宋真宗皆親至其廟，極誠敬以行薦祼禮[一七]，眞知所本哉。若[一八]始皇非[一九]先聖，燔詩書，恣行暴虐，適[二〇]足以速其滅亡而已。皇元以馬上定天下，國初即誕敷文教，遣使亟香[二一]，詣曲阜祠孔子，給洒掃戶百，令襲封衍聖公仍其舊，歲[二二]割山東諸郡曆日銀，以葺廟宇。詔天下取法孔子興學作人。武宗皇帝登極，肇遣詞臣（亟）[二三]香如國初故事，仍齎[二四]銀幣，以將[二五]其意。厥後[二六]列聖相承，踵[二七]以為則。欽惟皇上以聰明文武之資，中興大業，闡人文以化天下，今者闕里之祀，亦所以丕承[二八]先志也。元用以天曆二年三月甲申將命[二九]至兖，衍聖公率孔顔孟三氏若[三〇]諸生郊迓[三一]，董[三二]濟寧暨厥僚屬具儀衛前導至祀所。越三日，丁亥，齋沐備三獻禮[三三]，薦祼如儀，祝史[三四]致告，諸執事各揚[三五]其職。牲腯酒洌[三六]，神人□□。既乃大享[三七]，與祭者於廟之東廳霈澤汪濊[三八]，恩意普洽，咸極歡而罷。嗚呼！自昔帝王致崇極於孔子者多矣，然皆未若我朝之盛。天子即位之初，輒[三九]遣官致祭，儀物交臻[四〇]，夐與佗祠異[四一]，皇乎休哉[四二]！

此亘古所未有也！所尚如是，其能化行俗美，措四海於隆平〔四三〕，延弘祚〔四四〕於萬斯年也宜矣。元用遂從衍聖公之請，謹系以詩曰：

惟皇斯赫〔四五〕，聖德中興。易亂以正，丕祚〔四六〕是承。丕祚是承，文命〔四七〕誕舉。咸秩百神〔四八〕，首及尼父〔四九〕。金幣輝輝，粤自□□。□□駿□，竭□以祀。庶羞〔五〇〕惟精，有苾其馨〔五一〕。樂舞充庭，允和〔五二〕且寧。神兮洋洋〔五三〕，儼在其上。具曰來享，輿情〔五四〕交暢。孔道在人，惟萬世則。克〔五五〕□克遵，寔〔五六〕康□國。是背是棄，禍乃逮躬〔五七〕。吉凶之捷，影響〔五八〕惟從。聖哉天皇〔五九〕，克崇其教。風動多方，胥〔六〇〕勸胥效〔六一〕。文治熠〔六二〕興，羌〔六三〕由茲始。請勒臣詩，永昭德美。

天曆二年四月日，嘉議大夫襲封衍聖公公孔思晦立石。

【注釋】

〔一〕侍講學士：中國古代中央政府官職之一，明品等爲從五品，清爲從四品。該官職主要配置於内閣或翰林院，轄下有典簿，侍詔等。主要任務爲文史修撰、編修與檢討。清朝滅亡後，該官職廢除。

〔二〕通奉大夫：文散官名。宋徽宗大觀二年(1108)置，爲文官第九階。金沿置，從三品中。元陞爲從二品。明從二品初授中奉大夫，陞授通奉大夫。清廢。

〔三〕知制誥：掌管起草誥命之意，後用作官名。唐初以中書舍人爲之，掌外制。其後亦有以他官代行其職者，則稱某官知制誥。開元末，改翰林供奉爲學士院，翰林入院一歲，則遷知制誥，專掌内命，典司詔誥。宋代因之，爲清要之職。明代翰林學士或内閣學士，得兼此職。清代廢。

〔四〕曹元用：字子貞，號超然居士。原籍阿城（今嘉祥縣紙坊鎮李村），後遷居汶上大張村（今嘉祥縣梁寶寺鎮桑科集）。歷經元英宗、仁宗、太定帝、文宗四帝。累封翰林院國史館編修禮部主事、尚書省右司都事、員外郎、禮部尚書，臨終前爲通奉大夫翰林侍講學士兼經筵官。在其仕途生涯中，曹元用致力於以儒家思想參與朝政，對儒學在元朝的傳播與元朝統治的鞏固都起到重要作用，在當時的政界與學界享有很高的聲譽與威望。時人將其與翰林學士禮部侍郎元明善（清河人）、陜西行臺中丞張養浩（濟南人），並稱爲“三俊”。生於元世祖至元五年（1268），卒於文宗天曆三年（1330），享年六十二歲。死後被元政府贈爲正奉大夫、江浙行中書省參知政事、護軍，追封東平郡公，謚文獻。生前有詩文四十卷，名《超然集》。

〔五〕教授：古時設置在地方官學中的學官。

〔六〕服命：指天子所賜之爵禄服飾。

〔七〕純：量詞，束。

〔八〕思晦：孔思晦，字明道，元曲阜人，孔子第五十三代孫。元仁宗延祐三年（1316）授中議大夫，襲封衍聖公，給四品印。襲爵後，孔思晦請求朝廷新置典籍、管勾、司樂三人，分掌書籍、錢穀出納、音樂。廟宇、碑刻、祭器、禮器等皆整飭一新。編修孔氏譜牒，刻譜於石，以垂永久。得朝廷之命，恢復尼山祭田一百五十畝，歲收入粟四十八石，又獲命增置尼山書院，重開鄒縣子思書院。元英宗至順元年（1330），他上書請追封孔子之父叔梁紇爲啓聖王，母顔徵在爲啓聖王夫人。泰定四年（1327）陞嘉議大夫，改給三品銀印。卒於元惠宗元統元年（1333），終年六十七歲。

〔九〕此處碑面毀壞較爲嚴重，字跡斑駁不可辨認，按缺字處理。

〔一〇〕以：碑文殘缺較爲嚴重，根據文義及剩餘字跡補。

〔一一〕浹：深入、融洽。

〔一二〕迭發：接連不斷地出現。

〔一三〕默有以相之也：不言不語卻能給予輔佐。

〔一四〕百石卒史：曲阜漢魏碑刻博物館有永興元年（153）所立《乙瑛碑》。該碑記載時任魯相的乙瑛向朝廷請求在孔廟設置百石卒史，以掌管廟中的禮器諸事。這一請求獲得允許。此一守廟官的設立，表明文廟的管理由孔子後裔的個人行爲上陞爲國家行爲。卒史，官名，漢代官屬中屬吏之一，因俸禄多爲百石或二百石，因此又稱之爲"百石卒史"。

〔一五〕矦："侯"字之異體。

〔一六〕至唐開元則衮冕而王之：指唐玄宗二十七年（739）孔子被封爲"文宣王"，這是歷史上孔子封號中稱"王"之始。衮冕，即衮衣和冕，古代帝王和上公的禮服和禮冠。

〔一七〕薦祼禮：進獻祼禮。薦，進獻。祼，古代以酒灌地以請神爲祼，指古代酌酒灌地的祭禮。

〔一八〕若：如、像。

〔一九〕非：非議、反對。

〔二〇〕適：恰好。

〔二一〕亟香：敬香。亟，敬也。

〔二二〕嵗："歲"字之異體，每年。

〔二三〕此處字跡模糊不可辨，根據上文有"遣使亟香"，可判斷此處應是"亟"字。

〔二四〕賫：贈送、送給。

〔二五〕將：順從。

〔二六〕厥後：自那以後。

〔二七〕踵：追隨、繼承。

〔二八〕丕承：很好地繼承。丕，尊奉。

〔二九〕將命：奉命。將，持、拿。

〔三〇〕若：若干、若許。

〔三一〕迓：迎接。

〔三二〕董：監督管理。

〔三三〕三獻禮：古代祭祀時，陳置祭品後須獻酒三次，第一次叫初獻爵，第二次叫亞獻爵，第三次叫終獻爵，合成"三獻"。

〔三四〕祝史：掌管祭祀之官。

〔三五〕揚：認真地履行。

〔三六〕牲腯酒洌：祭祀用的牛羊豬等犧牲肥胖、祭酒清冽。

〔三七〕既乃大享：祭祀儀式完畢。

〔三八〕霈澤汪濊：恩澤深廣厚重。霈澤，恩澤。汪濊，亦作"汪穢"，深廣。

〔三九〕輙：同"輒"，立即、就。

〔四〇〕臻：到、來到。

〔四一〕夐與佗祠異：與其他祭祀有很大差別。夐，表示差別程度大。佗，别的、其他的。

〔四二〕休哉：多麼美好啊！休，美好。

〔四三〕措四海於隆平：能讓天下昌盛太平。措，置、安放。隆平，昌盛太平。

〔四四〕弘祚：鼎盛的王業，經久不衰的國運。弘，又作"鴻"。

〔四五〕赫：顯耀、盛大。

〔四六〕丕祚：皇統、帝位。

〔四七〕文命：文德教命。

〔四八〕咸秩百神：按次序排列衆神。秩，按次序排列。

〔四九〕尼父：又稱"尼甫"，對孔子的尊稱。孔子字仲尼，故稱。

〔五〇〕庶羞：多種美味。

〔五一〕有苾其馨：祭品芬芳馨香。苾，香，在此指祭品散發芳香。

〔五二〕允和：允洽和美。

〔五三〕神兮洋洋：美善的神靈。兮，"兮"字之異體。洋洋，美善。

〔五四〕輿情：民衆的意願。

〔五五〕克：能。

〔五六〕寔：通"實"，確實、實在。

〔五七〕逮躬：到達自身。

〔五八〕影響：影子和回聲。表示事情發生之迅捷。

〔五九〕天皇：天子。

〔六〇〕胥：都、皆。

〔六一〕效：效做。

〔六二〕熠：盛貌。

〔六三〕羌：文言助詞，用在句首，無義。

（陳　霞）

後至元六年蔡祐題名記碑

此碑鑲於孔廟洪武碑亭内西牆,南邊,面東。立於元惠宗後至元六年(1340)農曆十二月十五日。碑高0.55米,寬0.98米,雲邊。蔡祐書,正書。共16行,滿行11字。該碑分正文和落款兩部分。正文13行,滿行11字,計89字;落款3行,滿行11字,計27字。共計116字。駱承烈《石頭上的儒家文獻——曲阜碑文録》著録全碑。

駱承烈《石頭上的儒家文獻——曲阜碑文録》將"16行"誤作"7行","行11字"誤作"10字","歛"誤作"斂","史"誤作"吏"。

題名記

奉直大夫〔一〕僉山東東西道肅政廉訪司〔二〕事禿魯東平等處分司按部曲阜,祗謁〔三〕林廟〔四〕,展誠肅拜,式瞻粹容,奠獻禮竟,歛衽而退。偕行者憲史真定毋從郁彦文、大寧崔庭鑄希顔、德州劉郁彦文,繼而至者憲史大寧張思進志道。

大元至元後六年冬十二月望日[五]也,孔顔孟三氏子孫教授[六]蔡祐謹識。

【注釋】

〔一〕奉直大夫:散官名。宋朝爲文臣寄禄官,金、元兩朝爲從正六品文散官,明、清兩朝爲從正五品文散官。

〔二〕肅政廉訪司:元代的官署名,職責監察百官。至元初年,置提刑按察司,糾察地方吏治以及政治得失,所巡視地區稱爲道。元至元二十八年(1291)改稱肅政廉訪司,初置山東東西、河東陝西、山北京西、河北河南四道。大德初年,全國分二十二道,分隸御史臺、江南行臺、陝西行臺,遂成定制。其中,内八道屬御史臺,江南十道屬江南行御史台,陝西四道屬陝西行御史臺。

〔三〕謁:恭敬而虔誠地瞻視、瞻拜。

〔四〕林廟:指孔林、孔廟等孔氏家族的遺跡。

〔五〕望日:指農曆每月的十五日。

〔六〕孔顔孟三氏子孫教授:魏文帝黄初二年,宗聖侯孔羡始創建家學,未設學官。宋真宗祥符二年,就廟建學,設立學官。乾興元年,孫宣公請以楊光輔爲講書轉奉禮郎。宋哲宗元祐元年,建學於孔廟東南隅,並置教授一員,教訓孔氏子孫或鄉鄰願從學者;元祐四年,又設學録一員。元世祖中統元年,依舊典立曲阜廟學,選師儒充任孔顔孟三氏子孫教授、學正、學録各一員,訓其子弟。此後,三氏教授、學正、學録,或孔氏任,或異姓任。明太祖洪武元年,奉旨設孔顔孟三氏子孫教授一員、學録一員;二年,改三氏學爲孔顔孟三氏子孫教授司,並增設學司一名。

(孔祥安)

至正二年創建尼山書院之記

此碑立於元惠宗至正二年(1342)正月,位於尼山孔廟毓聖侯殿前西側。碑高2.5米(含篆書“創建尼山書院之記”8字碑頭0.4米),寬0.96米,厚0.23米。虞集撰,孔克堅書,張起巖篆額。正書,共28行,行59字。碑陰刻官、儒名24行。乾隆《曲阜縣志》卷十八有《元尼山聖像碑》之釋:“至元三十一年立,司居敬爲文,載《通編》。”《闕里文獻考》卷三十四有原文,記爲《尼山書院記》。《闕里誌·藝文誌·碑記》有原文,記爲《尼山書院記》。修撰者皆將碑文中“玄”字記作“元”字。

創建尼山書院之記

奎章閣侍書學士翰林侍讀學士通奉大夫知制誥兼修國史知經筵〔一〕事蜀郡虞集撰。

宣聖五十五代孫嘉議大夫襲封衍聖公孔克堅書。

翰林侍讀學士通奉大夫知制誥兼修國史知經筵事張起巖篆。

尼山書院山長臨川金溪〔二〕彭璠，歸自魯，以興復書院始末為言，乃為之次第其事云：

尼山去曲阜東南六十里，今屬滕州鄒縣，在滕西百里，鄒東六十里。其山五峰並峙，中峰則所謂尼山，啟聖王夫人顏氏所禱而生聖人者也。山皆石，其巔多蒼柏，諸小木皆巨葉，霜露既降，絢如渥丹〔三〕。升降各途，升之，榖草木之葉皆上起；降之，榖草木之葉皆下垂；無或交戾反刺〔五〕者。其東崖有石洞，曰“坤靈之洞”，中有聖人石像。臨水與顏母山對，其北則防山，聖人合葬其父母處也。今書院在其中，前有智源之溪，後有中和之壑。往昔奉尼山之神，而祠曰“毓聖侯”〔四〕，其左有夫子之宫焉。故宋慶曆癸未〔六〕，孔子四十六代孫襲文宣公知兗州仙源縣宗願〔七〕作新宫有廟，有夫子之殿，有夫人之位，有講堂，有學舍，有祭田。自是歷宋金至於今，蓋三百餘年矣，宫不知何年廢。我國家奄有〔八〕中夏，尚崇孔子之道，歲月浸久，典禮斯備。至順三年〔九〕歲壬申，五十四代襲封衍聖公思晦〔十〕，用林廟管勾〔十一〕簡實理言，請復尼山祠廟，置官師奉祠，曰薦璠可用。事聞中書〔十二〕，送禮部議。奎章閣〔十三〕大學士康理公巙時為尚書，力言其事當行，議上。至元二年丙子〔十四〕，中書左丞王公懋德率同列執政者白丞相，置尼山書院，以璠為山長〔十五〕。三年六月至官，被舍〔十六〕山中，罄竭私橐，繼以假貸。具羊豕，為酒，告山之神，召近鄉父老受神賜，告以興廢之故。明日，鄉父老各以其人至，遂除荊棘，徹瓦礫，得殿及門之故基，諸舍之所在，次第而見，將告諸郡縣而經營之。山東東西道〔十七〕肅政廉訪分司〔十八〕寧夏楊公文書訥行部〔十九〕率其吏翟廸、趙士恒、郭敏趨茲山，留〔二十〕璠舍。一日，顧瞻徘徊，以其事為己任，命同知〔二十一〕滕州事郝寶寶誾領之。首出俸以為之先，而監州李彥博、鄒縣令張士謙與郡邑之官屬，暨大宗子〔二十二〕孔克堅、襲曲阜令克欽，宗族子孫，凡齊魯之境賢卿大夫士民之好事者，出錢而勸成之。擇木于山，陶甓於野，傭僦〔二十三〕致遠。牽車牛，服力役，連畛〔二十四〕載途，飲餉相望，役大而民不知勞。又得古殿遺構之成材於魯之故家，尤稱巨麗。不數月而大殿成，殿門成，毓聖侯之祠成。學宮在廟之西，國子監制也。作觀川亭於坤靈洞之上，相傳夫子之在川上，蓋在此云。繼以塑繪聖賢之像成，樂器祭器以次第成。置弟子員，以凡民之子弟俊秀者充之，皆復〔二十五〕其身役。乃以明年之上丁〔二十六〕，用太牢〔二十七〕致祠告成。噫！其功可謂敏〔二十八〕矣。夫朝廷議定於上，部使〔二十九〕者有司宣力於下，以克有成。聖明在上，文運宣通，於斯可徵焉。嗚呼！古初開物，天作茲山。太和絪緼，元氣融結。流形降神，篤生大聖，以立三極。位天地，育萬物，與日月四時貫通於無窮。若夫徂徠、龜、蒙〔三十〕至於岱宗，雨露風霆往作來復，前瞻後際。邈然高深，詎可測哉？運會〔三十一〕有時，聿奠新宇，不日而成，豈偶然歟？璠也得以學官從事於茲日，可謂榮矣。集〔三十二〕老且病，舊學荒落，僅克識其梗概如此。若夫播為聲詩，歌頌功德，式薦明享，勒之金石，則有待於當今儒學之君子也哉！

大元至正二年，歲在壬午，正月上元日。

從事郎益都路鄒縣兼管本縣諸軍奥魯勸農事鄧彦禮立石。

尼山書院直學權奉祀事江弘，鄒縣典史司秉一，將仕佐郎益都路鄒縣主簿王履信，益都路鄒縣達魯花赤、兼管本縣諸軍奥魯、勸農事阿穆赤，督工司吏敏，社長王瑁，古邾常士貴刊。

【注釋】

〔一〕經筵：爲皇帝講解經傳史鑒特設講席。

〔二〕臨川金溪：今江西省撫州市有臨川區、金溪縣，或爲其地。

〔三〕渥丹：紅而有光澤。

〔四〕交戾反刺：交錯乖逆不順。

〔五〕毓聖侯：宋仁宗給尼山神的封號。

〔六〕慶曆癸未：公元1043年。

〔七〕宗願：字子莊，孔延澤之子，公元1039年授國子監主簿，襲封衍聖公。

〔八〕奄有：擁有。

〔九〕至順三年：至順，元文宗年號。至順三年是公元1332年。

〔十〕思晦：字明道，孔涜之子。元仁宗延祐三年(1316)授中議大夫，襲封衍聖公。

〔十一〕林廟管勾：管理孔府孔廟的官職。

〔十二〕中書：官名，元以太子爲中書令，以中書省總領百官，爲最高行政機關。

〔十三〕奎章閣：元官署名，掌進奉經史、鑒文書典籍字畫器物。

〔十四〕至元二年丙子:至元,元惠宗年號。至元二年丙子即1336年。

〔十五〕山長:元代書院設山長,總領院務。

〔十六〕祓舍:拆除住宅遷居。

〔十七〕東西道:元代省級官府。

〔十八〕肅政廉訪分司:俗稱"憲司""監司",其前身爲提刑按察司。

〔十九〕行部:謂巡行所屬部域,考核政績。

〔二十〕留:留宿。

〔二十一〕同知:官名,稱副職。

〔二十二〕大宗子:家族宗長,孔氏以大宗子襲"衍聖公"爵。

〔二十三〕傭僦:雇工運輸。

〔二十四〕畛:田間小路。

〔二十五〕復:免除徭役。

〔二十六〕上丁:一個月中的第一個丁日,即上旬的丁日,舊時春秋二季仲月,即二、八兩月的上丁日舉行祭孔活動。尼山書院落成正當至元四年秋八月。

〔二十七〕太牢:牛、羊、豕三牲具備謂之"太牢"。

〔二十八〕敏:快捷。

〔二十九〕部使:指御史,一般由中央各部郎官充任。

〔三十〕徂徠、龜、蒙:皆魯中名山。

〔三十一〕運會:時運和際會。

〔三十二〕集:即虞集,字伯生,號道園,師從元大儒吴澄。

(李　翠)

至正三年楊訥三謁林廟記碣

此石碣立於元惠宗至正三年(1343)六月,鑲於孔廟西齋宿北牆,東起第8石上。石高0.45米,寬0.72米。孔克欽志,許企善立石。正書,共21行,行13字。駱承烈《石頭上的儒家文獻——曲阜碑文録》著録此碑,"十儒"作"大儒","從祀"作"以祀","繼其志者,是可書已"作"繼其志,是者可書已","行書吏"作"從書吏","耄"作"□","縣尹"作"縣","佐郎"作"左郎"。《續修曲阜縣志》卷八《藝文·金石》中《訥楊公三謁林廟記》记录了此碑原文,"繼其志者,是可書已"作"繼其志,是者可書已","佐郎"作"左郎"。

奉直大夫山東東西道〔一〕肅政廉訪〔二〕副使訥楊公〔三〕,河西人氏,按部〔四〕過闕里,三率皆先拜林廟,然後視事〔五〕。公始焉而謹恪〔六〕,再焉而恭敬,三焉而寅畏〔七〕。每行拜謁,雖祁寒酷暑,瞻戀〔八〕徘徊,移時不忍去。其秉心誠篤,禮節可觀。公之先正夏國〔九〕,仁宗皇帝朝請中臺罰布〔一〇〕為胄監〔一一〕崇文閣,謂十儒〔一二〕有補名教，可從祀孔庭。章疏入奏，得旨播告天下。公之先正，有功斯道，今憲副公剏復尼山作新洙泗兩書院〔一三〕。刻意斯文，誠可謂能繼其志者，是可書已。從行書吏河南楊國華、東昌何居禮，奏差〔一四〕古汴丁永周。時至正三年夏六月十有四日也。越翼日曲阜縣尹孔克欽〔一五〕謹誌，將仕佐郎〔一六〕濟寧路曲阜縣主簿許企善〔一七〕立石。

【注釋】

〔一〕山東東西道：元代設立的屬地名。山東以在太行山之東而得名。唐大部分屬河南道；宋設京東路，後分京東東、西路；金更名山東東、西路，爲山東得名的開始；元設山東東西道；明置山東省，後改山東布政使司；清改山東省，省名至今未變。

〔二〕肅政廉訪：元代巡視監察地方行政、吏治的專職機關。蒙古至元初置提刑按察司，糾察地方吏治、政治得失，所巡視地區稱道。元至元二十八年(1291)改稱肅政廉訪司。其長官爲肅政廉訪使，兩名，正三品；副使兩名，正四品；僉事四名，正五品。

〔三〕楊公：即楊訥，是楊朵兒只的兒子，崇敬儒学。周峰在《元代西夏遺民楊朵兒只父子事蹟考述》(載《民族研究》2014年3期)一文中，據《御史中丞楊襄愍公神道碑》分析了楊公的生平，"公西夏世家，名文書訥，字國賢，雙泉自號"。

〔四〕按部：巡視部屬。

〔五〕視事：就職治事，多指政事。

〔六〕謹恪：猶謹敬、敬慎。

〔七〕寅畏：敬畏、恭敬戒懼。

〔八〕瞻戀：仰慕、依戀。

〔九〕夏國：即夏國公，指的是楊朵兒只，官至御史中丞。楊朵兒只是元代較有影響的西夏遺民家族。孔克欽認爲楊朵兒只建崇文閣、奉祀儒者等建議是有功於儒學的。

〔一〇〕罰布：古代集市犯令者罰納的錢款，此處指御史臺收繳的罰款。

〔一一〕胄監：即國子監，亦指國子監的生員。

〔一二〕十儒：应指十哲，孔子門下最優秀的十位學生（子淵、子騫、伯牛、仲弓、子有、子貢、子路、子我、子游、子夏）的合稱。

〔一三〕洙泗兩書院：孔克欽任曲阜縣尹時創建了洙泗書院，楊訥在其中起了重要作用。《闕里文獻考》卷七十五关于孔克欽的小傳載"洙泗間爲先聖講學舊地，因置書院，設山長，教育生徒"。

〔一四〕奏差：元明清時在某些官署中設置的供差遣的官職。羗，"差"字之異體。

〔一五〕孔克欽：孔子第五十五代孫，時任曲阜縣尹。據《闕里誌》記載，至元四年（1267）孔克欽任曲阜縣尹。其任曲阜縣尹時創建了洙泗書院。《闕里文獻考》卷七十五有孔克欽的小傳，傳云篤志好學，"在職多善政"，鋤强扶弱，重視教育。

〔一六〕將仕佐郎：文散官名。隋始置，將仕郎。元陞爲正八品，在將仕郎下，尚有登仕佐郎、將仕佐郎兩階。

〔一七〕許企善：未見相關史料記載，據碑文所記，其在當時爲元代一名八品官員。

（宋振中）

至正五年顔廟太和巖

此石位於顔廟歸仁門以南東側，與陋巷井東西相對。有文字三處，"尼防獨秀太和巖"題名位於南面中部，高18.5釐米，寬8.5釐米，隸書。至正乙酉銘記位於北面，高21.5釐米，寬21釐米，隸書，估計原有37字，殘損5字。"卓石"題名及題記位於南面東部，高24釐米，寬16釐米，題名隸書，題記楷書，45字。

清吴慶坻《蕉廊脞録》卷六著録"至正乙酉銘記"，《重游曲阜泰安記》簡要著録該石。《金石分地編目》卷七有記，"太和"誤作"太山"。《曲阜的历史名人与文物》簡要記載乙酉題記，稱"卓石題字"。

（尼）〔一〕防獨秀太（和）〔二〕巖〔三〕。

卓石〔四〕。

乾隆四十一年丙申〔五〕，聖駕東巡，時鄆城縣知縣侯元龍承修復聖廟工程，因構此石，立拎歸仁門之東，即而銘此二字。

（以下石陰）

銘〔六〕。

雲(篆)〔七〕其中，玉壽其德，(帝)(翊)(斯)文，子孫千(億)。稷野遺民爲洙泗主人銘，至正乙酉仲冬吉日謹誌。

【注釋】

〔一〕"尼"字殘存左上角，根據《重游曲阜泰安記》補足。

〔二〕"和"字左側清晰，右側有劃痕，難以辨認，據《重游曲阜泰安記》補足，於意穩妥。《金石分地編目》卷七作"山"，顯誤。

〔三〕此題名鐫刻時間應與石陰銘記時間相同。

〔四〕《重游曲阜泰安記》："後人稱卓石特立，簡稱卓石，清乾隆間侯元龍興修工峻，命以此名也。"據此可知乾隆以後，此石曾被稱爲"卓石特立"，懷疑乾隆四十一年以前，該具有題名、銘記之園林景石在别處，侯元龍移入時僅稍作修整，便鐫刻卓石題名及題記。

〔五〕"申"字似"坤"，包括土旁大小與丙字相當，疑是石匠誤刻，或後人增刻而成。

〔六〕《蕉廊脞録》卷六以爲銘字上方斷缺，疑原石上方本即景觀孔洞，該行衹有一字。

〔七〕該銘記中缺字，據清吴慶坻《蕉廊脞録》卷六補足。

（鄧田田）

至正八年商企翁題名碣

此石碣立於元惠宗至正八年(1348),鑲於孔廟西齋宿北牆,東起第10石。石高0.6米,寬0.67米。孔克欽立,隸書。共6行,行8字。駱承烈《石頭上的儒家文獻——曲阜碑文録》著録此碑,"八年"作"八年季","振"作"賑"。

大元至正八年歲次戊子二月廿五日,左山〔一〕後人商企翁〔二〕奉堂命,來振〔三〕民饑,謹齋沐〔四〕敬謁。

五十五代孫襲曲阜尹孔克欽〔五〕立。

【注釋】

〔一〕左山:指元初名臣商挺。商挺,字孟卿,號左山,能詩賦,兼工書法。著有《藏春集》六卷。

〔二〕商企翁:元,曹州人,字繼伯。曾官著作佐郎。與王士點同撰《秘書監志》。

〔三〕振:同"賑",救濟。

〔四〕齋沐:齋戒沐浴。祭祀等重要儀式前要齋戒沐浴,清净身心。

〔五〕孔克欽：孔子第五十五代孫，時任曲阜縣尹。據《闕里誌》記載，至元四年(1267)孔克欽任曲阜縣尹。其任曲阜縣尹時創建了洙泗書院。《闕里文獻考》卷七十五有孔克欽的小傳，傳云篤志好學，"在職多善政"，鋤强扶弱，重視教育，"洙泗間爲先聖講學舊地，因置書院，設山長，教育生徒"。

（宋振中）

至正九年敕賜先師兗國復聖公新廟碑銘

此碑立於元惠帝至正九年(1349)十一月,位於顔廟仰聖門後之東,北石。碑頭高1.1米,碑高5.1米,寬1.3米,厚0.4米。龜趺高1.05米,寬1.3米,長2.15米。雕龍紋碑頭,篆書"大元勅賜先師兗國復聖公新廟碑銘"15字,歐陽玄撰,張起巖書,碑身隸書。23行,行70字。《曲阜縣志》卷二十七著録全碑,畢沅、阮元同撰之《山左金石志》卷二十四有釋,岳濬《山東通志》卷九有記,《陋巷記》卷六《藝文》中之"碑記"有原文,駱承烈《石頭上的儒家文獻——曲阜碑文録》著録全碑。《闕里志》卷十著録全碑。

駱承烈《石頭上的儒家文獻——曲阜碑文録》"大元勅賜先師兗國復聖公新廟碑銘"缺、"翰林學士承旨榮禄大夫大夫知制誥兼修國史臣歐陽玄奉敕譔翰林學士承旨榮禄大夫大夫知制誥兼修國史臣張起巖奉敕書翰林學士承旨榮禄大夫大夫知制誥兼修國史臣耿煥奉敕篆額"缺、"薬"誤作"築"、"廟"缺、"浸"誤作"寖"、"叚"作"段"、"官"缺、"共"誤作"供"、"其"作"其"、"宅"缺、"給"誤作"足"、"以"誤作"似"、"㠯"作"以"、"三"缺、"季"誤作"年"、"鳩工"作"鳩"、"二代"缺、"門"缺、"是"缺、"既而"誤作"猶"、

“前”缺、“庖”誤作“廚”、“具”誤作“俱”、“㠯”作“以”、“㞢”作“之”、“長”誤作“長為”、“二”作“言”、“煥然”缺、“焉”誤作“為”、“先”缺、“㞢”作“之”、“季”誤作“年”、“封”缺、“考”誤作“攷”、“割”缺、“䣊”作“都”、“郱”作“鄒”、“㐅”作“五”、“征”作“徵”、“亓”作“其”、“㠯”作“以”、“聖”缺、“㞢”作“之”、“㫃”作“於”、“裦”作“褒”、“㫃”作“於”、“歷”誤作“前”、“㞢”作“之”、“㐅三”誤作“三五”、“時”缺、“閒”誤作“間”、“叡”作“睿”、“貴”作“貴”、“㫃”作“於”、“身”作“身”、“㞢”作“之”、“㞢”作“之”、“不得位，顔子不得年，君子㫃此可㠯觀氣化盛”缺、“㫃”作“於”、“叙”誤作“敘”、“萊朱”缺、“㪔”作“散”、“宐”作“宜”、“㫃”作“於”、“㞢”作“之”、“宐”作“宜”、“㘽”作“在”、“二”作“之”、“㓞”作“列”、“㞢”作“之”、“獨”作“獨”、“道”作“道”、“體”誤作“统”、“几”作“人”、“妙”作“玅”、“㞢”作“之”、“㞢”作“之”、“㞢”作“之”、“錯”誤作“措”、“㞢”作“之”、“㞢”作“之”、“者在虖其中”缺、“道”作“道”、“見”缺、“方”誤作“才”、“虖”作“乎”、“囙”作“因”、“歎”誤作“嘆”、“㞢”作“之”、“賢”缺、“㞢”作“之”、“㚔”作“幸”、“㚔”作“幸”、“抑”誤作“神”、“𠀡”作“天”、“㚔”作“幸”、“而”缺、“㞢”作“之”、“㚔”作“幸”、“道”作“道”、“凡”誤作“之”、“㫃”作“於”、“禮”缺、“者”缺、“為”缺、“有志”誤作“不忘”、“㫃”作“於”、“皆”誤作“者”、“興”缺、“㫃”作“於”、“見聞”誤作“聞見”、“而”誤作“為”、“被”缺、“澤”缺、“㠯”作“以”、“㞢”作“之”、“㞢”作“之”、“盛”缺、“非”缺、“所”誤作“所以”、“熹”缺、“釋”作“釋”、“章援”缺、“武”作“武”、“㞢”作“之”、“衜”作“道”、“㫃”作“於”、“几”作“人”、“旨”誤作“者”、“地”誤作“天”、“𠀡”誤作”地“、“維”缺、“遡”作“遡”、“維”誤作“惟”、“貞”誤作“真”、“㞢”作“之”、“道”作“道”、“惟”誤作“唯”、“藏”誤作“臧”、“退”作“退”、“助”缺、

“没”誤作“設”、“歎”缺、“余”誤作“予”、“二”作“奕”、“維”誤作“惟”、“㕦”作“於”、“元”誤作“記”、“考”誤作“孝”、“二”作“洋”、“式邇將”誤作“爾將式”、“㦯”作“或”、“㞢”作“之”、“㦯”作“或”、“亼”作“之”、“埿”作“泥”、“至正九季歲次巳三冬十一月戊午朔二十五日壬午□立”缺。

《陋巷記》“歐陽玄”誤作“歐陽元”、“䅯”誤作“築”、“浸”誤作“喪”、“臺”誤作“瑩”、“官”誤作“義”、“共”誤作“供”、“亓”作“其”、“給”誤作“克”、“㠯”作“以”、“季”誤作“年”、“鳩工”作“鳩工”、“既而”誤作“猶”、“前”誤作“内”、“庖”誤作“厨”、“具”誤作“俱”、“㠯”作“以”、“亼”作“之”、“二”作“言”、“然”誤作“彩”、“先”誤作“於”、“㞢”作“之”、“季”誤作“年”、“封”誤作“其”、“䣊”作“都”、“鄹”作“鄒”、“㐅”作“五”、“征”作“徵”、“亓”作“其”、“㠯”作“以”、“聖”誤作“暨”、“亼”作“之”、“㕦”作“於”、“褎”作“褒”、“㕦”作“於”、“㞢”作“之”、“玄”誤作“元”、“㐅三”作“三五”、“閒”誤作“間”、“叡”作“睿”、“貴”作“貴”、“㕦”作“於”、“身”作“身”、“㞢”作“之”、“亼”作“之”、“亼”作“之”、“㕦”作“於”、“㠯”作“以”、“亼”作“之”、“㕦”作“於”、“宐”作“宜”、“㕦”作“於”、“亼”作“之”、“宐”作“宜”、“𡊮”作“在”、“二”作“之”、“刿”作“列”、“亼”作“之”、“獸”作“獨”、“道”作“道”、“體”作“貌”、“几”作“人”、“㞢”作“之”、“亼”作“之”、“㞢”作“之”、“錯”誤作“措”、“㞢”作“之”、“㞢”作“之”、“遀”作“道”、“虖”作“乎”、“囙”作“因”、“歎”誤作“嘆”、“㞢”作“之”、“亼”作“之”、“㚔”作“幸”、“㚔”作“幸”、“抑”誤作“神”、“𠀘”作“天”、“㚔”作“幸”、“而”闕、“亼”作“之”、“㚔”作“幸”、“遀”作“道”、“㕦”作“於”、“㕦”作“於”、“㕦”作“於”、“見聞”誤作“聞見”、“㠯”作“以”、“㞢”作“之”、“亼”作“之”、“釋”作“釋”、“𡊮”作“武”、“亼”作“之”、

"衟"作"道"、"㫒"作"於"、"八"作"人"、"地"誤作"天"、"穴"誤作"地"、"遡"作"遡"、"維"誤作"惟"、"并"誤作"金"、"㞢"作"之"、"道"作"道"、"惟"誤作"維"、"退"作"退"、"歎"誤作"嘆"、"余"誤作"予"、"二"作"奕"、"維"誤作"惟"、"㫒"作"於"、"二"作"洋"、"邇"誤作"爾"、"或"作"或"、"㞢"作"之"、"或"作"或"、"仛"作"之"、"埿"作"泥"、"玄"誤作"元"、"鼓"誤作"瞽"、"至正九季歲次巳三冬十一月戊午朔二十五日壬午□立"缺。

《闕里誌》"大元勅賜先師兗國復聖公新廟碑銘"缺、"翰林學士承旨榮祿大夫大夫知制誥兼修國史臣歐陽玄奉敕譔翰林學士承旨榮祿大夫大夫知制誥兼修國史臣張起巖奉敕書翰林學士承旨榮祿大夫大夫知制誥兼修國史臣耿煥奉敕篆額"缺、"譔"作"撰"、"皇"誤作"呈"、"顔"誤作"须"、"築"誤作"築"、"大"誤作"六"、"末"誤作"未"、"浸"誤作"寖"、"叚"作"段"、"顔廟"缺、"共"缺、"億"誤作"意"、"其"作"其"、"宁"誤作"军"、"路徙廟"缺、"故宅以官儲中統楮"缺、"餘緡刱"缺、"计其用"缺、"緡檄兗州"缺、"㕥"作"以"、"季"誤作"年"、"鳩工"作"鳩工"、"為楹"缺、"屋"誤作"呈"、"楹"誤作"揺"、"儉"缺、"庖"誤作"廚"、"具㠯"誤作"俱以"、"仛"作"之"、"二"作"言"、"檜"誤作"滄"、"有"誤作"育"、"㞢"作"之"、"季"誤作"年"、"侯"缺、"郶"作"都"、"鄹"作"鄹"、"㐅"作"五"、"其"作"其"、"㠯"作"以"、"給"誤作"絡"、"聖"誤作"暨"、"仛"作"之"、"㫒"作"於"、"褒"作"褒"、"㫒"作"於"、"㞢"作"之"、"㐅三"誤作"三五"、"閒"誤作"間"、"叡智"作"睿知"、"貴"作"貴"、"㫒"作"於"、"其"作"其"、"身"作"身"、"师"誤作"帅"、"㞢"作"之"、"居"誤作"秙"、"生"誤作"主"、"斯"缺、"位"缺、"仛"作"之"、"嶽"誤作"飲"、"分"誤作"忿"、"之"作"之"、"㫒"作"於"、"㠯"作"以"、"衰焉"缺、"孟"缺、"子"

誤作"十"、"篇"誤作"蔿"、"陶"缺、"朱"誤作"米"、"散"作"散"、"宐"作"宜"、"生"誤作"上"、"㫖"作"於"、"盛"誤作"成"、"乆"作"之"、"宐"作"宜"、"在"作"在"、"二"作"之"、"列"作"列"、"蓋"缺、"乆"作"之"、"獸"作"獨"、"道"作"道"、"體"誤作"统"、"八"作"人"、"谓"誤作"请"、"㞢"作"之"、"乆"作"之"、"㞢"作"之"、"錯"誤作"措"、"㞢"作"之"、"㞢"作"之"、"虖"作"乎"、"囙"作"因"、"㞢"作"之"、"遇"誤作"过"、"乆"作"之"、"㚔"作"幸"、"㚔"作"幸"、"兲"作"天"、"㚔"作"幸"、"乆"作"之"、"㚔"作"幸"、"道"作"道"、"㫖"作"於"、"㫖"作"於"、"㠯"作"以"、"㞢"作"之"、"乆"作"之"、"欵"誤作"款"、"釋"作"釋"、"珷"作"武"、"乆"作"之"、"衜"作"道"、"㫖"作"於"、"八"作"人"、"旨"作"旨"、"兲"作"天"、"遡"作"遡"、"㞢"作"之"、"道"作"道"、"惟"誤作"維"、"退"作"退"、"助"缺、"没"缺、"余"誤作"予"、"ニ"作"奕"、"顔故"缺、"宅"誤作"它"、"㫖"作"於"、"洋"誤作"泽""二"作"洋"、"邇"誤作"爾"、"将"誤作"狩"、"或"作"或"、"㞢"作"之"、"或"作"或"、"乆"作"之"、"盛"誤作"惑"、"井"誤作"并"、"埿"作"泥"、"播"誤作"潘"、"至正九季歲次巳三冬十一月戊午朔二十五日壬午□立"缺。

《曲阜县志》"翰林學士承旨榮禄大夫大夫知制誥兼修國史臣歐陽玄奉敕譔翰林學士承旨榮禄大夫大夫知制誥兼修國史臣張起巖奉敕書翰林學士承旨榮禄大夫大夫知制誥兼修國史臣耿煥奉敕篆額"缺、"立顔子庙碑"缺、"築"誤作"築"、"舊"誤作"奮"、"浸"誤作"寖"、"共"誤作"供"、"其"作"其"、"㠯"作"以"、"季"誤作"年"、"鳩工"作"鳩工"、"庖"誤作"廚"、"具㠯"誤作"俱以"、"乆"作"之"、"墉"誤作"傭"、"二"作"言"、"㞢"作"之"、"季"誤作"年"、"郿"作"都"、"鄒"作"鄒"、"㐅"作"五"、"其"作"其"、"㠯"

作“以”、“給”誤作“繼”、“聖”誤作“暨”、“亽”作“之”、“怜”作“於”、“裒”作“褒”、“礼”誤作“祀”、“怜”作“於”、“㞢”作“之”、“玄”誤作“元”、“㐅三”誤作“三五”、“閒”誤作“間”、“叡”作“睿”、“賫”作“貴”、“怜”作“於”、“𠔃”作“其”、“𨈐”作“身”、“㞢”作“之”、“轍”誤作“藏”、“亽”作“之”、“亽”作“之”、“怜”作“於”、“㠯”作“以”、“𢿱”作“散”、“宐”作“宜”、“怜”作“於”、“亽”作“之”、“宐”作“宜”、“𡈽”作“在”、“二”作“之”、“𠛱”作“列”、“亽”作“之”、“獸”作“獨”、“道”作“道”、“體”誤作“統”、“几”作“入”、“㞢”作“之”、“亽”作“之”、“㞢”作“之”、“錯”誤作“措”、“㞢”作“之”、“㞢”作“之”、“虖”作“乎”、“囙”作“因”、“歎”誤作“嘆”、“已”誤作“巳”、“㞢”作“之”、“也”缺、“亽”作“之”、“㚔”作“幸”、“㚔”作“幸”、“𠀘”作“天”、“㚔”作“幸”、“亽”作“之”、“㚔”作“幸”、“道”作“道”、“怜”作“於”、“者”缺、“怜”作“於”、“㠯”作“以”、“㞢”作“之”、“亽”作“之”、“䆁”作“釋”、“𢦒”作“武”、“亽”作“之”、“衜”作“道”、“怜”作“於”、“几”作“人”、“㫖”作“旨”、“地”誤作“天”、“𠀘”誤作“地”、“𨕖”作“遡”、“㞢”作“之”、“道”作“道”、“維”誤作“惟”、“出”誤作“山”、“惟”誤作“維”、“逷”作“退”、“余”誤作“予”、“二”作“奕”、“維”誤作“惟”、“怜”作“於”、“二”作“洋”、“邇”誤作“爾”、“或”作“或”、“㞢”作“之”、“或”作“或”、“亽”作“之”、“井”誤作“甚”、“埿”作“泥”、“明”誤作“闵”、“玄”誤作“元”、“曚”誤作“擊”、“至正九季歲次巳三冬十一月戊午朔二十五日壬午□立”缺。

大元勑賜先師兗國復聖公新廟碑銘

翰林學士〔一〕承旨〔二〕榮祿大夫〔三〕知制誥〔四〕兼修國

史臣歐陽玄[五]奉敕譔[六]。

翰林學士承言榮祿大夫知制誥兼修國史臣張起巖奉敕書。

翰林學士承言榮祿大夫知制誥兼修國史臣耿煥奉敕篆額。

曲阜孔廟東北三百餘步有地曰陋巷,顏子[七]故宅在焉。皇元元貞間有司[八]除地,渫[九]井,復顏樂亭,板以表疆理[十]。大德末舊廟浸壞,江南行臺監察御史[十一]段傑建言,顏廟繕脩,官當共僖其費,中書是其議,移濟寧路,徙(廟)(於)[十二]故宅,以官儲[十三]中統楮幣[十四]四萬餘緡[十五]刱置之,計其用不給,則又益以六千緡,檄兗州長貳督治之,訖泰定三季八月旭工。正廟為楹[十六]六,東西屋為楹各四,二代魯大夫歆、三代魯大夫儉咸具祠事[十七]。南為神門,門之前是為顏樂亭,既而以為隘[十八],乃即亭為門,門之前為井、齋舍[十九]、神庖[二〇],具序設廟墉[二一]。南北長百餘步,東西廣八十餘步,崇墉言二(言),古檜沃若[二二],丹雘[二三]煥然。至順元年冬十一月望[二四]落成,自舊廟遷像居焉。先是有詔增封兗國公復聖[二五]㞢號。元統二季又改封考[二六]曲阜侯為杞國公,謚文裕,追封妣[二七]齊姜氏為杞國夫人,謚端獻夫人,戴氏兗國夫人,謚貞素。又割益䣕鄒縣牧地三十頃,征其歲入,㠯給常祀[二八]。聖廟成,特賜㐌碑,㫚是褒崇之禮大備㫚聖廟,蓋歷代㞢所未有也。臣玄嘗紬繹[二九]父師之說,亙三盛時,宇宙正氣生聖,閒氣生賢。其生也聰明叡智,富貴福澤,萃㫚其身,故出而任君師[三〇]㞢責,居輔相[三一]乇位，姬轍既東，光嶽氣分。聖賢之生斯時，若孔子之不得位，顔子乇不得年，君子岭此可吕觀(氣)化乇盛衰焉。故孟子岭其篇終歷叙堯、舜、禹、皋陶[三二]、湯、伊尹[三三]、萊朱[三四]、文王[三五]、太公望[三六]、散宜生[三七]，至岭孔子，見知聞知之盛，推前例後，則孔子乇世顔子宜在。見而知之二(之)㓨何為其不及也，蓋知乇為言，非猷指道體也。聖凡神化致用之妙，所謂化而裁㞢，謂乇變，推而行㞢，謂之通，舉而錯㞢天下之民，謂㞢事業者在虖其中矣。孔子既不得位，以行其道，則顔子不得見其推行之效，孟子不得聞其舉措之方，兩言無有虖爾者，孟子回以歎己㞢不遇也。雖然此非聖賢乇不㚔，乃當世之不㚔也，抑𠖥不使之㚔當世，而使乇㚔萬世焉。斯道之用，凡載岭《易》《詩》《書》《春秋》《禮》《樂》之書者，萬世之下，為君為臣有志岭斯，皆可以興起岭見聞之表，是斯世斯民無一日而不被其澤也。是吕功不在前數聖賢㞢下，而祀事乇盛亦非前數聖賢之所可及者歟。新安朱氏熹[三八]釋此章援子貢之言：文武乇衜未墜地，在凡，賢者識其大者，不賢者識其小者，淵乎肻哉。銘曰：

維地承𠖥，維月日。維顔學孔，並世同出。天地貞觀，日月貞明。孔顔㞢道，惟一之貞。用舍行藏[三九]，同有其有。四代禮樂，見諸授受。不惰不違，退省不愚[四〇]。生期助我，没歎喪余[四一]。畏匡之難，盡瘁猶父。惟在之從，逝將千古。曲阜遺墟，孔廟奕二(奕)。陋巷新廟，維顔故宅。岭赫我元，治軼百世。崇顔考妣，封及其儷〔四二〕。金絲洋二(洋),式邇將聖。或祠𡳿專,或侑亾盛。舊井不改,昔逕今冽。王明用汲,受福不竭。臣玄作詩,告厥成功。播之貞石〔四三〕,以侑鼓矇。

至正九季歲(次)〔四四〕巳三冬十一月戊午朔二十五日壬午□立。

【注釋】

〔一〕翰林學士:官名。

〔二〕旨:通"旨"。

〔三〕榮祿大夫:文散官名。金始设置,从二品下,元陞为从一品。

〔四〕制誥:皇帝的詔令。

〔五〕歐陽玄:字元功,号圭齋,爲欧陽修之後裔,元代史學家、文學家。

〔六〕敕譔:奉敕命編撰。

〔七〕顔子:名回,字子淵,亦顔淵,孔子最得意弟子,後人稱之爲復聖。

〔八〕有司:指主管某部門的官吏,古代設官分職,各有專司,故稱有司。

〔九〕渫:疏通。

〔十〕疆理:界限。

〔十一〕監察御史:官名。

〔十二〕廟於:據《闕里誌》補。

〔十三〕官儲:供官家用的儲備物資。

〔十四〕楮幣:指宋、金、元時發行的"會子""寶券"等紙幣。因其多用楮皮紙製成,故名,後亦泛指一般的紙幣。

〔十五〕緡:量詞。古代通常以一千文爲一緡。

〔十六〕楹:量詞,古代計算房屋的單位,一説一列爲一楹,一説一間爲一楹。

〔十七〕祠事:指祭礼、祭祀之事。

〔十八〕隘:狭窄。

〔十九〕齋舍:古人建於官廳旁側,用來齋戒的房舍。

〔二〇〕神庖:祭祀之前準備猪、牛、羊三牲的地方。

〔二一〕墌:同"址",地基、根基。

〔二二〕沃若:潤澤貌。

〔二三〕丹雘:涂飾色彩。

〔二四〕望:月圓,农历每月十五日前后。

〔二五〕復聖:孔子弟子顔回的封號。元文宗至順二年加封顔回爲兖國復聖公,明嘉靖時,罷其封爵,而稱爲"復聖"。

〔二六〕考:指已經去世的父亲。此指顔無繇,字路,顔回之父。

〔二七〕妣:指已經去世的母亲。此指顔回的母亲。

〔二八〕常祀:固定的祭祀。

〔二九〕紬繹:引出端緒,整理出頭緒,引申爲闡述。

〔三〇〕君師:古代君、師皆尊,故常以君師稱天子。

〔三一〕辅相:宰相,也泛指大臣。

〔三二〕皋陶:人名,相傳爲舜之臣,掌刑獄之事。

〔三三〕伊尹:人名,名摯,商初的賢相。

〔三四〕朱:名仲虺,商朝开國君主成湯的左相。

〔三五〕文王:指周文王,姓姬名昌,季歷之子,西周奠基人。季歷死後由他繼承西伯侯之位,又稱伯昌。在位五十年。天下諸侯多歸從,子武王有天下後,被追尊爲文王。

〔三六〕太公望:姜子牙,名尚,一名望,字子牙,商末周初人。

〔三七〕散宜生:西周开國功臣,是"文王四友"之一,與姜尚、太顛等同救西伯姬昌。

〔三八〕朱氏熹：字元晦，又字仲晦，號晦庵，晚稱晦翁，謚文，世稱朱文公。宋朝著名的理學家，閩學派的代表人物，儒学集大成者，被尊稱爲朱子。

〔三九〕用舍行藏：引自《論語·述而》："用之則行，舍之則藏。"

〔四〇〕不惰不違，退省不愚：引自《論語·爲政》："子曰：'吾与回言終日，不違如愚。退而省其私，亦足以發。回也，不愚。'"

〔四一〕生期助我，没歎喪余：引自《論語·先進》："顔淵死。子曰：'噫！天喪予！天喪予！'"

〔四二〕儷：配偶。

〔四三〕貞石：堅硬的石頭，多用以指碑石。

〔四四〕次：據《闕里誌》補。

（盧巧玲）

至正二十七年李國麟謁林廟記碣

此石碣立於元惠宗至正二十七年(1367)六月,鑲於孔廟西齋宿南牆,東起第8石。石高0.47米,寬0.62米。孔希學立石,正書。共18行,行13字。駱承烈《石頭上的儒家文獻——曲阜碑文録》著録此碑,"戠"作"職","枀"作"參","于廟庭"作"於廟庭","於中外"作"與中外"。

至正二十七年六月初旬,山東東西道〔一〕肅政廉訪司〔二〕欽依舊制遣官分巡各道譯讞獄〔三〕情,是以畢戠,分審東平等處郡邑,按臨至濟寧路兖州曲阜縣,乃先聖文宣王〔四〕祖庭在焉,遂偕憲史古邳宋英文獻、大名樊元中舜舉、奏差大都李慕〔五〕居敬枀拜于廟庭林墓之下,祗敬惟謹,匪為儀也。思惟先聖垂憲萬世,血食〔六〕子慈,雖兵戈擾攘之際,未嘗廢弛典禮。大哉聖德洋洋,同日月之光,使子孫綿綿,遠享爵禄於中外,豈不偉歟。是年六月二十六日僉本道廉訪司事後學濟南李國麟〔七〕景昭謹識,五十六代孫中奉大夫襲封衍聖公孔希學〔八〕立石。

【注釋】

〔一〕山東東西道：元代設立的屬地名。山東以在太行山之東而得名。唐大部分屬河南道；宋設京東路，後分京東東、西路；金更名山東東、西路，爲山東得名的開始；元設山東東西道；明置山東省，後改山東布政使司；清改山東省，省名至今未變。

〔二〕肅政廉訪司：元官署名，俗稱"憲司""監司"，掌監察百官。蒙古至元初置提刑按察司，糾察地方吏治、政治得失，所巡視地區稱道。元至元二十八年(1291)改稱肅政廉訪司。

〔三〕讞獄：審理訴訟，審問案情。

〔四〕先聖文宣王：指孔子。《新唐書》卷十五載："(開元)二十七年，詔夫子既稱先聖，可謚曰文宣王，遣三公持節册命，以其嗣爲文宣公，任州長史，代代勿絶。"

〔五〕樊元：與其後的李慕，應同爲元代著名官員。

〔六〕血食：謂受享祭品。古代殺牲取血以祭，故稱。

〔七〕李國麟：未見相關史書記載，據碑文可見其爲濟南一名官員，且對儒學持崇敬之情。

〔八〕孔希學(1335—1381)：字士行，孔子第五十六代孫。希學祖父孔思晦仕元爲教諭，仁宗時襲封衍聖公。希學之父孔克堅累遷國子祭酒。後起集賢學士、山東廉訪使，皆不赴。明初，太祖命希學襲封衍聖公。《明史》卷二百八十四載："希學好讀書，善隸法，文詞爾雅，每賓客讌集，談笑揮灑，爛然成章。"

（宋振中）

洪武十年孔克堅墓碑

此碑位於孔林孔子墓西北明墓群南部路之東側路邊。立於明太祖洪武十年(1377)十月。碑爲圓頭,碑頭高0.48米碑,碑身高2.12米,寬0.96米,厚0.34米。碑文分正文和落款兩部分。正文3行,每行7字,計21字;落款1行,計34字。共計55字。全文篆書,由五十六代衍聖公孔希學書。駱承烈《石頭上的儒家文獻——曲阜碑文録》著録全碑。

五十五世孫前襲封衍聖公通奉大夫〔一〕國子祭酒〔二〕之墓。

洪武〔三〕十年十月吉日,贊善大夫〔四〕襲封衍聖公男(希)(學)〔五〕謹書,同希説、希範〔六〕等拜、孫男訥〔七〕立石。

【注釋】

〔一〕通奉大夫:文散官名。明代,通奉大夫爲從二品。清沿明制,從二品。

〔二〕國子祭酒：古代學官名，指國子學或國子監的主管官，職責傳授儒家思想、掌管禮儀、主持祭祀。晉武帝咸寧四年設，以後歷代多沿用。

〔三〕洪武：明朝開國皇帝朱元璋的年號，時間爲公元 1368 年至公元 1398 年。洪武十年，即公元 1377 年。

〔四〕資善大夫：文散官名。金開始設置，正三品下，元陞爲正二品，明爲正二品，清廢。

〔五〕希學：據駱承烈《石頭上的儒家文獻——曲阜碑文録》補足。即孔希學（1335—1381），字士行，五十六代衍聖公。好讀書，善寫隸書，文詞爾雅，談笑揮灑，燦然成章。元至正十五年（1355）襲封衍聖公。洪武元年（1368）十一月，擢陞資善大夫、襲封衍聖公，洪武十三年（1380）班列文臣之首。曾修林廟、復禮儀。

〔六〕希範：即孔希範（1347—1412），字士則，孔子五十六世孫，五十五代衍聖公孔克堅的三子。洪武二十八年（1395）春知曲阜，多善政，處事公道。

〔七〕訥：即孔訥（1358—1400），字言伯，五十七代衍聖公。篤學恭謹，能詩書，工篆法。洪武十六年（1384）丁父憂，以國哀赴京祭孝陵，既竣事入覲。太祖顧謂廷臣曰："孔訥真聖人子孫也，賜膳。"光禄命禮官館於太學，遣尚書劉仲質勞問，日給庖廩，復賜衣服、鈔錠，充物館舍，將俾襲爵以居喪，乃止。洪武十七年（1384）正月襲封衍聖公，受資善大夫，班列文臣之首，每歲入覲。洪武三十三年（1412）九月十六日以疾卒，生年四十三歲。

（孔祥安）

洪武十四年孔希學神道碑

此碑位於孔林孔子墓西北明墓群南端道西路邊。立於明太祖洪武十四年(1381)十月。碑爲圓頭,碑頭高 0.4 米,刻有"襲封衍聖公神道碑"8 個大字,篆書。碑身高 1.84 米,寬 0.7 米,厚 0.28米。碑文共 20 行,行約 80 字。該碑從中間斷爲兩截,已修復。但碑文脱落十分嚴重,文字不清。駱承烈《石頭上的儒家文獻——曲阜碑文録》著録該碑,徐振貴、孔祥林《孔尚任新闕里誌校注》注録全文。

襲封衍聖公神道碑〔一〕

洪武十四年〔二〕十月二十日宣聖〔三〕五十七代孫誥封衍聖公。〔四〕(以下字漫漶不清)

洪武十四年秋九月二十日,宣聖五十六代孫、資善大夫〔五〕、襲封衍聖公以疾終於正寢。

越三年,為洪武甲子〔六〕春正月,其子訥〔七〕以服闋入覲〔八〕,禮官引見華蓋殿〔九〕,上問以宗族蕃衍,子姓賢否,訥奏對動合禮度，即命館於太學[一〇]。翌日，召嗣襲封衍聖公，御制誥詞以賜。

既受封之五日，出前左司員外郎王翌志其先公墓誌銘示予，曰："不肖孤負荷先德，忝嗣厥世。聖天子不以訥無所肖似，俾襲顯封，位列公爵。惟是先考之卒雖紀其歲月，納諸壙中，墓道碑石尚未有刻。先生職司文衡，舍先生其誰托哉！敢固以請。"既遠之四月，復以書來速。遂即其世系、封爵、卒葬月日以著之。

按：公諱希學[一一]，字士行，宣聖五十六代孫。妣張氏，封魯郡太夫人。公賦性明敏好學，尤嗜漢隸。甫冠，即有成人志。二十一歲，侍御公始起同知太常禮義院事，以公襲封。公克自樹立，於經籍子史靡不研究，問學優贍，文詞典雅。每賓客燕集，談笑揮灑，輒以成章，皆出人意表，觀者奇之。四方好事者[一二]多求公書隸，得之則什襲珍藏。

元季[一三]兵起青齊，憂及闕里，公誓不污於亂，即間道走燕城，得賜見，拜秘書卿，仍襲封爵。歲戊申秋，皇明初革元命，海宇以次平治。朝謁行在，上清問下民，公即以歷代治亂修對，從容有序，甚嘉納之。自從歲入覲于京師[一四]，賜予稠疊，恩禮益隆。每正旦，上受萬國朝賀，特命公班亞上相。始至，中使慰勞，館饋下及童隸，無不沾給，蓋其誠意所動，宸衷特加異數也。

祖庭[一五]自兵後日就圮壞，所發浩穰，公從容措置，期以歲月，卒就成功。復祭田侵於豪民者五十頃，禮器、禮服、樂舞儀式以次備舉，燁然一新，卒復舊規。

年四十七卒，遠邇大夫士聞者莫不悼其不克於壽也。訃聞，朝廷遣使禮祭。是年十一月初六日葬于孔林之西。

公凡再娶，先配董氏，中州功臣世家，贈魯郡夫人；繼室孫氏，前進士、遼陽行省平章彥明女；卒皆祔葬。子男二人：長曰訥，董氏出也；次曰謂，孫氏出也。女二人：長適漵南衛楊鎮撫子楊思，次在室。孫男一人，曰稱（鑑）〔一六〕，尚幼。

公昆弟八人，在公為長，次希説、希範〔一七〕、希進、希麟、希鳳、希順、希尹、希賛，皆有文學，家庭雍睦，為東魯家法。

余記弱冠遊太學，師事助教陳仲衆先生，而公之父侍御公實同齊舍者有年，情好日洽，後幾二十年。當元季兵起，公間道歸朝，時侍御公主太常，公侍左右，神采迥異，信其名門子也。余於今獲領太學，而公之子訥已襲封號，則知公者莫余若也。請銘，奚敢辭。

銘曰：

聖澤汪洋，厚德流芳。公承其慶，奕世稱昌。才鬱乎中，鑒其琳琅。脱略芳葩，惟德是將。皇明啟運，奄有萬方。崇文右教，盛際虞唐。燏修衰典，先我素王。公襲其封，世奉蒸嘗。惟聖子孫，表表昂昂。歲時來朝，禮錫孔彰。報效未伸，蚤夜匪康。祖庭百儀，遄復其常。魯山蒼蒼，泗水湯湯。鬱然孔林，為公之藏。有子才良，蚤〔一八〕服寵章。制誥維新，雲漢輝煌。存沒有光，樹碑道傍，千載不忘。

朝列大夫、國子祭酒〔一九〕、同修國史宋訥〔二〇〕撰。

【注釋】

〔一〕神道碑：神道，即墓道。這是指立於墓道前記載死者生平事跡的石碑，多記録死者生平年月、所作貢獻等。

〔二〕洪武：明朝開國皇帝朱元璋的年號，時間爲公元1368至公元1398年。洪武十四年，即公元1381年。

〔三〕宣聖：漢平帝元始元年謚孔子爲褒成宣尼公，此後歷代王朝皆尊孔子爲聖人，詩文中多稱“宣聖”。

〔四〕以上據駱承烈《石頭上的儒家文獻——曲阜碑文録》補録，以下據徐振貴、孔祥林《孔尚任新闕里誌校注》補録。

〔五〕資善大夫：文散官名。金開始設置，正三品下，元陞爲正二品，明爲正二品，清廢。

〔六〕洪武甲子：即洪武十七年，即公元1384年。

〔七〕訥：即孔訥(1358—1400)，字言伯，五十七代衍聖公。篤學恭謹，能詩書，工篆法。洪武十六年(1384)丁父憂，以國哀赴京祭孝陵，既竣事入覲。太祖顧謂廷臣曰：“孔訥真聖人子孫也，賜膳。”光禄命禮官館於太學，遣尚書劉仲質勞問，日給庖廩，復賜衣服、鈔錠，充牣館舍，將俾襲爵以居喪，乃止。洪武十七年(1384)正月襲封衍聖公，受資善大夫，班列文臣之首，每歲入覲。洪武三十三年(1412)九月十六日以疾卒，生年四十三歲。

〔八〕覲：指五十七代衍聖公孔訥覲見明開國皇帝朱元璋。

〔九〕華蓋殿：華蓋殿與謹身殿、奉天殿合稱明初京都(今南京)三大殿。

〔一〇〕太學：中國古代的國立大學。太學之名始於西周，始設於漢武帝元朔五年。

〔一一〕希學：即孔希學(1335—1381)，字士行，五十六代衍聖公。好讀書，善寫隸書，文詞爾雅，談笑揮灑，燦然成章。元至正十五年(1355)襲封衍聖公。洪武元年(1368)十一月,擢陞資善大夫、襲封衍聖公,洪武十三年(1380)班列文臣之首。曾修林廟、復禮儀。

〔一二〕好事者:指社會賢達。

〔一三〕元季:通常指元朝末年。元,指元朝。季,指一個時期末了。

〔一四〕京師:明初的京都,今南京。

〔一五〕祖庭:指曲阜衍聖公府,即今天的孔府。

〔一六〕根據記載,孔希學的長孫應該是五十七代衍聖公孔訥之長子孔鑑,不應該是"稱",恐有誤。

〔一七〕希範:即孔希範(1347—1412),字士則,孔子五十六世孫,五十五代衍聖公孔克堅的三子。洪武二十八年(1395)春知曲阜,多善政,處事公道。

〔一八〕蚤:通"早"。

〔一九〕國子祭酒:古代學官名,指國子學或國子監的主管官,職責傳授儒家思想、掌管禮儀、主持祭祀。晉武帝咸寧四年設,以後歷代多沿用。

〔二〇〕宋訥(1311—1390):字仲敏,號西隱。元末明初滑縣(今屬河南)人。元至正進士,曾任鹽山府尹,後棄官歸隱。洪武初年應徵編禮、樂諸書。編書後不仕而歸。後經杜斆薦,任國子助教。十五年遷翰林學士,後改文淵閣大學士,再遷國子監祭酒。年老告歸。其主要著作有《西隱集》《東郡志》《紀德禄》。

(孔祥安)

洪武二十年孔克全墓碑

此碑位於孔林孔子墓西北道東路邊。立於明太祖洪武二十年(1387)。碑爲圓頭,高1.8米,寬0.75米,厚0.2米、花邊。碑文分四部分,其中墓碑的碑名佔碑體的絶大部分,約佔整個碑的4/5,文2行,行8字,計16字,篆書。其碑下部的1/5,介紹墓主人的主要社會關係、主要功績等,文16行,行12字,計185字。上款,文1行,計16字,正書。落款,文2行,計39字,正書。共計67字。駱承烈《石頭上的儒家文獻——曲阜碑文録》輯録該碑。

駱承烈《石頭上的儒家文獻——曲阜碑文録》將"考"誤作"攷"、"曾祖"誤作"魯旗"、"資"誤作"省"、"希泰"誤作"希春"、"潞"誤作"路"、"詵"誤作"洗"、"令"誤作"公",漏掉"高""保"兩字。

五十五世孫淮安路儒學教授〔三〕孔公之墓

孔顔孟三氏學教授〔一〕胡復性〔二〕篆。

公諱克全,字成夫,考諱思睿,妣劉氏。祖諱演,祖妣薛氏。曾祖諱之深,曾祖妣李氏。高祖諱元讓,昆弟四人,公第三。資性端莊，傳述家學。由顔魯公書院山長滿授前職，享年四十有五。娶劉氏，子二人。長希文，前任孔顔孟三氏學教授。娶吴氏，山東前憲司經歷濟寧吴公尊魯之女。（繼）〔四〕娶王氏，前元承旨翰林學士〔五〕光禄大夫〔六〕諱子文泗水王（公）之女。次希泰，娶畢氏，任授潞縣簿（鄉）人諱士中之女。孫男三人：曰祥、曰誂、曰信。女孫二人，俱幼在室。公之宦達行實，克保令終。謹録刻石，以識其後。

洪武丁卯〔七〕八月上旬吉日，五十六世孫承事郎〔八〕知兖州府曲阜縣事世職知縣〔九〕男希文同弟希泰立石。

【注釋】

〔一〕孔顔孟三氏學教授：魏文帝黄初二年，宗聖侯孔羡始創建家學，未設學官。宋真宗祥符二年，就廟建學，設立學官。乾興元年，孫宣公請以楊光輔爲講書轉奉禮郎。宋哲宗元祐元年，建學於孔廟東南隅，並置教授一員，教訓孔氏子孫或鄉鄰願從學者；元祐四年，又設學録一員。元世祖中統元年，依舊典立曲阜廟學，選師儒充任孔顔孟三氏子孫教授、學正、學録各一員，訓其子弟。此後，三氏教授、學正、學録，或孔氏任，或異姓任。明太祖洪武元年，奉旨設孔顔孟三氏子孫教授一員、學録一員；二年，改三氏學爲孔顔孟三氏子孫教授司，並增設學司一名。

〔二〕胡復性：鉅野人，孔顔孟三氏學教授，擅長文學、書法，曾撰文《洪武重修顔廟之記碑》，也曾正書《洪武十七年劉修碣林廟詩碑》《洪武十七年應奉世碣林廟碣》等。

〔三〕儒學教授：官名。宋在各州府立學校，置教授以儒學教育生徒。金沿襲。元各路、府以及路提舉學校所等亦置儒學教授。明、清各府均置。陳鎬《闕里誌》卷八載："建學始於魏黄初二年至宋祥符二年,令就廟建學,以訓孔氏子孫,猶未聞設官也。……元祐元年置教授一員。……明洪武元年設孔顔孟三氏子孫教授一員。"

〔四〕括弧内的脱字據駱承烈《石頭上的儒家文獻——曲阜碑文録》補足,以下不注明者皆同。

〔五〕翰林學士:官名。學士始設於南北朝时期,唐初常以名儒學士起草詔令,但無名號。唐玄宗時,翰林學士成爲皇帝心腹,常常能陞爲宰相。北宋翰林學士承唐制,仍掌制誥。此後地位漸低,沿至明清,但拜相者一般皆爲翰林學士之職。

〔六〕光禄大夫:官名。大夫爲皇帝近臣,無定員數,無固定職務,相當於戰國時代置中大夫。漢武帝時始改爲光禄大夫,掌顧問應對。唐、宋用作散官文階之號,唐朝光禄大夫從二品,紫金光禄大夫爲正三品,銀青光禄大夫爲從三品。宋朝光禄大夫爲從一品,紫金光禄大夫爲正二品,銀青光禄大夫爲從二品。元、明沿襲宋制,爲從一品,清代陞爲正一品。

〔七〕洪武丁卯:洪武是明朝皇帝朱元璋的年號,丁卯是洪武二十年,即公元1387年。

〔八〕承事郎:文散官名。宋朝始置,爲文官第二十三階,正八品,相當於唐代的徵事郎。金正八品下。明陞爲正七品初授之階。清廢。

〔九〕世職知縣:從北宋皇祐三年開始,就選用孔氏子弟爲仙源縣官。金後期以及元代,就時常以衍聖公兼任曲阜知縣,這一時期基本上爲世襲知縣。從明朝開始,就改爲世職知縣。即是説,從五十五代衍聖公孔希學開始就不再兼任曲阜知縣了。但是,曲阜縣令一職人員選用仍需由衍聖公保舉孔氏後裔有賢能者呈都省銓用。

(孔祥安)

洪武二十二年孔希文祭少昊碑

此石立於明太祖洪武二十二年(1389),現鑲於少昊陵正殿東牆,東起第1石(之二)。石高0.57米,寬0.43米。碑文正書,11行,共102字。

駱承烈《石頭上的儒家文獻——曲阜碑文録》,將此石的立制時間誤爲洪武二十一年,將"兖州府"的"兖"寫作"兗"。

乾隆《曲阜縣志》卷二十八載有此祭文,跟石頭上的刻文略有出入:一、"思不忘而報"没有"而"字;二、"惟帝兮英靈,尚饗"爲"惟帝英靈,來歆來格"。

維洪武二十二年歲次己巳八月丙申朔十三日戊申,皇帝謹遣承事郎〔一〕兖州府曲阜縣世職知(縣)〔二〕臣孔希文〔三〕致祭于帝少昊氏之陵曰:昔者奉天明命,相繼為君。代天理物〔四〕,撫育黔黎〔五〕。彝倫攸敘〔六〕,井井繩繩〔七〕。至今承之,生民多福。思不忘而報〔八〕,祀以春秋。惟帝兮英靈,尚饗。

【注釋】

〔一〕承事郎：文散官名。宋始置，爲文官第二十三階，正八品，相當於唐的徵事郎。元豐改制用以代大理評事，爲狀元及第、宰相任子之初官，後定爲第二十九階。金正八品下。明陞爲正七品初授之階。清廢。

〔二〕據常識補足。

〔三〕孔希文：字士周，孔子五十六代孫。據乾隆《曲阜縣志》卷三十九，洪武十七年孔希文以元時教授任曲阜知縣，二十七年去職。

〔四〕代天理物：替天管理萬物，這是君權神授觀念的體現。

〔五〕黔黎：黎民百姓。

〔六〕彝倫攸敘：語出《尚書》，意爲各種常道都有合理的安排，倫常得當，秩序井然。彝倫，常理、常道。敘，同"序"，秩序，依次序排列。

〔七〕井井繩繩：井井有條，綿延不絶。井井，形容整齊，有條理。繩繩，綿綿不絶貌。

〔八〕思不忘而報："思不忘報而"之賓語前置。

（劉文劍）

洪武二十五年孔希文祭少昊碑

此石立於明太祖洪武二十五年(1392),現鑲於少昊陵正殿东牆,東起第1石(之三)。石高0.57米,寬0.50米。碑文正書,12行,共116字。

駱承烈《石頭上的儒家文獻——曲阜碑文録》,將"兖州府"的"兖"寫作"兗"、"州"誤爲"洲","致祭于帝"的"于"寫作"於","來歆來格"漏掉第一個"來"字,碑文12行誤爲22行。

維洪武二十五年歲次壬申八月庚戌朔十四日癸亥,皇帝謹遣承事郎兖州府曲阜縣世職知縣臣孔希文致祭于帝少昊金天氏曰:昔者奉天明命,相繼為君。代天理物,撫育黔黎。彛倫攸敘,井井繩繩。至今承之,生民多福,思不忘而報。特遣使齎〔一〕捧香帛,命有司〔二〕詣陵致祭,惟帝兮英靈,來歆來格。尚饗。

【注釋】

〔一〕齎:同"賫",持、带。

〔二〕有司：指官吏。古代設官分職，各有專司，故稱有司。

（劉文劍）

洪武三十年衍聖公孔克堅神道碑

此碑位於曲阜孔林孔子墓西北明墓羣南部道西路邊。立於明太祖洪武三十年(1397)。碑爲圓頭,碑頭高0.54米,碑身高1.74米,寬1米,厚0.33米。碑頭,文4行,行4字,計16字。篆書。碑身分三部分,上款,文3行,計39字。正書。正文25行,行71字。正書。落款,文3行,計48字。正書。該碑保存較好,但碑的底部有些損壞並已風化,部分文字不清。陳鎬《闕里誌》,駱承烈《石頭上的儒家文獻——曲阜碑文録》,徐振貴、孔祥林《孔尚任新闕里誌校注》著録全碑。

《闕里誌》将"餘慶"誤作"慶餘"、"階"誤作"偕"、"勒碑"誤作"勒石"、"帖木爾"作"帖木兒"、"秘書郎"誤作"秘書卿"、"它之"誤作"他之"、"不赴"誤作"不起"、"豐下"誤作"豊下"、"甚篤"誤作"甚都"、"子九人"誤作"丈夫九人"、"于"作"於"、"不咸"誤作"不減"、"公為"誤作"入為"、"无若"誤作"允若"、"亂兵"誤作"曰亂"、"裯"誤作"禍"、"有巽"誤作"有翼"、"雉聖"誤作"惟聖"、"载绩"誤作"昭續"。

駱承烈《石頭上的儒家文獻——曲阜碑文録》将"及"誤作

"友"、"得位"漏掉"得"字、"一善"誤脱"善"字、"且"誤作"其"、"况"作"況"、"功施"誤作"功於"、"有限"誤作"者限"、"餘慶"誤作"除慶"、誤脱"家魯"兩字、"護軍"誤作"設軍"、"曾祖"誤作"魯祖"、誤脱"厚"字、"輕車"誤作"輕東"、"父曰"漏掉"曰"字、"曾祖"誤作"僭祖"、"階"誤作"除"、"元"誤作"無"、誤脱"之年"兩字、誤脱"請"字、"曆"誤作"歷"、"楮幣"誤作"楮帑"、"以紀"誤作"已經"、誤脱"與"字、誤脱"不"字、"稱"誤作"再"、"陞之"誤作"陞乏"、增添"公"字、"有容"誤作"有穴"、增添"宜"字、"治"誤作"詔"、"明年"誤作"明天"、"山东道"誤作"山东通"、"奏召"誤作"奏石"、"畿甸且迫"誤作"畿旬日退"、"公曰"漏掉"公"字,"請設"誤作"請沒"、"陜西"漏掉"陜"字、"兩兵"誤作"出兵"、"以居"誤作"以歷"、"廉訪使"漏掉"廉訪"兩字、"中原"漏掉"原"字、"疾笃"誤作"疾薦"、"于家"誤作"子家"、"白金"誤作"日金"、"百兩"誤作"百雨"、"八端"誤作"以端"、"鬓下"誤作"半下"、"福人"誤作"福以"、誤脱"之"字、"諴"誤作"試"、"諯"誤作"端"、"旹"誤作"旨"、"曾孫"誤作"男孫"、"希學"誤作"希與"、"甚厚"誤作"甚寧"、"歿今"誤作"郊金"、"以刻"誤作"以襯"、"大聖"誤脱"聖"字、"歛其"誤作"欽其"、"厥後"漏掉"後"字、"二千"誤作"雨千"、"餘世"誤作"余世"、"封君"誤作"封尹"、"圭"誤作"貴"、"且文"誤作"旦文"、"休哉"脱"休"字、"公為"誤作"又為"、"左禮"誤作"左社"、"无若"誤作"元若"、漏掉"焞焞"兩字、"如貔"誤作"如貔"、"實"誤作"寶"、"噬"誤作"蒸"、"以速"誤作"以連"、"言臧"誤作"言咸"、"掌邦教"誤作"鏜教"、"位其"誤作"立其"、"有巽"誤作"有聖"、"云誰"誤作"公淮"、"雉聖"誤作"惟聖"、"後嗣"誤作"後祠"、"孫鑑"誤作"孫撰"。

《孔尚任新闕里誌校注》將"德充"誤作"德克"、"易"誤作

“赐”、“襜然”誤作“翘然”、“藁城”作“槁城”、“秘書郎”誤作“秘書卿”、“烏可”誤作“焉可”、“它之”誤作“他之”、“不赴”誤作“不起”、“存问”誤作“行问”、“而”誤作“他”、“是”誤作“足”、“鬓下”誤作“豐下”、“甚笃”誤作“甚都”、“希範”作“希范”、“訔”誤作“訕”、“公為”誤作“入為”、“无若”誤作“允若”、“亂兵”誤作“曰亂”、“趨燕”誤作“趨遷”、“如貎”誤作“如暾”、“難夷”誤作“南夷”、“是臧”誤作“不臧”、“裯”誤作“祸”、“宏谟”誤作“宏敷”、“有巽”誤作“有翼”、“其承”誤作“其誠”、“雉聖”誤作“惟聖”、“載绩”誤作“昭續”、“延聲”誤作“垂聲”。

(元)〔一〕(故)(襲)(封)(衍)(聖)(公)(國)(子)(祭)酒〔二〕(孔)公〔三〕神道碑〔四〕

翰林學士〔五〕承旨嘉議大夫〔六〕知制誥兼(修)(國)史兼太子贊善大夫〔七〕宋鏞〔八〕撰。

孔顏孟三氏學教授〔九〕胡復性〔一〇〕書。

(堯)(舜)禹湯文武及孔子(德)皆聖人,惟孔子不得位而功最高,天於恒人有一善且昌其後昆,况德充天地、功施萬世而身不食其報者乎。堯舜禹湯文武皆王天下,故子孫受其祉有限,(孔)子無位〔一一〕,(故)餘慶遺澤被其子孫者無窮。自斯民之生,未有若孔子之德而無位者也,亦未若孔子之傳世久遠而襲為封君者也。嗚呼!天之報聖人者,其在茲乎?公諱克堅,字璟夫,世[家]〔一二〕[魯]之曲阜,孔子五十五代孫也。曾祖曰之厚,贈濟寧路總管輕車都尉,祖曰浣,累贈通議大夫〔一三〕、禮部尚書〔一四〕、上輕車都尉〔一五〕,皆追封魯郡侯〔一六〕。父曰思晦，嘉議大夫，襲封衍聖公，累贈通奉大夫、(河)(南)江北等處行中書省參知政事護軍。追封魯郡公。謚文肅，曾祖妣女真氏，祖妣李氏，妣張氏，皆追封魯郡夫人。公少廓達通敏，日誦千餘言，後(學)極博精，尤喜春秋左氏傳。文肅公薨，襲(封)衍聖公，階(嘉)(議)大夫。元重紀至元[之][年]，上疏[請]修飾廟像，順帝可其奏，賜山東曆日錢之半給其費，命監察御史〔一七〕族人思立，持楮幣二萬五千緡，勒碑以紀成績。至正六年，中書謂公(爵)[與]階[不]稱，奏陞之，制授中奉大夫〔一八〕，易銅章以銀。十五年，平章政事〔一九〕達世(帖)木爾薦公明習禮學，徵為同知太常禮儀院事，以子希學〔二〇〕襲公爵。是年冬，帝親郊，公攝太常使，盛服襜然，登降有(容)，(觀)者(稱)為達(禮)，(御)史大夫雪，(雪)(言)(公)(材)，(宜)近侍左右，拜中臺治書侍御史，公辭歸。明年，拜山東道肅政廉訪使〔二一〕，既受詔復辭。會山東兵亂，公率家人北行次藁城，丞相賀太平奏詔公為集(賢)直(學)士，希學為秘書郎，遣使者(即)(藁)(城)起(之)。公至(燕)都，劇盜毛貴犯畿甸且迫，廷議棄燕遷關中，公曰："天子當與社稷宗廟俱為存亡，烏可棄而它之。今勤王之兵頗眾，與之決戰，盜可(平)也。"(如)(公)(言)，(盜)(果)(敗)(去)。十九年，遷(禮)(部)尚書，知貢舉，時四方士避亂(多)集(都)邑，公請設流寓科以取之。是冬(擢)陝西行臺侍御史，李思齊及察(罕)(帖)木兒二軍爭，秦隴相攻，朝廷不能制。陝(西)(行)(省)(丞)(相)帖里帖木爾納思齊降將，(命)(張)(良)(弼)(禦)(之)。

(公)(及)(中)(丞)(袁)(涣)(諍)(曰):"(不)(可),(二)(軍)(不)(敢)(舉)(兵)(犯)(奉)(元),豈其力不足哉,特以無名耳。令納其叛將而出兵禦之,是引虎使噬也。"丞相不從,[涣]亦[被][劾]去。(公)(怒)(曰):"(谋)(之)(不)(善),(亂)(且)(至)(矣)。"(遂)(自)(劾)(而)(歸)。(月)(餘),(二)(軍)(及)(良)(弼)(戰)(于)(鹿)(臺),(奉)(元)(果)(陷)。二十二年,除國子祭酒,帝賜上尊,太子書大成殿額以賜。公以世亂不樂居位,竟謝病歸闕里〔二二〕,(營)(别)(墅)(城)(南)(以)(居),(後)(起)(公)(為)(資)(善)(大)(夫)(兼)(集)(賢)(學)(士),不就。(復)(以)(公)(為)(山)(東)[廉][訪](使),(卒)(不)(赴)。二十八年,天兵取中(原)。皇上手詔趣公入覲,待以(賓)(禮)而不名,賜以(廪)禄,不(煩)以職,郊社必(致)(膰)肉,撫勞甚至。洪武三年〔二三〕春,以疾告,遣中使存問,疾笃。(詔)(還)公(于)家,(給)(驛)(以)(行),賜白金(百)兩,文綺八端,而錢物稱是。三月二十八日,次下邳新安驛,(薨)(于)舟中,壽五十有五。希學奉喪歸,以六月十三日葬于孔林之孔子墓二百餘步。公寬厚樂易,事親極孝,(遇)(族)(人)(有)(恩),(與)(人)(交)(不)(為)(掩)(覆)之計,一以誠信。鬓下美髯,容止甚篤。順帝以福人稱之。公娶張氏,濟寧路總管子仁女,封魯郡太夫人,子九人,長即希學,次希説,希範〔二四〕、希進、希麟、希鳳、(希)(順)、(希)(尹)、(皆)(元)(國)(子)(生),希賫(其)(季)(也)。女二人。男孫十九人,長曰訥〔二五〕,

曰譒、詢、諲、諴、諯、誴、諤、訔、譞、詷、評、譓、諓、譽、證、譔、詝、詮。女孫十八人。曾孫四人，長曰鑑〔二六〕，曰鐸、鈞、鏜。曾女孫四人。(希)學，(今)(資)(善)(大)(夫)、(襲)(封)(衍)(聖)(公)，(每)(歲)(朝)正于京師，(上)(寵)(錫)之(甚)(厚)，(以)(袁)(渙)(狀)(來)(請)曰："先公(歿)(今)十年，而墓道之石無文以刻，恐休德不聞于後世，人其謂何？"溓當(獲)識公，且與希學善。雖老矣，其忍不銘。銘曰：

天命大[聖]，為萬世師。廓(幽)昭(潛)，雨施日輝。(功)加堯舜，位則不有。歛其惠澤，以昌厥後。歷年二千，有興有亡。五十餘世，封君相望。自侯而公，愈遠彌貴。桓圭袞衣，肅將祀事。惟公紹家，敦大且(文)。人曰[休]哉，聖師之孫。公為秩宗，左禮右樂。格于幽明，上下无若。亂兵趨燕，宗社震騫。君臣合謀，棄而西遷。公曰不然，君死社稷。以正伐亂，勝不以力。王師(焞)(焞)，如虎如貔。盜遁(難)(夷)，公實啟之。關陝之間，將(驕)胥噬。彼謀不咸，以水止潰。公謂元戎，世方興亂。無失厥防，以速其叛。言臧不從，不臧是為。禍將逮身，云何弗歸。璽書迎拜，俾掌邦教。大訓宏謨，敷聖之道。土宇日隳，位其可居。退修于家，琴瑟詩書。皇明(御)(極)，取聖為則。陟降帝廷，禮儀(有)巽。生(享)其榮，死篤其承。云誰致然，聖澤休明。矯聖之澤，如山如川。有址有源，以永厥傳。繼聖惟賢，守位惟德。載績延聲，後嗣是式。

五十七代孫襲封衍聖公訥，五十六代孫承事郎〔二七〕

世職曲阜縣知縣〔二八〕希範同曾孫鑑，洪武三十年歲在丁丑秋九月吉旦立石。

【注釋】

〔一〕圓括弧内的脱字，據駱承烈《石頭上的儒家文獻——曲阜碑文録》補足，以下凡不注明者皆同。

〔二〕國子祭酒：古代學官名，指國子學或國子監的主管官，職責傳授儒家思想、掌管禮儀、主持祭祀。晉武帝咸寧四年設，以後歷代多沿用。

〔三〕孔公：指五十五代衍聖公孔克堅。

〔四〕神道碑：神道，即墓道。這是指立於墓道前記載死者生平事跡的石碑，多記録死者生平年月、所作貢獻等。

〔五〕翰林學士：官名。學士始設於南北朝时期，唐初常以名儒學士起草詔令，但無名號。唐玄宗時期，翰林學士成爲皇帝心腹，常常能陞爲宰相。北宋翰林學士承唐制，仍掌制誥。此後地位漸低，沿至明清，但拜相者一般皆爲翰林學士之職。

〔六〕嘉議大夫：文散官名。金始置，正四品下，元陞爲正三品，明爲正三品初授之階，清廢。

〔七〕贊善大夫：文散官名。金開始設置，正三品下，元陞爲正二品，明爲正二品，清廢。

〔八〕宋鐮：即宋濂（1310—1381），字景濂，號潛溪，金華人。明初著名政治家、文學家、史學家、思想家。與高啓、劉基並稱爲"明初詩文三大家"，與章溢、劉基、葉琛並稱爲"浙東四先生"。被明太祖朱元璋譽爲"開國文臣之首"。宋濂家境貧寒，幼年多病，聰敏好學，以散文創作聞名，並稱爲"一代之宗"，其作品大部分被合刻爲《宋學士全集》。明初時受朱元璋禮聘，被尊爲"五經"師，爲太子朱標講經。洪武二年（1369），奉命主修《元史》。

官累至翰林學士承旨、知制誥,朝廷禮儀多爲其制定。洪武十年(1377)以年老辭官還鄉,後因長孫宋慎牽連胡惟庸案而被流放茂州,途中於夔州病逝,享年七十二歲。明武宗時追謚"文憲",故稱"宋文憲"。

〔九〕孔顔孟三氏學教授:魏文帝黄初二年,宗聖侯孔羡始創建家學,未設學官。宋真宗祥符二年,就廟建學,設立學宫。乾興元年,孫宣公請以楊光輔爲講書轉奉禮郎。宋哲宗元祐元年,建學於孔廟東南隅,並置教授一員,教訓孔氏子孫或鄉鄰願從學者;元祐四年,又設學録一員。元世祖中統元年,依舊典立曲阜廟學,選師儒充任孔顔孟三氏子孫教授、學正、學録各一員,訓其子弟。此後,三氏教授、學正、學録,或孔氏任,或異姓任。明太祖洪武元年,奉旨設孔顔孟三氏子孫教授一員、學録一員;二年,改三氏學爲孔顔孟三氏子孫教授司,並增設學司一名。

〔一〇〕胡復性:鉅野人,孔顔孟三氏學教授,擅長文學、書法,曾撰文《洪武重修顔廟之記碑》,也曾正書《洪武十七年劉修碣林廟詩碑》《洪武十七年應豐世碣林廟碣》等。

〔一一〕無位:孔子未得王位,而德行最高,古人稱之爲"素王"。

〔一二〕方括弧内的脱字,據《孔尚任新闕里誌校注》補足,以下凡不注明者皆同。

〔一三〕通議大夫:文散官名。隋朝開始設置。唐朝爲文官,正四品下。宋元豐改制用以代給事中,定爲文官第十階。金沿襲,正四品。元朝陞爲正三品。明朝爲正三品初授嘉議大夫,陞授通議大夫。清朝爲正三品,授通議大夫。

〔一四〕禮部尚書:南北朝北周始設,隋唐爲六部之一,自唐歷代相沿襲,主管朝廷中的禮儀、祭祀、宴餐、貢舉等,長官爲禮部尚書。明朝禮部,設尚書一人,正二品;左、右侍郎各一人,正三品。

〔一五〕上輕車都尉：上輕車都尉爲勳官名。漢武帝時期，曾置輕車將軍，梁、陳、北魏、北齊設輕車將軍。唐採用舊官名，置上輕車都尉爲勳官，正四品。宋、金正四品。元、明正三品。清廢。

〔一六〕郡侯：兩晉南朝時期，郡侯均爲實封，有封國、食邑，具有世襲性，食邑從數千户到萬户不等，以郡立國。北魏到遼宋，不設郡侯爵位。金朝復設郡侯，爲三品爵。元朝延設。明朝中後期廢除。

〔一七〕監察御史：古代监察官名。隋開皇二年(582)始設，改檢校御史爲監察御史。唐設御史臺，分爲三院，監察御史屬察院，品秩不高，但許可權很廣。宋元明清沿襲。明清廢御史臺，設都察院，設都御史、副都御史、監察御史。監察御史一般分道負責地方，以某某道監察御史稱之。

〔一八〕中奉大夫：文散官名。宋爲文散官第七階，正四品。元豐改制後，停用。徽宗大觀二年(1108)又設，爲文官第十三階。金爲從三品。元代陞從二品。明朝亦從二品。

〔一九〕平章政事：古代官名，平章事之名始唐代。宋承唐制，以同平章事爲宰相之職。元於中書省、行中書省設置平章政事。明初亦置之，不久罷廢。

〔二〇〕希學：即孔希學(1335—1381)，字士行，五十六代衍聖公。好讀書，善寫隸書，文詞爾雅，談笑揮灑，燦然成章。元至正十五年(1355)襲封衍聖公。洪武元年(1368)十一月，擢陞資善大夫、襲封衍聖公，洪武十三年(1380)班列文臣之首。曾修林廟、復禮儀。

〔二一〕肅政廉訪使：宋、元、明時期的一種官職，掌監察百官。至元初置提刑按察司，糾察地方吏治、政治得失。元至元二十八年(1291)改稱肅政廉訪司。明代沿襲，每道設廉訪使、副使、僉事等官。

〔二二〕闕里：指曲阜。

〔二三〕洪武三年：洪武即明朝開國皇帝朱元璋的年號，時間爲公元 1368 至公元 1398 年。洪武三年，即公元 1370 年。

〔二四〕希範：即孔希範（1347—1412），字士則，孔子五十六世孫，五十五代衍聖公孔克堅的三子。洪武二十八年（1395）春知曲阜，多善政，處事公道。

〔二五〕訥：即孔訥（1358—1400），字言伯，五十七代衍聖公。篤學恭謹，能詩書，工篆法。洪武十六年（1384）丁父憂，以國哀赴京祭孝陵，既竣事入覲。太祖顧謂廷臣曰："孔訥真聖人子孫也，賜膳。"光禄命禮官館於太學，遣尚書劉仲質勞問，日給庖廩，復賜衣服、鈔錠，充物館舍，將俾襲爵以居喪，乃止。洪武十七年（1384）正月襲封衍聖公，受資善大夫，班列文臣之首，每歲入覲。洪武三十三年（1412）九月十六日以疾卒，生年四十三歲。

〔二六〕鑑：五十七代衍聖公孔訥之長子，五十八代衍聖公。

〔二七〕承事郎：文散官名。宋朝始置，爲文官第二十三階，正八品，相當於唐代的徵事郎。金正八品下。明陞爲正七品初授之階。清廢。

〔二八〕世職曲阜縣知縣：從北宋皇祐三年開始，就選用孔氏子弟爲仙源縣官。金後期以及元代，就時常以衍聖公兼任曲阜知縣，這一時期基本上爲世襲知縣。從明朝開始，就改爲世職知縣。即是説，從五十五代衍聖公孔希學開始就不再兼任曲阜知縣了。但是，曲阜縣令一職人員選用仍需由衍聖公保舉孔氏後裔有賢能者呈都省銓用。

（孔祥安）

洪武三十年孔希學墓碑

此碑位於孔林孔子墓西北明墓群中部偏南之路西。立於明太祖洪武三十年(1397)九月。碑爲圓頂,高 2.5 米,寬 0.7 米,厚 0.3 米。碑文分三部分,上款,文 1 行,計 13 字。正書。墓碑名處於碑的中心,佔碑的絶大部分,文 2 行,行 8 字,計 16 字。胡復性篆書。落款,文 2 行,計 45 字。共計 74 字。整個碑風化脱落較重,很多字已不清。碑頭左上角缺失;中斷裂,已修復。駱承烈《石頭上的儒家文獻——曲阜碑文録》輯録該碑。

駱承烈《石頭上的儒家文獻——曲阜碑文録》将"三氏学"誤作"四氏学",脱"篆""縣"。

五十六(世)〔一〕孫

資善大(夫)襲(封)(衍)(聖)公之墓

孔顔(孟)三(氏)學〔二〕教授胡(復)(性)〔三〕篆書。

五(十)(七)(世)孫襲封(衍)聖公男訥〔四〕並孫(鑒)〔五〕。

(洪)武丁丑〔六〕(秋)九(月)吉(日)五十(六)(世)

孫承事郎〔七〕世職曲阜縣知縣〔八〕(弟)希範〔九〕同立石。

【注釋】

〔一〕括弧内的脱字,據駱承烈《石頭上的儒家文獻——曲阜碑文録》補足,以下凡不注明者皆同。

〔二〕孔顔孟三氏學:駱承烈《石頭上的儒家文獻——曲阜碑文録》認爲"孔顔曾孟四氏學"可能有誤,乾隆《山東通志》認爲是萬曆十五年"巡撫李戴奏增曾氏子孫,改爲四氏學"。(參見汪維真:《明代孔顔曾孟四氏聖裔的教育與科貢——以闕里孔氏廟學爲中心》,《黄河文明與可持續發展》第3輯,第77頁。)

〔三〕胡復性:鉅野人,孔顔孟三氏學教授,擅長文學、書法,曾撰文《洪武重修顔廟之記碑》,也曾正書《洪武十七年劉修碣林廟詩碑》《洪武十七年應奉世碣林廟碣》等。

〔四〕訥:即孔訥(1358—1400),字言伯,五十七代衍聖公。篤學恭謹,能詩書,工篆法。洪武十六年(1384)丁父憂,以國哀赴京祭孝陵,既竣事入覲。太祖顧謂廷臣曰:"孔訥真聖人子孫也,賜膳。"光禄命禮官館於太學,遣尚書劉仲質勞問,日給庖廩,復賜衣服、鈔錠,充物館舍,將俾襲爵以居喪,乃止。洪武十七年(1384)正月襲封衍聖公,受資善大夫,班列文臣之首,每歲入覲。洪武三十三年(1412)九月十六日以疾卒,生年四十三歲。

〔五〕鑒:五十七代衍聖公孔訥之長子,五十八代衍聖公。

〔六〕洪武丁丑:洪武是明朝皇帝朱元璋的年號,丁丑是洪武三十年,即公元1397年。

〔七〕承事郎:文散官名。宋朝始置,爲文官第二十三階,正八品,相當於唐代的徵事郎。金正八品下。明陞爲正七品初授之階。清廢。

〔八〕世職曲阜縣知縣:從北宋皇祐三年開始,就選用孔氏子弟爲仙源縣官。金後期以及元代,就時常以衍聖公兼任曲阜知縣,這一時期基本上爲世襲知縣。從明朝開始,就改爲世職知縣。即是説,從五十五代衍聖公孔希學開始就不再兼任曲阜知縣了。但是,曲阜縣令一職人員選用仍需由衍聖公保舉孔氏後裔有賢能者呈都省銓用。

〔九〕希範:即孔希範(1347—1412),字士則,孔子五十六世孫,五十五代衍聖公孔克堅的三子。洪武二十八年(1395)春知曲阜,多善政,處事公道。

(孔祥安)

洪熙元年衍聖公孔訥神道碑

此碑位於孔林孔子墓西北明墓群中部道西路旁。立於明仁宗洪熙元年(1425)冬十月。碑頭高1.1米,寬1.56米,厚0.64米。雲底,雙龍朝陽圖案。文4行,行4字,計16字。篆書。碑身高2.45米,寬1.44米,厚0.52米,雲邊。石基底座。上款,文4行,計41字。正書。銘文20行,行56字。正書。落款,文1行,計31字。正書。碑的上部有一道從左上到右下的裂痕,碑身風化嚴重,許多碑文已脱落不清。陳鎬《闕里誌》,駱承烈《石頭上的儒家文獻——曲阜碑文録》,徐振貴、孔祥林《孔尚任新闕里誌校注》著録全碑。

《闕里誌》将"實"作"寔"、"日給"誤作"日继"、"怗怗"誤作"帖帖"、"之原"誤作"之源"。

駱承烈《石頭上的儒家文獻——曲阜碑文録》将"徵事郎"誤作"從事郎"、"篆盖"誤作"篆額"、"美"誤作"莫"、"華問益彰"誤作"問彰"、"既爵"誤作"即爵"、"玉軸"漏掉"軸"字、"厚其"漏掉"其"字、"以本年"漏掉"以"字、"公二年卒"漏掉"公"字、"公鑑"漏掉"公"字、"冢孙"誤作"冢孔"、"煜燁"誤作"煜爗"、"超軼"誤作“超秩”、“佩仁”誤作“佩人”、“溘爾”誤作“溘然”、“之兆”誤作“之地”、“作逑”誤作“作述”。

《孔尚任新闕里誌校注》將“諱希學”漏掉“諱”字、“諱克堅”漏掉“諱”字、“孤貧”誤作“孤寡”、“傔從”誤作“侍從”、“冢孙”誤作“玄孙”、“怗怗”誤作“帖帖”、“煜燁”誤作“煜燁”、“之原”誤作“之源”、“作逑”誤作“作求”。

宣聖〔一〕五十七世孫襲封衍聖公神道碑〔二〕銘

朝議大夫〔三〕國子(祭)〔四〕(酒)〔五〕兼(翰)林(侍)講〔六〕國史總裁胡儼〔七〕撰。

徵事(郎)〔九〕(中)(書)(舍)(人)朱暉〔一〇〕書。

從(事)郎(中)(書)(舍)(人)陳登篆盖。

公諱訥,字言伯,姓孔氏,[世]〔一一〕[家]魯曲阜。[前][資]善大夫〔一二〕、襲封衍聖公諱希學〔一三〕之子,元[中]奉[大]夫〔一四〕、襲[封][衍][聖][公]、[國]子[祭][酒]諱克堅〔一五〕之孫,[嘉]議大夫〔一六〕、襲封衍聖公累贈[通]奉大夫〔一七〕、[河]南[江][北][等]處行中書[省]〔一八〕參知政事、護軍、魯郡[文][肅]公諱[思][晦]〔一九〕[之]曾孫,[實][宣]聖五十七世孫也。[公][魁][梧]厚重,寡言笑,篤學恭謹,不[以][貴]冑驕人,士大[夫]喜與之遊。樂善好施,遇孤貧不克婚葬者,[雖]傾[貲][濟][之][無]難色。又能詩,[工]篆法,人得之者皆[傳]誦誇美相貴重,華問益彰。[洪]武癸[亥]〔二〇〕,[居][父][憂],以國哀赴京[祭]孝陵〔二一〕。既竣[事],[入]見,天眷甚[隆]。顧謂廷臣曰:“[孔]

訥,真聖人子孫。”遂賜膳光禄,命[禮][官][館][於][太][學][二二],遣尚書[劉][仲][質][二三]勞問,[日][給]庖廩,復賜衣[物]鈔錠,充牣舍館。將[俾]襲爵,以居喪乃止。服除,丙寅正月朝京師。既見,上大喜。即命禮官卜日授爵。於是[以][二]月二[日][拜]襲封之[命],受誥大廷,百僚班列,[仍][勅]禮官以教[坊][樂][導][送][至][太][學],[學][官][率]諸生二千余人迎于成賢街,觀者莫不贊歎光榮。[明]日入謝,[復]賜[襲]衣,宴於[禮]部。[又][明][日],釋奠[於]學廟,以[拜]命告,恩禮之加古未有也。[初][行][誥][詞],[吏][部]奏用資[善]階,聖諭曰:“既爵公,勿事散官,[但]誥以織[文][玉][軸]為異耳。”遂為故事。每歲入覲,得給符乘傳,班序列文臣首,厚其廩餼,下[及][傔][從],此又古未有也。公天[性][仁]孝,待宗族克盡禮意,[奉][祭]祀極其嚴敬。至[於][廟][庭][修]作,朝夕[程]督,竭其心力,不以為勞。洪武庚辰九月十六日,竟以疾終,得年四十[有]三。以本年十[月][二][十][六]日[葬]祖林,[祔]考墓[也]。[夫][人]陳氏,繼商氏、[王]氏。子[男]四人:鑒、鐸、鈞、鏜。鑒襲封衍聖公後,公二年卒。女五人,俱適[贤][士][二四]。公鑒之[子][彦][縉][二五],[今][襲][封][衍][聖][公],公之冢孫也。曾孫一人,曰承慶[二六]。公歿後二十年,墓無文,彦縉將樹碑墓道,以昭先德,來請銘。其詞曰:

[維][道]之高,[維]德之厚。金聲玉振,[以][昌]

厥後。[歷][世]五十,而又[七][葉]。偉矣聞孫,克[紹]先業。宇量恢[恢],威儀怗怗。明詩習禮,[光]華煜爗。天之[所]與,族之所宗。保佑申[錫],格于宸衷。榮名尊[爵],超軼顯融。寵恩異數,維聖之崇。佩仁服義,如守憲律。終[始][惟]一,靡有愆忒。由來龍蛇,賢人之嗟。溘爾長逝,德音孔遐。祖林之原,楷木蒼蒼。若斧若堂,昭穆相望。維公之兆,祔考宅幽。既封且固,世德作述〔二七〕。延畀後昆,慶澤斯流。刻詞樹碑,永昭厥休。

大明洪熙元年〔二八〕冬十月吉日,五十九代孫襲封衍聖公孫彥縉男公口公鐽同立。

【注釋】

〔一〕宣聖:漢平帝元始元年謚孔子爲褒成宣尼公,此後歷代王朝皆尊孔子爲聖人,詩文中多稱"宣聖"。

〔二〕神道碑:指立於墓道前記載死者生平事跡的石碑,多記録死者生平年月、所作貢獻等。神道,即墓道。

〔三〕朝議大夫:文散官名。隋文帝開始設置。唐爲正五品下,文官第十一階。明朝爲從四品,初授朝列大夫,陞授朝議大夫。清從四品,授朝議大夫。

〔四〕括弧内的字,據駱承烈《石頭上的儒家文獻——曲阜碑文録》補足,以下凡不注明者皆同。

〔五〕國子祭酒:古代學官名,指國子學或國子監的主管官,職責傳授儒家思想、掌管禮儀、主持祭祀。晉武帝咸寧四年設,以後歷代多沿用。

〔六〕翰林侍講:古代官名。明代爲從五品,清爲從四品。該官職主要配置於内閣或翰林院,主要任務爲文史修撰,編修與檢討。

〔七〕胡儼(1360—1443):字若思,今南昌人。通覽天文、地理、律曆、卜算等,尤其對天文學有較深造詣。洪武年間考中舉人。成祖時期,以翰林檢討直文淵閣,遷侍講。永樂二年(1404)累拜國子監祭酒,重修《明太祖實録》《永樂大典》《天下圖志》,皆爲總裁官。洪熙時,爲太子賓客兼祭酒。著有《頤庵文選》《胡氏雜説》。

〔八〕徵仕郎:文散官名。隋開始設置。唐爲文官第二十三階,正八品下。宋廢除。金又設置,爲從八品上。元陞爲從七品。明改稱徵仕郎,爲從七品陞授之階。清亦稱徵仕郎,從七品。

〔九〕中書舍人:古代官名。舍人始於先秦,爲國君、太子親近屬官。魏晉時期,在中書省置中書通事舍人,掌傳宣詔命。南朝沿置,至梁,除通事二字,稱中書舍人,起草詔令,參與機密,權力日重。隋唐時期,中書舍人在中書省掌制誥。宋初亦設此官。明清沿襲,爲從七品。

〔一〇〕朱暉(?—1511):字東陽,保國公朱永之子。弘治五年(1492),授勳衛,嗣保國公,督神機營。弘治十三年(1500),命其督三千營兼領右軍都督府事。武宗時,則加爲太保。

〔一一〕方括弧内的字,據徐振貴、孔祥林《孔尚任新闕里誌校注》補足,以下凡不注明者皆同。

〔一二〕資善大夫:文散官名。金開始設置,正三品下,元陞爲正二品,明爲正二品,清廢。

〔一三〕希學:即孔希學(1335—1381),字士行,五十六代衍聖公。好讀書,善寫隸書,文詞爾雅,談笑揮灑,燦然成章。元至正十五年(1355)襲封衍聖公。洪武元年(1368)十一月,擢陞資善大夫、襲封衍聖公,洪武十三年(1380)班列文臣之首。曾修林廟、復禮儀。

〔一四〕中奉大夫：文散官名。宋爲文散官第七階，正四品。元豐改制後，停用。徽宗大觀二年(1108)又設，爲文官第十三階。金爲從三品。元代陞從二品。明朝亦從二品。

〔一五〕克堅：即孔克堅(1316—1370)，字璟夫，孔子五十五代嫡長孫。元惠宗至元元年(1335)襲封衍聖公，授嘉義大夫。官累至晉中太大夫、禮部尚書、國子監祭酒。

〔一六〕嘉議大夫：文散官名。金始置，正四品下，元陞爲正三品，明爲正三品初授之階，清廢。

〔一七〕通奉大夫：文散官名。宋太平興國元年(976)改通議大夫爲通奉大夫。元豐三年(1080)廢。大觀二年(1108)增置通奉大夫爲從三品，爲文散官。金亦置通奉大夫，爲從三品。元代陞爲從二品。明代制通奉大夫爲從二品陞授之階。清代從二品，爲通奉大夫。

〔一八〕行中書省：元朝的地方最高行政機構，爲一級政區名稱。簡稱行省，或只稱省。

〔一九〕思晦：即孔思晦(1267—1333)，字明道，五十四代衍聖公。天姿穎秀，勤奮好學，講求禮儀，尊尚德行，家貧躬耕。累贈通奉大夫、河南江北等處行中書省參知政事、護軍。死後追封魯郡公，謚“文肅”。

〔二〇〕洪武癸亥：洪武是明朝開國皇帝朱元璋的年號(1368—1398)，癸亥即公元1383年。

〔二一〕孝陵：即明孝陵，它是明太祖朱元璋與其皇后的合葬陵墓，始建於洪武十四年(1381)，永樂三年(1405)建成。因皇后馬氏謚號“孝慈高皇后”，且奉行孝治天下，故名孝陵。現坐落於南京市玄武區紫金山南麓獨龍阜玩珠峰下，其占地面積達170余萬平方米，是中國規模最大的帝王陵寢之一。

〔二二〕太學：中國古代的國立大學。太學之名始於西周，始設於漢武帝元朔五年。

〔二三〕劉仲質：明初，爲宜春訓導，後被推薦任翰林，校正《春秋本末》。洪武十五年(1382)，陞任禮部尚書，制訂了一套釋奠禮儀，頒行天下。他提倡尊孔，曾陪同皇帝一道祭孔廟，立學規十二條，頒行全國。後因事貶官，任御史。他爲人厚重篤實，博通經史，文章典雅，著有《校正春秋本末》。

〔二四〕賢士：此二字據徐振貴、孔祥林《孔尚任新闕里誌校注》補，陳鎬《闕里誌》爲"名門"二字。

〔二五〕彦縉：即孔彦縉(1401—1455)，字朝紳。五十九代衍聖公。天性孝友，不妄言笑精篆書，作有《書史會要》。

〔二六〕承慶：即孔承慶(約1420—1455)，字永祚。五十九代衍聖公孔彦縉之子。明景泰六年(1455)追贈衍聖公。

〔二七〕逑：據陳鎬《闕里誌》補，徐振貴、孔祥林《孔尚任新闕里誌校注》爲"求"字。

〔二八〕洪熙元年：洪熙爲明朝第四個皇帝明仁宗朱高熾的年號，洪熙元年即公元1425年。

（孔祥安）

宣德七年王□典祭少昊碑

此石立於明宣宗宣德七年(1432),現鑲於少昊陵正殿東牆,東起第3石(之一)。石高0.68米,寬0.48米。碑文正書,12行。

駱承烈《石頭上的儒家文獻——曲阜碑文録》將"壬子"誤爲"壬午"、落款處時間宣德七年"八月"誤爲"六月"。

御製祝(文)

維宣德七年歲次(壬)(子)〔一〕(八)(月)〔二〕(丁)(亥)〔三〕(朔)□□□□□□□,皇帝遣迪功郎〔四〕兖州府曲阜縣(縣)(丞)(王)□(典)〔五〕(致)(祭)(于)〔六〕帝少昊金天氏曰:昔者奉天明命,相繼(為)(君)。(代)天理(物),撫育黔黎。彝倫攸敘,井(井)(繩)(繩)。(至)(今)(承)(之),(生)(民)多福,思不忘而報。特遣使道士(時)(應)〔七〕□,(齎)(捧)(香)(幣),命有司詣陵致祭,惟帝英靈,來歆來格。尚享。

宣德(七)〔八〕年(八)〔九〕月吉日曲阜(縣)(丞)〔一〇〕

王□典儒學(教)(諭)(陸)(質)〔一一〕。

【注釋】

〔一〕壬子:干支紀年法,此指宣德七年(1432)。

〔二〕〔八〕〔九〕乾隆《曲阜縣志》卷二十八有記:宣德七年,秋八月,命知縣孔克中祭告少昊陵。

〔三〕宣德七年八月初一,干支紀日爲丁亥日。

〔四〕迪功郎:文散官名。宋政和六年(1116)改將仕郎爲迪功郎,秩從九品。明制迪功郎爲正八品初授之階。

〔五〕據駱承烈《石頭上的儒家文獻——曲阜碑文録》及該碑文落款補足。

〔六〕依明代祝文範式和其他少昊陵祭文慣例補足。以下括弧中所補文字不注明者皆此。

〔七〕"時應"二字據駱承烈《石頭上的儒家文獻——曲阜碑文録》補足。

〔一〇〕據駱承烈《石頭上的儒家文獻——曲阜碑文録》補足。

〔一一〕據乾隆《曲阜縣志》卷三十九《職官一》"儒學教諭"補足。

(劉文劍)

正統元年趙琬祭少昊碑

此石立於明英宗正統元年(1436),現鑲於少昊陵正殿東牆,東起第3石(之二)。石高0.68米,寬0.40米。碑文正書,正文8行,落款4行,共110字。

駱承烈《石頭上的儒家文獻——曲阜碑文録》將"正綂元年"的"綂"寫作"統","継天立極"的"継"寫作"繼","孔公堂"的"堂"寫作"鏜","段整"誤爲"□聖","張源"誤爲"张原"。

維正綂元年歲次丙辰正月丁卯朔十五日(辛)(巳)〔一〕,皇帝謹遣國子監司業趙琬〔二〕致祭于帝少昊金天氏(曰)〔三〕:仰惟聖神,継天立極〔四〕。功被〔五〕生民,萬世永賴。予〔六〕嗣承天綂〔七〕,祇〔八〕嚴〔九〕祀事。用祈佑我家(邦),永底〔一〇〕昇平。尚享。

正綂元年二月吉日曲阜縣世尹孔公堂〔一一〕、典史段整、儒學教諭張子初、訓導張源,同立。

【注釋】

〔一〕初一爲丁卯,由此推算十五爲辛巳。另,《明英宗實録》

卷十三，正統元年春正月辛巳條記載，明英宗即位改元，祭告祖陵、皇陵、歷代帝王陵及先師孔子等。

〔二〕趙琬：武進（今江蘇省常州市）人，以明經領鄉薦，授教諭，陞翰林待詔，未幾，陞國子監司業，官終右春坊右諭德。

〔三〕依明代祝文範式補足。下同

〔四〕継天立極：秉承天意，登基立位。継天，稟承天意。立極，登帝位，秉國政。

〔五〕被：動詞，澤被。

〔六〕予：指明英宗朱祁鎮。

〔七〕天統：天之統緒，天之正統，指皇統、帝位。

〔八〕祗：敬，恭敬。

〔九〕嚴：莊嚴、鄭重、恭敬。

〔一〇〕厎：至、達到。

〔一一〕孔公堂：文獻大多寫作"孔公鐘"，據乾隆《曲阜縣志》卷三十九，宣德九年至景泰元年，孔公鐘知曲阜縣事。所以，孔公堂就是孔公鐘。孔公鐘，字聲文，孔子五十八代孫，衍聖公孔訥第四子。孔公鐘慷慨有氣節，敦尚信義。人有過，輒面質其非，時目爲孔門御史。宣德九年薦知曲阜縣，有政績，居官十餘年，邑中大治。嘗語人曰："功成身退，天之道也。"乃上疏乞賜放歸田里，以賢者代，上不許。年七十一卒。

（劉文劍）

正統四年張孟春祭少昊碑

此石立於明英宗正統四年(1439),現鑲於少昊陵正殿東牆,東起第3石(之三,駱承烈《石頭上的儒家文獻——曲阜碑文録》誤爲之四)。石高0.68米,寬0.40米。碑文正書,正文10行,落款3行,共142字。

駱承烈《石頭上的儒家文獻——曲阜碑文録》將“正統四年”的“統”寫作“統”,“知縣孔公堂”、“世尹孔公堂”的“堂”寫作“鏜”,“相継爲君”的“継”寫作“繼”,“思不忘而報”漏掉“思”字,“惟帝英灵”的“灵”寫作“靈”,“来歆来格”的“来”寫作“來”,“叚整”誤爲“殷整”,“儒學教諭”前多一“司”字,落款處最後漏掉“同立”二字。

維正統四年歲次己(未)[一](八)[二]月丙子朔初十日乙酉,皇帝遣承(事)郎曲阜縣(世)(職)知縣孔公堂致祭于帝少昊金天氏曰:昔者奉天明命,相継為君。代天理物,撫育黔黎。彝倫攸敘,井井繩繩。至今承之,生民多福,思不忘而報。特遣使道士張孟春賫[三]捧香幣,命有司詣陵致祭，惟帝英灵，来歆来格。尚享。

正統四年八月吉日曲阜縣世尹孔公堂、典史叚整、儒學教諭張子初，同立。

【注釋】

〔一〕正統四年：公元1439年，干支紀年爲己未年。

〔二〕由後面"丙子朔"得知該月初一爲丙子日，正統四年初一爲丙子日的有八月和十月兩個月份，再者碑文落款處有"八月吉日"字樣，所以爲八月份無疑。

〔三〕賫：持、带。

（劉文劍）

正統六年御製兖國復聖公新廟之碑

此碑立於明英宗正統六年，位於顏廟中院東碑亭正中。碑高3.6米（含雕龍碑頭0.6米），寬1.26米，厚0.39米，花邊。龜趺高0.8米，寬1.24米，長2.68米。碑頭浮雕雙龍及雲紋，碑頭正中篆書"大明敕賜兖國復聖公新廟碑"十二字，四字一列。碑身四周淺雕雲紋，全文皆爲正楷。

駱承烈《石頭上的儒家文獻——曲阜碑文録》著録此碑，有幾處别字、漏字。"大明敕賜兖國復聖公新廟碑"無"大"，"世道所以其盛衰之不齊也"中的"其"誤作"有"，"斯世斯人幾何其不淪於夷狄禽獸"無"夷狄"，"并系以詩曰"中的"系"作"繫"，"一出于天"中的"于"作"於"。

《陋巷志》卷五有原文。

御製兖國復聖公新廟之碑

朕惟聖賢之生，皆天以為世道生民計，非偶然也。雖天處之有不同爾，而聖賢求所以仰副天之意者，則一心也。孔子之道，原扵天，而承扵尧舜禹汤文武周公，孔子不得位，则惓惓扵推明斯道，立教垂世，以副天之意。葢周公而後必有孔子，而後皇帝王之道明。君臣父子之位正，尊卑贵賤之辨著。雖斯理在人心皆固有之。然非得孔子之教，则不能以皆明。明之有淺深，则其行之之效亦因之有淺深，世道所以其盛衰之不齊也。向〔一〕微〔二〕孔子之教，斯世斯人幾何其不淪扵夷狄禽獸。此孔子之道所以為天下國家者，不可一日以無也。三千之徒，孔子獨稱顔子好學，獨告以帝王為治之大法。使孔子居堯舜之位，則顔子稷契之倫也。聖賢之不得位與年〔三〕，皆天也。而使之得為天地立心，為生民立命，為萬事開太平，有以仰副天之意，亦天也。君子曰聖人之藴，微顔子殆不可見，發聖人之藴，教萬世無窮者，顔子也。嗟乎！孔子其太和元氣，顔子其四時之春乎。非春其何以見太和之發育也。曲阜故有孔顔廟祀，我皇曾祖太宗文昌王帝既新孔廟而親製文書石。朕嗣統之七年，爰新顔廟。有司請文書石，并系以詩曰：

巍巍宣聖，道配乾坤。化流天下，光闡人文。睿矣兖国，剛明純粹。蕩蕩聖域，深造精詣。爰初四勿〔四〕，以復天理。以居廣居，進進無上。大經大本，一出于天。惟聖誠明，顔得其全。禮樂之授，王佐之朝。鳴鳥不至〔五〕，賢聖側微〔六〕。作範立教，永淑來世。報德暨功，代謹軼祀。東瞻魯邦，生之所都。神靈在天，亦時來居。既作新廟，爰祗祀事。弼佑皇明，千萬憶歲。

正統六年十一月初四日。

【注釋】

〔一〕向:假使、假如。

〔二〕微:没有。

〔三〕年:壽數。顏回三十多歲就亡故了。

〔四〕四勿:非禮勿視,非禮勿聽,非禮勿言,非禮勿動。《論語·顏淵》:"顏淵問仁。子曰:'克己復禮爲仁。一日克己復禮,天下歸仁焉。爲仁由己,而由人乎哉?'顏淵曰:'請問其目。'子曰:'非禮勿視,非禮勿聽,非禮勿言,非禮勿動。'"

〔五〕鳴鳥不至:《論語·子罕》:"子曰:'鳳鳥不至,河不出圖,吾已矣夫!'"鳴鳥即鳳鳥,鳳凰出現象徵著天下太平;聖人受命,黄河就會出現圖畫。這兩種跡象不出現,説明孔子、顏回所在的春秋末年政治無清明之望。

〔六〕側微:卑賤。

(張　慧)

正統七年魏廣聚祭少昊碑

此石立於明英宗正統七年(1442),現鑲於少昊陵正殿東牆,東起第3石(之四,駱承烈《石頭上的儒家文獻——曲阜碑文録》誤爲之五)。石高0.68米,寬0.40米。碑文正書,正文10行,落款4行,共147字。

駱承烈《石頭上的儒家文獻——曲阜碑文録》將"正綂七年"的"綂"寫作"統","知縣臣孔公堂""世尹孔公堂"的"堂"寫作"鏜","相継為君"的"継"寫作"繼","思不忘而報"漏掉"思"字,"詣陵致祭"的"陵"誤爲"除","惟帝英灵"的"灵"寫作"靈","来歆来格"的"来"寫作"來","叚整"誤爲"殷整",落款處最後漏掉"同立"二字。

維正綂七年歲次壬戌八月戊子朔十八日乙巳,皇帝遣承事郎曲阜縣世職知縣臣孔公堂致祭于帝少昊金天氏曰:昔者奉天明命,相継為君。代天理物,撫育黔黎。彛倫攸敘,井井繩繩。至今承之,生民多福,思不忘而報。特遣使道士魏廣聚賫捧香幣,命有司詣陵致祭,惟帝英灵，来歆来格。尚享。

正統七年八月吉日曲阜縣世尹孔公堂、典史叚整、儒學教諭張子初、訓導李(遜)[一]同立。

【注釋】

〔一〕乾隆《曲阜縣志》卷三十九《職官一》“訓導”有記：“宣德中有張源，正統中有李遜。”據此補足。

（劉文劍）

正統十年杜景春祭少昊碑

此石立於明英宗正統十年(1445),現鑲於少昊陵正殿東牆,東起第3石(之五)。石高0.68米,寬0.44米。碑文正書,正文10行,落款3行,共139字。

駱承烈《石頭上的儒家文獻——曲阜碑文録》將"正統十年"的"統"寫作"統","典史臣尹賢"漏掉"臣"字,"相継為君"的"継"寫作"繼","思不忘而報"漏掉"思"字,"来歆来格"的"来"寫作"來","訓導李遜"前多一"同"字,落款處最後漏掉"同立"二字。

維正統十年歲次乙丑八月壬寅朔十五日丙辰,皇帝遣曲阜縣署縣事典史臣尹賢致祭于帝少昊金天氏曰:昔者奉天明命,相継為君。代天理物,撫育黔黎。彛倫攸敘,井井繩繩。至今承之,生(民)〔一〕多福,思不忘而報。特遣使道士杜景春賫捧香幣,命有司詣陵致祭,惟帝英靈,来歆来格。尚享。

正統十年八月吉日曲阜縣典史尹賢、儒學教諭林惟名[二]、訓導李遜同立。

【注釋】

〔一〕據明代祝文範式補足。

〔二〕林惟名：乾隆《曲阜縣志》卷三十九《職官一》"儒學教諭"寫作"林維明"。

（劉文劍）

弘治元年章忱謁兖國復聖公廟碑

此碑立於明弘治元年(1488)九月,現鑲於顔廟克己門下北面東牆。碑身高約0.58米,寬約0.64米,碑身楷書,共10行,行11字,共69字,字跡清晰,保存完好。駱承烈《石頭上的儒家文獻——曲阜碑文録》著録碑文。

謁兖國復聖公廟

列國周流尚有人,簞瓢從此樂天真。時行時止吾儒道,千載寥寥愧後塵。

弘治元年九月吉旦,賜進士第承德郎太僕寺寺丞會稽章忱〔一〕拜書。鄒縣知縣陳輔〔二〕勒石。

【注釋】

〔一〕章忱:字景恂,會稽人,明成化間進士。初令臨城,累遷至曲靖守。章忱天性孝友,淡於榮利,曾有自述曰:"敢謂身從顔氏樂,直將心比伯夷清。"著有《臨城集》《克齋稿》。《紹興府志》

《兩浙名賢録》有傳。

〔二〕陳輔：康熙五十四年《鄞縣志》記載："陳輔，成化二十一年任（知縣）。"其他不詳。

（崔偉芳）

弘治六年陳振謁廟詩碣

此石立於明孝宗弘治六年（1496）閏五月，現鑲於西齋宿南墻，西起第5石。石高0.5米，寬0.83米。陳振正書。共20行，行10字。駱承烈《石頭上的儒家文獻——曲阜碑文録》中著録此石刻。

駱承烈《石頭上的儒家文獻——曲阜碑文録》中"體貌"誤作"禮貌"、"欽奉"誤作"依奉"、"朝命"誤作"朝會"、"恝然"誤作"憖然"、"翹首應詩甘澍太平可期"誤作"翹首應時甘澍太平可欺"，文缺"也""以"兩字。

重來肅拜〔一〕五經春，豈謂書生體貌〔二〕皸。聖道天高昭六籍〔三〕，君恩海闊貴雙親。宗支〔四〕繁衍冠裳古，禮樂加隆制度新。問借當年詩化雨，蚤甦赤土慰吾民。

曩〔五〕自弘治己酉歲春綜理馬政〔六〕，迄今癸丑歲夏職專按巡，俱欽奉朝命至其地。獲登闕里，瞻謁廟像，洋洋如在。但時方苦旱，民尚艱食，視昔稔歲〔七〕不侔〔八〕，安能恝然〔九〕於懷抱也耶。翹首應詩，甘澍〔一〇〕太平可期緬，惟人参兩間，君親師負荷最重，故併言及，以紀歲月云。

四明陳振，大明弘治六年間五月初一日立。

【注釋】

〔一〕肅拜：中國古代的一種禮俗，是九拜禮之一。《朱子語類》説："兩膝齊跪，手至地而頭不下爲肅拜。"

〔二〕體貌：相待以禮。

〔三〕六籍：儒家经典中的六經，即《詩》《書》《禮》《易》《樂》《春秋》。

〔四〕宗支：同宗族的支派。

〔五〕曩：從前。

〔六〕馬政：我国历代政府对官用马匹的牧养、训练、使用和采购等的管理制度。

〔七〕稔歲：豐收的年歲。

〔八〕不侔：不相等。

〔九〕恝然：冷漠、不關心。

〔一〇〕甘澍：甘雨。

（孔　麗）

弘治九年重立至順二年加封啓聖王制碑

此碑現位於孔廟金絲堂後東側。原立於元文宗至順二年(1331),明弘治九年(1496)重立。碑高2.56米,寬0.9米,厚0.26米。碑頭高0.74米,雕龍紋案,正書"有元加封啓聖王制"。碑趺長1.8米,寬0.95米,高0.6米。衍聖公孔弘泰立。正書,共13行,每行30字。碑陰爲祝文,正書。《曲阜縣志》的《金石》中有記,《通編》中有原文。駱承烈《石頭上的儒家文獻——曲阜碑文録》著録此碑。

駱承烈《石頭上的儒家文獻——曲阜碑文録》中"系出"作"係出"、"考"作"攷"、"本原"作"本源"、"既襲"誤作"繼襲"、"建而不悖"誤作"建而下悖"、"于以惇典"作"於以惇典"、"穐八月"誤作"秋月"。《曲阜縣志》的《通編》中"朕聿觀人文"作"聿觀人文"、"惟孔氏之有作"作"維孔氏之有作"、"傳之周文王"誤作"傳及周文王"。

有元加封啓聖王制

上天眷命,皇帝聖旨。闕里有家,系出神明之胄〔一〕。尼山請禱,天啓聖人之生。朕聿觀人文,敷求〔二〕往哲。惟孔氏之有作,集羣聖之大成。原道統則堯授舜,傳之周文王。論世家則契至湯,下逮正考父〔三〕。其明德也遠矣,故生知者出焉。有開必先,克昌厥後〔四〕。如太極之生天地,如鋸海之有本原。雲仍既襲於上公之封,考妣〔五〕宜視夫素王之爵。於戲! 君子之道,考而不繆,建而不悖,于以惇典〔六〕,而敍倫宗廟之禮。愛其所親,敬其所尊。於以報功而崇德。尚篤其慶,以相斯文。齊國公叔梁紇〔七〕可加封啓聖王,魯國太夫人顔氏〔八〕可加封啓聖王夫人。主者施行。

至順二年九月日。

大明弘治九年歲次丙辰穐八月上日,襲封衍聖公孔弘泰建。

【注釋】

〔一〕神明之胄:神明的子孫。

〔二〕敷求:遍求。

〔三〕正考父:中國春秋時期宋國大夫,宋愍公的玄孫、孔父嘉的父親、孔子的七世祖。

〔四〕克昌厥後:語出《詩經·周頌·雍》,意思是能使子孫後代興盛。

〔五〕考妣:對已故父與母的稱呼。

〔六〕惇典:厚其禮敬。

〔七〕叔梁紇:孔子父親,春秋時期魯國人,曾官任魯國陬邑大夫。

〔八〕顔氏:孔子母親,名徵在。孔子十七歲時,去世。

(孔　麗)

弘治十八年李東陽奎文閣賦碑

此碑立於明孝宗弘治十八年(1505),現位於孔廟奎文閣廊下東首。碑高1.72米,寬0.9米。碑頭篆書"奎文閣賦"四字,刻有雲紋圖案,高0.88米。李東陽撰并書,碑文正書,喬宗書。共23行,行56字。碑陰上面有篆書"奎文閣題記"五字,下为正書,字不清晰。全碑毁壞嚴重,現用玻璃罩住。《曲阜縣志》、駱承烈《曲阜碑文録——石頭上的儒家文獻》著録全碑。

《曲阜縣志》"于"作"於"、"有事于朝"誤作"有事於廟"、"暎"作"映"。駱承烈《石頭上的儒家文獻——曲阜碑文録》中有三处缺少文字:一处是前題,"奎文閣賦有序光□□夫柱國少傅兼太子太傅戶部尚書謹身殿大學士知制誥同□經筵事國史總裁長沙李東陽撰。□□仕□中書舍人直文淵閣預修國史玉牒侍、經筵官太原喬□書"。第二处是,"黄君布政使□君□刻石,京師副使□□鎸刻而□之卷末"。第三处是后題,"弘治□□年七月吉日六十二代襲衍聖公聞韶立石"。"于"作"於"、"暎"作"映"、"向"作"嚮"、"勅"作"敕"、"歎"作"嘆"、"藉"誤作"籍"、"噫嚱"誤作"噫嘘嚱"、"占"誤作"古"。

奎(文)(閣)(賦)〔一〕有序

光(禄)(大)夫柱國少傅兼太子太傅戶部尚書謹身殿大學士知制誥同(知)經筵事國史總裁長沙李東陽〔二〕撰。(徵)仕(郎)中書舍人直文淵閣預修國史玉牒侍經筵官太原喬(宗)書。

(闕)(里)(宣)聖廟,舊有奎文閣以貯古今圖籍。在大成殿之前,杏壇之南。金章(宗)〔三〕(重)建,規制頗精。國(朝)(置)(衍)(聖)(公)府,其屬有奎文閣典籍一人。凡朝廷有(事)于朝,則禮迓香(幣),庋于閣中,以俟行事。弘治己未,廟災〔四〕而閣存。工既(就)(緒),殿廡(閎)(麗),(皆)(加)(於)(舊)。按察(僉)(事)(黃)(君)繡謂閣獨弗稱,欲撤而新之。眾議譁然,以為故物不可廢。黃執之益力,巡撫都御史徐公源(實)主之。(閣)成,高(八)(丈)(有)(奇),(略)與殿等。棟宇相埒〔五〕,金碧交暎。向之譁者始翕(然)歸之。稱全功焉。東(陽)(奉)勅祭告,(乃)登于茲閣,欲賦其事未暇也。徐公既購書数百卷,付衍(聖)(公)(聞)(韶),(令)(典)(籍)(孫)(世)忠守之。四方藩郡聞而致者,日益富。徐公使告于予曰,閣不可負也。乃為賦之。黃君布政使□君□刻石,京師副使□□鎬刻而□之卷末。

偉新廟兮既宮,突高閣兮麗空。海之右兮山之東,極灝溔〔六〕(兮)(爭)(嵸)(巃)。(納)(沆)(瀣)(兮)(超)(鴻)(濛)〔七〕,(表)(日)(觀)(兮)(來)(天)

(風)。忽秋兮始肅,見奎星兮正中。初徙倚(兮)(欄)前,暫徘徊兮戶外。殿庭兮巍峩,與兹閣系相對。亭碑(矗)兮林立,壇屋隱兮如蓋。昔金源兮始構,幾歲序兮更代。歎軒楹兮未燼,紛瓦礫(兮)(浮)壒[八]。及輪奐兮鼎成,(藹)冠(裳)兮咸萃。覽舊跡兮無餘,撫孤根(兮)(一)(檜)。

(吁)(嗟)(乎)!(靡)(麗)(兮)(娉)(婷),(彼)(齊)(雲)(兮)(落)(星)。悵望兮怔營[九],或籌邊兮見京。夫(豈)(若)睹羹牆兮故宅,誦典則兮遺經。宛科斗兮孔壁,恍金絲兮魯聲。(感)(春)(秋)(兮)(絕)(筆),(憶)(詩)(禮)(兮)(趨)(庭)。(存)(奇)(文)(兮)籀史,脱虐燄[一〇]兮秦坑。藉神鬼兮(呵)護,閟山川兮精英。乃有韋編兮竹簡,石墨兮溪藤。汗牛充棟兮不可(以)(計)(數),(又)(奚)(問)(兮)(何)(名)。(幽)(並)(兮)(青)兗,渺宫墻兮在眼。景行兮高山,每(為)憾兮不淺。金書兮玉簡,(幸)吾生兮未晚。遡秋霄兮愈泬[一一],恨夏日兮(猶)(短)。(仰)(聖)(道)(兮)(彌)(高),(思)(古)(風)(兮)(漸)(遠)。(閱)(千)(載)兮一時,曾一概兮不滿。(睠)(逸)駕兮可攀,尚頹波兮在挽。

噫嚱!靈有地兮傑有人,賢有象兮國有賓。下(厚)士兮上高旻,軼倒景兮離塵紛。博典册兮窮皇墳[一二],厲夕愓兮求朝聞。豈徒(析)(蟲)(魚)(兮)(隱)(義),(辨)(豕)(亥)(兮)(疑)真?(訝)雨粟兮天半,降青藜兮夜分。(蓋)方舞干羽兮七旬,徧絃歌兮八垠。占聚緯[一三]兮周髀[一四]，聽圜橋[一五]兮成(均)。(殆)將興兮吾道，庶不(朽)兮斯文。(巍)(乎)(高)(哉)，勢不可以極！茲閣之名兮，並(列)宿[一六]而俱存。

弘治(十)(八)年七月吉日，六十二代(襲)(封)(衍)(聖)公孔聞韶立石。

【注釋】

〔一〕括號内殘字據《曲阜縣志》補足，以下凡不注明者皆同。

〔二〕李東陽：字賓之，號西涯，謚文正，明朝中葉重臣，文學家，書法家，茶陵詩派的核心人物。

〔三〕金章宗：完颜璟，小字麻达葛，显宗嫡子。大定八年(1168)生，二十九年(1189)即皇帝位，泰和八年(1208)崩，年四十一，在位二十年。

〔四〕廟災：指弘治十二年六月十六日孔廟發生的火災，毁壞了許多重要的建築物，使孔廟損失慘重。

〔五〕相埒：相等。

〔六〕灝溔：水無邊無際的樣子。

〔七〕鴻濛：傳說盤古開天闢地前，世界是混沌的元氣，便叫鴻濛。

〔八〕浮壒：飛揚的塵土。

〔九〕怔營：惶恐不安。

〔一〇〕虐燄：殘暴的氣焰，此處指秦始皇焚書之罪孽。

〔一一〕泬：水從洞穴中奔瀉而出。

〔一二〕皇墳：傳說三皇時代的典籍。

〔一三〕聚緯：指行星的聚合。《史記·天官書》："水、火、金、木、填星，此五星者，天之五佐，謂緯。"

〔一四〕周髀：即《周髀算經》，我國最早的天文算學著作。

〔一五〕圓橋：指樂聲圓潤、高亢。

〔一六〕列宿：此指由十六顆星組成的奎宿。

（孔　麗）

弘治年間李東陽謁尼山廟有述刻石

此石刻立於明孝宗弘治年間,現鑲嵌於孔府大堂、二堂之間東隅的東牆上,北起第4石。石高0.36米,寬0.63米。李東陽草書。駱承烈《曲阜碑文録——石頭上的儒家文獻》著録全碑。

謁尼山廟有述

迢迢魯城路,望望尼山峯。坤靈〔一〕在其西,顔母〔二〕在其東。周原敞宏址,中有文宣〔三〕宫。年深歲復改,上雨兼旁風。蒼黄〔四〕設俎豆,俯仰思儀容。周旋入寢殿,榱棟〔五〕半已空。丹青剥像貌,暴露□埃中。因之赴深痛,蹙額面發紅。荒苔卧石柱,隱隱雙雕龍。乃知前朝事,規制本穹窿。興替豈有時,闕里方尊崇。紛紛緇黄輩,各自傳其宗。珠林映貝閣,勢若爭雌雄。吾曹衣冠士,此涕詎無從。昨逢中臺彦,感舊傷遺踪。惜哉不共到,獨此心忡忡。他時按部後,為我迴青驄〔六〕。

李東陽。

【注釋】

〔一〕坤靈：古人對大地的美稱。

〔二〕顏母：即顏母山，現位於曲阜市尼山鎮東面，與尼山夫子洞相對。顏母山爲紀念孔子母親顏徵在而命名，現爲尼山省級森林公園景點之一。

〔三〕文宣：此指孔子。開元二十七年，唐玄宗封孔子爲文宣王。

〔四〕蒼黄：同“倉皇”，急促緊張。

〔五〕榱棟：屋椽以及棟樑。

〔六〕青驄：青白雜色的馬。

（孔　麗）

正德四年御製重修顔子廟碑

此碑立於明武宗正德四年(1509)四月。現位於顔廟中院西碑亭内正中。碑頭高約1.1米,中間有篆書"御製顔子廟重修碑記"九個字,四周雕龍紋。碑身高約2.67米,寬1.3米,厚約0.38米。龜趺長約3.26米,寬約1.48米,高約0.9米,雕龍邊。碑身楷書,共16行,行42字,共454字。《陋巷志》卷五、乾隆《曲阜縣志》卷二十九、駱承烈《石頭上的儒家文獻——曲阜碑文録》著録碑文。《曲阜縣志·通編》記載了正德二年重修顔子廟成〔一〕,明武宗命王鏊〔二〕作文記此事,《通編》中著録的碑文當爲王鏊原文,第一人稱及具體用詞與碑文頗有差别,此不一一列舉。

《陋巷志》中"蚤"作"早","又況不遷怒"缺"況"字,"百須咸備"缺"百"字,"籩豆具陳"誤作"籩豆斯陳"。駱承烈《石頭上的儒家文獻——曲阜碑文録》中"與天地並"缺"天"字,"惟顔子"誤作"唯顔子","暨七篇"缺"暨"字,"蚤"作"早","信粹"誤作"羣粹","又況不遷怒"缺"況"字,"先帝俞之"誤作"諭","百須咸備"缺"百"字,"聖唯孔作"誤作"惟","有睿唯顔"誤作"惟","顔誰云夭"誤作"雲","其存則長"誤作"其薦則長"。

御製重修顔子廟碑

朕聞孔子之道與天地並，當時惟顔子、曾子得其傳，其後則有子思、孟子，而顔子所得深且粹矣。彼三子者，得之皆有著述以垂世立教，今《大學》《中庸》暨“七篇之作”[三]，與《六經》《論語》並傳萬世，所以續往聖之絶，開來世之迷，厥功大矣。顔子在聖門獨稱好學，而終日默然如愚，又不幸蚤死，不及立言以垂世，蓋其德則信粹矣，而立教之功靡得而稱焉。雖然，孔子之言曰：“天何言哉，四時行焉，百物生焉。”使聖人之道果不在於言乎，則幾於晦。果在於言乎，則幾於淺。然則以言爲教，又不若無言之教之深且粹也。故曰“發聖人之藴，教萬世無窮者，顔子也”[四]，又况不遷怒、貳過、克復以至卓爾之地，示萬世爲學之妙旨，而四代禮樂[五]立萬世爲治之大法則，其功孰加焉。曲阜故有廟，其地即所謂陋巷者，歲久圮壞，過者興嗟。弘治十五年[六]，六十一代孫博士公鉉[七]奏乞修治，先帝俞之，及今告成，前爲復聖殿，西爲杞國公殿[八]，又爲顔樂亭、陋巷井，亭、門、堂、寢、廡[九]，百須咸備。公鉉又奏乞勒石紀載，以示久遠。朕乃爲述其事於碑，以闡顔氏之功，而因以著先帝崇儒之德。銘曰：

周衰道墜，聖唯孔作。有睿唯顔，獨見其卓。一瓢陋巷，以樂其樂。終日之愚，萬世之覺。於皇孝皇，嚌嚅道真。既崇闕里，陋巷亦新。門墻輪奐，籩豆具陳。顔誰云夭，其存則長。薦之新廟，斯道之光。

正德四年四月十六日。

【注釋】

〔一〕駱承烈《石頭上的儒家文獻——曲阜碑文録》説《曲阜縣志》誤將立碑時間定爲正德二年(1507),實誤。《曲阜縣志》中正德二年爲重修顔子廟成時間,正德四年爲立碑時間。

〔二〕王鏊:字濟之,號守溪,吴(今江蘇蘇州)人,明代著名學者、政治家。成化十一年(1475)進士,弘治初年(1488)任侍講學士,充講官。後累遷户部尚書、文淵閣大學士。明武宗時,宦官劉瑾專權,王鏊與之周旋,多次解救劉健、謝遷等同僚。嘉靖三年(1524)病逝,謚號"文恪"。著有《震澤編》《姑蘇志》《震澤先生集》等。《明史》有傳。

〔三〕七篇之作:即《孟子》。焦循説:"孟子深於《易》,七篇之作,所以發明伏羲、神農、黄帝、堯舜之道,疏述文王、周公、孔子之言,端於此。"《孟子》現存七篇,故以"七篇之作"代指《孟子》。

〔四〕語出周敦頤《通書·聖藴第二十九》。周敦頤是從心性學的層面評價顔子,認爲他對孔子的思想有真切的體認,因此得以"發聖人之藴,教萬世無窮"。

〔五〕四代禮樂:即虞、夏、殷、周四代之禮樂。《論語·衛靈公》:"顔淵問爲邦,子曰:'行夏之時,乘殷之輅,服周之冕,樂則韶舞。'"韶舞、夏時、殷輅、周冕即四代之禮樂。宋鄭汝諧《論語意原》説:"回所問者爲邦,乃告以四代之禮樂,回可爲帝王之佐也。"這幾句意爲顔子雖不像其他弟子有著作傳世,然其德行純粹、好學深思,最爲夫子看重,得以被傳授爲學治邦的準則。因此,他雖無著述、立教,卻深得夫子之傳而爲四科之首。

〔六〕弘治十五年:即明孝宗朱祐樘十五年,公元1502年。

〔七〕鋐:即顔公鋐,字宗器,顔子第六十一代孫,成化十八年

(1482)襲翰林院《五經》博士。《明史》有傳。

〔八〕杞國公殿:即祭祀顔子父親顔路的殿堂。元文宗天曆三年(1330),顔路被封爲杞國公,謚號"文裕"。

〔八〕廡:堂下周圍的走廊、廊屋。

(崔偉芳)

正德四年重修顏廟落成記碑

此碑立於明武宗正德四年己巳(1509)七月,位於顏廟中院西碑亭内西側。碑高2.67米,寬0.98米,厚0.27米。花邊,有"大明重修復聖廟落成記"10字雲紋碑頭。陳玉撰文,顏公鉉立石。楷書,共21行,足行50字。正德四年顏廟重修竣工,明武宗御製重修碑文,回顧了復聖顏子的功德及歷代的崇奉,但具體修復過程中的花費、人工等細碎事項無法涉及,故主持其事者顏公鉉便請陳玉撰寫此文,並立碑刻石。正文略述始末,碑陰備載此項工程參與者、支持者名單及人工等事項。

此碑《陋巷志》卷六有原文,駱承烈《石頭上的儒家文獻——曲阜碑文録》亦有收録,後者偶有脱誤之字,如"修"作"脩","聖製"作"聖制","繁複"作"繁復","託於愚"作"籜於□","宜不可緩"脱"宜"字,"蚤卒"作"早卒","專祠"作"專祀","其臣"作"其後","譾末"作"讕未","於兗趙"作"於兗州","歲久"作"濊久","之志"作"之誌"。

正德歲己巳秋七月,勅修曲阜兗國復聖公廟落成,六十一代孫翰林院世襲五經博士公鋐上請聖製碑文一通，以示崇重。于時公鋐白之郡伯〔一〕關中趙公繼爵，以為修治始末、鳩工歲月、傭募之經費、教課之名職、出給人籍，細碎繁複不敢以上煩奎翰〔二〕者，當具之私記，以紀一時制度之盛。謀既協，愚適北上，會趙公於兗。趙為愚同榜士，後先為臺史，方以郡事辭記著教託於愚者重且切也。竊謂聖賢之道在天下，德澤在人心，固天下之所以極其尊崇，愈遠而不可諼〔三〕者。故稱孔子為先聖，顏子為先師，自唐已然。封國之制，則自宋始，況際乎禮備樂興之世，尊崇之典宜不可緩哉！後之學者，率謂先師蚤卒〔四〕，未竟其聖門王佐之學以為憾。然不知傳吾道之心法者，乃克復之請〔五〕，非斯人無與言。闡禮樂之治化者，乃為邦之論〔六〕，非斯人無所託。因迹顯道，固不待其優步聖域、躬理治幾，而天下後世踵相沿襲、以陰被利澤者，蓋無窮極也。然則今之為宮廟之富，以圖報祀之長，非徒配享于孔庭，而又專祠於闕里之側也固宜。或又謂豆籩之豐潔，有加於簞瓢之食〔七〕；甍宇之煥赫，有華於陋巷之居〔八〕。儗之楚人以嗜芰奉其先〔九〕，唐人以素屏旌其臣者〔一〇〕，恐有迕於先師之素向，是皆譾末〔一一〕之論，不足與議尊崇之義也。愚嘗以沂產徊翔洙泗間，獲聞顏族麗於闕里者，代有聞人。迄今雲仍〔一二〕振發，涵詠聖涯者，日益加盛。其大宗子世奉朝命為翰博〔一三〕，以主家祀，歲偕衍聖公入覲於廷。天子有大典禮，如視學祭告者，率皆得與。以至于田租之免、丁徭之復，皆庶幾乎孔氏。恩禮汪濊，可以占吾道之盛與聖世之運，有咸休於萬億斯年者矣。舊廟既歲久傾圮,特甚材至不可用,今所費銀穀瓦甓采堊木石金鐵工役為數若干,為禮殿、寢宮、門廡、井亭、庖庫、坊題之屬,為楹又若干,經理有嚴,出納惟時,作省無數,自正德丁卯[一四]六月經始,以底于成。固翰博之圖惟懇悃,而實郡伯之趨嚮教令,無愆於素[一五]哉。因為備述其事,以紀歲月,亦以寓平生晞慕歸往之志云爾。

賜進士中憲大夫福建按察司提學副使前翰林院庶吉士東沂陳玉撰。

翰林院世襲五經博士顏公鉉立。

(以下碑陰)

欽差巡撫山東地方都察院右副都御史徐源、朱欽。

巡按山東監察御史曹來旬、陸偁、胡節。

山東等處承宣布政使司右布政張吉、左參政倪阜、左參政張文佐。

兖州府知府趙繼爵、通判白汝舟。

管工官:

東平州同知王臣。

曹州州判葛□。

曲阜知縣孔承泗。

滋陽縣主簿惠廷佐。

泗水縣醫學訓科祝簡、典吏牛世良。

寧陽縣陰陽□術王宗謙。

曲阜縣義官陳倫、王宗義。

鉅野縣義官郭紹宗。

土工王俊等二名。

塑工王素等三名。

搭採匠何成等十名。

鐵匠王名等六名。

泥水匠劉洪、王安等二十名。

雕鑾匠羅楚興、羅龍等七名。

木匠洪□、羅楚昂、張富等六十名。

灰廠老人劉舉。

石匠馬子玉、馮子珍、梁傑等五十名。

五墨匠王師哲、馬熊等三十名。

琉璃匠王漢等二十名。

黑窑匠□玉等二十名。

油漆匠梁顯、萬明理、張魁等十名。

繩匠宋□等三名。

桩鋆匠李智等五名。

【注釋】

〔一〕郡伯:明清時期知府的代稱,此處指兖州知府趙繼爵。

〔二〕奎翰:指皇帝親自撰寫的文章。

〔三〕諼:忘記,《詩》有"永矢弗諼"之句。

〔四〕蚤卒:即早卒,顔回三十二歲先孔子死,故曰早卒。

〔五〕克復之請:見《論語·顔淵》:"顔淵問仁,子曰:'克己復禮爲仁,一日克己復禮,天下歸仁焉。爲仁由己,而由人乎哉?'顔淵曰:'請問其目。'子曰:'非禮勿視,非禮勿聽,非禮勿言,非禮勿動。'顔淵曰:'回雖不敏,請事斯語矣。'"

〔六〕為邦之論:見《論語·衛靈公》:"顔淵問爲邦。子曰:

‘行夏之時，乘殷之輅，服周之冕，樂則韶舞。放鄭聲，遠佞人。鄭聲淫，佞人殆。’”

〔七〕箪瓢之食：簡單粗陋的食物。見《論語·雍也》：“子曰：‘賢哉回也，一箪食，一瓢飲，在陋巷，人不堪其憂，回也不改其樂。賢哉回也。’”

〔八〕陋巷之居：简陋的居所，見上條，皆謂顔回安貧樂道。

〔九〕楚人嗜芰奉其先：典出《國語·楚語上》，言楚人屈到嗜好食芰，臨死前告訴他的家人説：“我死之後要用芰來祭祀我。”後來其子屈建認爲芰爲低賤之物而不用。芰，菱角。

〔一〇〕唐人以素屏旌其臣：唐太宗曾賜給魏徵素屏風、素褥等簡單樸素的用品，以褒奬魏徵的簡樸作風。

〔一一〕譾末：淺薄。

〔一二〕雲仍：當作“雲礽”。泛指較遠的後世子孫。雲孫，自自身數起第九代孫。礽孫，八代孫。

〔一三〕翰博：翰林院五經博士的簡稱。

〔一四〕正德丁卯：正德二年，公元 1507 年。

〔一五〕無愆於素：愆素謂越過原來計畫。語本《左傳·宣公十一年》：“事三旬而成，不愆於素。”杜預注：“不過素所慮之期也。”無愆於素，即今所謂“不忘初心”。

（曹景年）

正德七年羅璟謁顏廟碑

此碑立於明正德七年(1512)三月,現鑲於顏廟中院東碑亭外北墻,西石。碑身高約0.48米,寬約0.53米,刻雲邊。正文及羅璟落款爲行書,其餘爲楷書。共11行,行12字,共89字。《陋巷志》卷七、駱承烈《石頭上的儒家文獻——曲阜碑文録》著録碑文。

和粹真如四序春,先師精蘊發公身。為邦禮樂傳王佐,陋巷簞瓢樂聖人。虹氣貫空遺井在,龍紋繞石御碑新。從容四勿〔一〕為仁地,千古寥寥愧後塵。

泰和羅璟〔二〕。

正德壬申春三月上旬,宣聖六十代孫曲阜縣世職知縣孔承夏〔三〕立。

【注釋】

〔一〕四勿:《論語·顏淵》:"顏淵問仁。子曰:'克己復禮爲仁。一日克己復禮,天下歸仁焉。爲仁由己,而由人乎哉?'顏淵曰:'請問其目。'子曰:'非禮勿視,非禮勿聽,非禮勿言,非禮勿動。’顔淵曰：‘回雖不敏，請事斯語矣。’”

〔二〕羅璟：字明仲，號冰玉，泰和（今江西泰和）人，天順八年（1464）進士，曾爲明孝宗太子洗马，參與纂修《宋元通鑒綱目》，有《冰玉集》。《明史》有傳。

〔三〕孔承夏：字永功，孔子第六十代孫，正德五年（1510）保任曲阜世職知縣。

（崔偉芳）

正德十四年陳鳳梧致祭碣

此石刻於明武宗正德十四年(1519)八月,現鑲於孔廟西齋宿南墻,東起第4石。石高0.44米,寬1.47米。曲阜縣世職知縣孔公統立。陳鳳梧撰,正書,共42行,行14字。碑左側附嘉靖十五年六月,蔡義謁孔廟及題記。共5行,行21字。此石刻碑文另立有一石,名为"正德十四年陳鳳梧祭告祝文碑",現位於孔廟十三碑亭東南部西區北排,西起第5石,面南。碑高1.4米(含碑頭,高0.36米,正書"大明"兩字,刻雲紋圖案),寬0.8米,厚0.32米。正書。共15行,行35字。駱承烈《石頭上的儒家文獻——曲阜碑文録》中著録此碑。

駱承烈《石頭上的儒家文獻——曲阜碑文録》中"己卯"誤作"乙卯"、"壬戌"誤作"壬成"、"于"作"於"、"昌期"誤作"昌明"、"譬則泰嶽"誤作"譬若泰嶽"、"譬則東海"誤作"譬如東海"、"及叨一第"誤作"及叨一草"、"奉像以隨"誤作"奉象以隨"、"傳之世世"誤作"傳之世上"、"顧之聖鄉"誤作"領之聖鄉"、"未遂瞻拜"誤作"未道瞻拜"、"道德之光"誤作"道紀之光"、"如登泰山"誤作"如望泰山"、"實難為言"誤作"實難與言"、"仰鑽瞻忽"誤作"仰鑽瞻思”、“深探本始”誤作“深探恭始”、“祗謁之初”誤作“祇謂之初”、“薦此蘋蘩”誤作“薦此蘋藻”、“聖賢碑文者”誤作“聖賢碑之時”、“中庭”誤作“申庭”、“垂諸永久”誤作“傳諸永久”、“至聖”誤作“至貴”、“盍記之”作“闔記之”、“以志歲月義樂而從之”作“以誌歲月之樂而從之”。

維正德十有四年,歲在己卯八月壬戌朔越二十三日甲申,河南等處提刑按察使後學陳鳳梧,敢昭告于先師大成至聖文宣王曰:

文武之道,傳在周公。封于魯邦,禮樂昭融。奕奕尼山,源源洙泗。靈秀所鐘,貞元間氣。五百昌期,生吾夫子。繼天立極,上承姚姒〔一〕。道高德享,教化無窮。六經炳耀,如日方中。睠〔二〕茲闕里,言教有翼。百王新尊,與天無極。譬則泰嶽,萬山攸宗。譬則東海,萬水攸同。藐〔三〕惟小生,質愚而鈍。方其髫稚〔四〕,已知敬信。朝夕在齊,百拜稽顙〔五〕。如見聖容,洋洋在上。迺〔六〕設繪像,配以四賢。春秋釋菜〔七〕,必恭必敬。講習之餘,瞻容睟德。夢寐或見,恍然侍側。及叨一第〔八〕,歷官中外。奉像以隨,致嚴無怠。幸典文教,晉楚兩邦。推明正學,以淑俊良。家有精舍,極其崇祀。朝夕展肅,傳之世世。顧之聖鄉,未遂瞻拜。積此愚忱,二十餘載。敬趨杏壇,沐浴齊莊。陟降左右,道德之光。如登泰山,天下小矣。如觀於海,難乎為水。觀於聖門,實難為言。仰鑽瞻忽〔九〕,若前若后。四時行焉,百物生焉。天何言哉,聖道則然。尚異聖靈,佑啓小子。不墜其傳,深探本始。祗謁之初,薦此蘋蘩〔一〇〕。斯文萬古,天壤俱存。

謹告。

曲阜縣世職知縣孔公統,縣丞龐虎同立。

（以下碑左側）

嘉靖丙申夏六月,義奉督察院檄,重書宋真宗君臣所贊聖賢碑文者,藩臬諸上司,若文、若記、若詩,併命書之,凡三至而始竣。揭立中庭,垂諸永久,誠盛事也。孟冬十月,義友餘姚徐子文英、羅子雷、山陰陳子佩咸有事於洙泗,晉謁至聖,見義功雖細,而事寔大,曰盍記之以志歲月。義樂而從之。

三山蔡義謹識。

【注釋】

〔一〕姚姒:指虞舜和夏禹。相傳舜爲姚姓,禹爲姒姓。

〔二〕睠:顧念。

〔三〕藐:幼小。

〔四〕髫稚:幼年、兒童。

〔五〕稽顙:古代一種跪拜禮,屈膝下拜,以額觸地。居喪、請罪、投降時行之。

〔六〕迺:"乃"字之異體。

〔七〕釋菜:古代入學時祭祀先聖先師的一種典禮。

〔八〕一第:指考中進士。

〔九〕仰鑽瞻忽:未領其要領也。

〔一〇〕蘋蘩:泛指祭品。

（孔　麗）

正德十四年熊相謁顔廟詩

此碑立於明正德十四年(1519),現鑲於顔廟中院西碑亭外北墻,東石。碑身高約0.62米,寬約0.92米,四周刻雲邊。碑身楷書,共12行,行6字,共80字。《陋巷志》卷七、駱承烈《石頭上的儒家文獻——曲阜碑文録》著録碑文。

駱承烈《石頭上的儒家文獻——曲阜碑文録》記録此碑立於正德丁卯二年(1507),實誤,應爲正德己卯十四年(1519)。且世職知縣孔公統於正德丙子十一年(1516)方到官上任,今改之。該書又説《曲阜縣志》卷二十九《通編》記有此原文,亦誤。駱承烈《石頭上的儒家文獻——曲阜碑文録》中“元”誤作“之”,《陋巷志》中“殀”作“夭”。

顔廟

孔廟還顔廟,遺容拜儼然。當年惟善學,千古共推賢。天地烝甞永,雲仍賞禄延。如君元未殀,何用壽如籛〔一〕。

正德己卯冬季,巡按監察御史瑞陽熊相〔二〕書。

曲阜縣世職知縣孔公統〔三〕謹立。

【注釋】

〔一〕籛:姓,此處代指彭祖。相傳彭祖姓籛名鏗,以長壽著稱。此兩句仍是讚歎顔子德行、惋惜顔子早逝。

〔二〕熊相:字尚弼。瑞州府高安縣(今江西高安)人。正德三年(1508)進士,官臨海知縣。正德十五年(1520)以監察御史巡按山東。後任四川巡按御史,曾主持纂修《薊州志》《瑞州府志》,自纂《四川志》三十七卷。

〔三〕孔公統:正德十一年任曲阜世職知縣;正德四年(1509)時孔氏家族欲推舉孔公統爲知縣,但族人孔承章、孔承周"赴京奏其過惡",吏部遂罷,至十一年始任官。其餘不詳。

(崔偉芳)

正德十五年奎文閣重置書籍記碑

此碑立於明武宗正德十五年,現位於孔廟奎文閣廊下西首。碑高1.88米,寬0.95米,厚0.26米。碑頭高0.65米,篆書"奎文閣重置書籍記",周邊刻有麒麟、雲紋圖案。碑文正書,22行。熊相撰,錢宏書、篆。碑陰上有"重疏禮樂"四個大字,下面小字模糊難辨。《曲阜縣志》、《闕里文獻考》、駱承烈《石頭上的儒家文獻——曲阜碑文録》著録全文。

駱承烈《石頭上的儒家文獻——曲阜碑文録》"僃"作"備"、"遷縣于闕里"作"遷縣於闕里"、"并"作"並"、"正且純者"誤作"正純者"、"道之以遍"作"導之以遍"、"道"誤作"緩"、"憂夫讀之有未勤耳"誤作"憂夫讀之者有未勤耳"、"于以博其聞見"作"於以博其聞見"、"盖"作"蓋"、"憑"作"凴"、"毋忝厥祖"誤作"無忝厥祖",缺少"正德十五年歲次庚辰秋月吉,賜進士文林郎河南道監察御史瑞陽台峯熊相尚弼撰。賜進士奉議大夫山東等處提刑按察司僉事古杭錢宏書、篆。六十二代襲封衍聖公孔聞韶立石"。

奎文閣重置書籍記

聖賢之道非言莫明，聖賢之言非書莫載。天下之書亦多矣，雖偏正純駁言人人殊，要之明道則一而已。闕里為杏壇遺址，孔聖與諸賢傳道之所也。先在曲阜縣城外舊有奎文閣，閣中之書天下莫備焉。正德辛未，盜入山東，焚毀殆盡。守臣以聞，上乃命遷縣于闕里，築城而并包之〔一〕。又命禮部頒御書以賜。崇儒重道，可謂至矣。止於《五經》《四書》《性理大全》《通鑒綱目》者。取諸言之正且純者，其他不以與也。乙卯，相濫竽巡按，首之闕里謁焉。衍聖孔公聞韶樂善好古，道之以遍，視諸勝卒登夫閣，書不盈架，問而知之，歸以告巡撫都御史永平王公翊、同寅平陸劉公翀、餘姚陳公克宅。三公曰：是不可道也，任其責者，非吾輩而誰？乃求其目於提學副使江君潮，凡若干册。屬其費於叅議陳君篢、僉事錢君宏、黄君昭道、王君億，凡若干金。及檄兗州府教授林馨，市之於四方，以庚辰九月至三氏學及縣學，諸生皆動色相慶曰：今而後吾無憂乎書，憂夫讀之有未勤耳。知縣孔公統曰：春秋大事必記，茲非大事乎？敢乞一言，以垂諸後，使後之有是責者見之，敝不能以不新也，缺不能不補也。使諸生常有所諷誦而玩索之。于以博其聞見，究其義理，體之日用，庶斯道常明於杏壇，而吾黨之幸益大矣。予曰：今天下之人，知有君臣焉，父子焉，夫婦、長幼、朋友焉，而不至於昏焉、瞶焉、夷狄焉、禽獸焉者，聖賢之力也。若仕者為聖賢之徒，而食其力者尤多，今仕於聖賢之鄉，乃坐視其子孫之俊秀，罔知所以教之，不幾於忘本乎？是舉也，發之於予，和之諸公，不約而同，盖禮之在人心有同然者，自不容已也。或曰：書籍，聖賢之糟粕耳，聖賢之後自異於人，何待於誦法陳言而后道可明邪？曰：孔子大聖，猶曰我非生而知之者，好古敏以求之者也。聖人不常出，乃以是而責其後，不幾於誣乎。若以為糟粕者，則聖賢之逝久矣。後之人有所持循學聖賢焉。而企之者不求於書將惡求哉？或又曰：聖賢之道經書備矣。諸子百家，果何為者？乃求之以誤後生邪。曰：譬之道路然，經書大道也，諸子百家特路之小者耳，然推其至，則皆有所通於行者，皆有所益。故稗官〔二〕爾雅，古人亦所不廢，學者誠能博以求之，約以得之，篤以行之。則諸家之言，皆聖賢之羽翼也。聖賢之言皆吾身之憑藉也，焉往而非益哉？此讀書之法也，亦聚書者之意也。諸士子其勉之哉，以毋忝厥祖〔三〕。

正德十五年歲次庚辰秋月吉，賜進士文林郎河南道監察御史瑞陽台峯熊相尚弼〔四〕撰。賜進士奉議大夫山東等處提刑按察司僉事古杭錢宏書、篆。六十二代襲封衍聖公孔聞韶立石。

【注釋】

〔一〕此指明正德六年(1511)，劉六、劉七領導農民起義攻下闕里孔廟之亂。明政府將縣遷回曲阜，新築縣城，即“移城衛廟”。此工程從正德八年開始到嘉靖元年竣工，歷時八年，奎文閣重置就在此期間。

〔二〕稗官：古代的一種小官，專給帝王搜集街談巷議、道聽塗説等民間輿情。

〔三〕毋忝厥祖：無愧於其祖先。

〔四〕熊相：字尚弼。在明武宗正德十三年(1518)任四川按察使時，主修《四川總志》。

(孔　麗)

陳沂謁顏廟碑

此碑未注明立碑時間,惟碑文作者爲明代人,現鑲於顏廟中院東碑亭南墻,東石。碑高約0.57米,寬約0.41米,刻雲邊。碑身草書,共8行,行8字,共44字。《陋巷志》卷七、駱承烈《石頭上的儒家文獻——曲阜碑文録》著録碑文。

《陋巷志》中"居"誤作"陋"。駱承烈《石頭上的儒家文獻——曲阜碑文録》中"巷"誤作"蒼"。

謁顏子廟

好學稱顏子,賢哉百世師。不堪居巷日,那惜請車〔一〕時。慟哭身應喪,行藏道在兹。子孫同報〔二〕典,天地是終期。

陳沂〔三〕。

【注釋】

〔一〕《論語·先進》:"顔淵死,顔路請子之車以爲之槨。"

〔二〕報：即報祭，古代爲了報答祖先或神靈而舉行的祭祀活動。《孔叢子·論書》："《書》曰：'維高宗報上甲微。'……孔子對曰：'……故於每歲之大嘗而報祭焉，所以昭其功德也。'"此句意爲顔子的後代舉行報祭來彰顯顔子的功德。

〔三〕陳沂：字魯南，上元（今江蘇南京）人。明正德年間進士。由庶吉士歷任編修、侍講、江西參政，後任山東參政。與同鄉顧璘、王韋號稱"金陵三俊"，著有《遂初齋集》《維禎録》《金陵古今圖考》等。《明史》有傳。

（崔偉芳）

嘉靖二年陳鳳梧道統聖賢之贊碑

此碑立於明世宗嘉靖二年(1523)四月,今見於孔廟十三碑亭院南面东起第5亭内,中部偏東石。整座碑高1.66米,寬0.87米,厚0.20米。雲邊。碑頭高0.65米,中部篆書“道統聖賢之贊”六字,字之上有日紋圖案,周圍祥雲環繞。陳鳳梧撰,篆書。正文共包含15篇贊文:《伏羲贊》《神農贊》《黄帝贊》《帝堯贊》《帝舜贊》《禹王贊》《湯王贊》《文王贊》《武王贊》《周公贊》《孔子贊》《顔子贊》《曾子贊》《子思贊》《孟子贊》。分3層,每層有5篇贊文,20行,共60行,每行12字。落款46字。碑中部有斷痕,已修復。《闕里誌》卷十七《贊》、乾隆甲午新修《曲阜縣志》卷二十九《通編》著録了後五篇贊文。駱承烈《石頭上的儒家文獻——曲阜碑文録》只著録了前十篇贊文,闕後五篇。

《闕里誌》“守約而博”誤作“守約以博”。乾隆甲午新修《曲阜縣志》“萬世所崇”誤作“萬世所宗”、“斯道有托”作“斯道攸託”。駱承烈《石頭上的儒家文獻——曲阜碑文録》“以代結繩”誤作“以作結繩”、“開物成務”誤作“開物成教”、“始嘗百草”誤作“躬嘗百草”、“農有耒耜”誤作“農有耒耕”、“市有交易”誤作“商有交易”、“萬世作則”誤作“萬師作則”、“從階干羽”作“從階幹羽”、“天德之純”誤作“天德之綱”、“於穆不已”誤作“於穆不以””、“昭如日星”誤作“昭和日星”、“丕顯文謨”誤作“丕謨大謨”、“丹書之受”誤作“甘棠之受”、“洪範”誤作“模範”、“一代丕基”誤作“一代丕模”、“道隆德備”誤作“道降德備”、“制禮作樂”誤作“初制禮樂”。

道統聖賢之贊

伏羲贊

於維聖神，繼立天極。仰觀俯察，卦爻斯畫。始造書契，以代結繩。開物成務〔一〕，萬古文明。

神農贊

聖皇繼作，與天合德。始嘗百草，以濟大札〔二〕。農有耒耜〔三〕，市有交易。澤被生民，功垂無極。

黄帝贊

帝德通鑾，神州萬民。垂裳而治〔四〕，上乾下坤。井野分州，迎日維帝。百度唯照，萬世作則。

帝堯贊

欽明揖遜，德協萬邦。巍乎成功，焕乎文章。天地之大，日月之光。允執厥中〔五〕，道冠百王。

帝舜贊

重華協帝，授受於唐。唯清唯一，濬〔六〕哲文明。從階干羽〔七〕，九韶鳳凰。恭己南面，萬世綱常。

禹王贊

文命四敷，三聖一心。有典有則，克儉克勤。成功不伐,善言則拜。九州攸同,萬世永賴。

湯王贊

政道天錫,聖教日躋。建中於民,萬邦唯懷。顧諟明命〔八〕,肇脩人紀。垂裕後坤,道統新啓。

文王贊

天德之純,於穆不已。肅肅雝雝〔九〕,緝熙敬止〔一〇〕。後天八卦,昭如日星。大哉彖〔一一〕繫,式開太平。

武王贊

丕顯文謨,丕承武烈〔一二〕。偃武脩文,天下大悦。丹書之受,洪範〔一三〕之咨。百王遺緒,一代丕基〔一四〕。

周公贊

天生元聖,道隆德備。制禮作樂,經天緯地。上承文武,下啓孔顔。功在萬世,位參人間。

孔子贊

道冠古今,德配天地。删述六經,垂憲萬世。統承羲皇,原啓洙泗。報德報功,百王崇祀。

顔子贊

天稟純粹,一元之春。精金美玉,和風慶雲。博文約禮,超入聖門。百王治法,萬世歸仁。

曾子贊

守約而博,學恕以忠。聖門之傳,獨得其宗。一貫之旨,三省之功。格致誠正,萬世所崇。

子思贊

精一之傳,誠明之學。聖門嫡派,斯道有托。發育洋洋,鳶飛魚躍〔一五〕。慎獨之訓,示我先覺。

孟子贊

哲人既萎，亞聖斯作。距詖闢邪〔一六〕，正論諤諤〔一七〕。堯舜之性，仁義之學。烈日秋霜，泰山喬嶽〔一八〕。

大明嘉靖二年癸未夏四月望，嘉議大夫巡撫山東地方都察院右副都御史後學廬陵陳鳳梧〔一九〕謹贊魯國望祥堂傾篆。

【注釋】

〔一〕開物成務：語出《易·繫辭上》："夫《易》開物成務，冒天下之道，如斯而已者也。"意思是通曉萬物的道理並按這道理行事而得到成功。

〔二〕大札：瘟疫。《周禮·天官·膳夫》："大喪則不舉，大荒則不舉，大札則不舉。"鄭玄注："大札，疫癘也。"

〔三〕耒耜：古代漢族民間耕地翻土的農具。耒是耒耜的柄，耜是耒耜下端的起土部分。《禮記·月令》："（孟春之月）天子親載耒耜，措之於參保介之御間。"

〔四〕垂裳而治：垂裳指定衣服之制，示天下以禮。亦作"垂衣""垂衣裳"。《易·繫辭下》："黄帝、堯、舜，垂衣裳而天下治，蓋取諸乾坤。"衣，上衣。裳，下服。以衣在上者象天，以裳在下者象地，故衣裳製作取象乾坤。後人用"垂裳而治"來稱頌帝王無爲而治。

〔五〕允執厥中：《書·大禹謨》："人心惟危，道心惟微，惟精惟一，允執厥中。"舜告誡禹：人心危險難安，道心幽微難明，祇有精心誠意，專一地秉持中正之道，才能治理好國家。允執厥中指真心誠意地秉持中正之道。

〔六〕濬：開發。

〔七〕干羽：古代舞者所執的舞具。文舞執羽，武舞執干。《書·大禹謨》："帝乃誕敷文德，舞干羽於兩階。"後用干羽指文德教化。

〔八〕顧諟明命：出自《書·太甲上》："先王顧諟天之明命，以承上下神祇。"意思是敬奉天命，承順天地。顧諟指經常顧念上天賦予的德性。顧，顧念。諟，"是"的古字。孔穎達疏："《説文》云：顧，還視也。諟與是，古今之字異，故變文爲是也。言先王每有所行，必還回視是天之明命。"後以"顧諟明命"指敬奉、稟順天命。

〔九〕雝雝：義同"雍雍"，形容和樂貌、和洽貌。《詩·周頌·雝》："有來雝雝，至止肅肅。"鄭玄箋："雝雝，和也。"

〔一〇〕緝熙敬止：出自《詩·大雅·文王》："穆穆文王，於緝熙敬止。"意思是儀表堂堂，端莊謙恭的周文王，他光明的美德使人們無不崇敬。穆穆，儀表堂堂，端莊恭敬的樣子。緝熙，光明。毛傳："緝熙，光明也。"又《詩·周頌·敬之》："日就月將，學有緝熙于光明。"鄭玄箋："緝熙，光明也。"止，語氣助詞。

〔一一〕彖：即"彖辭"，《易經》中解釋卦義的文字，亦稱"卦辭"。《易·繫辭上》："彖者，言乎象者也。"卦辭依卦象以論斷吉凶。唐孔穎達疏："彖謂卦下之辭言，説乎一卦之象也。"王夫之認爲，周文王"得即卦象而體之，乃繫之彖辭"。

〔一二〕丕顯文謨，丕承武烈：出自《孟子·滕文公下》引用《尚書》句："《書》曰：'丕顯哉，文王謨！丕承哉，武王烈！佑啓我後人，咸以正無缺。'"丕，大也；顯，光也。丕顯，上古時代對於上帝及天子的尊稱，多見於商周金文與先秦古籍。承，繼承。丕承，很好地繼承，舊常以此謂帝王承天受命。整句意思是：文王的謀略多麼光明！武王的功業後繼有人！扶助、啓發我們後人，使大家都正確完美没有缺點。

〔一三〕洪範：《尚書》篇名，相傳爲周滅商後二年，箕子向周武王陳述"天地之大法"的記録，提出了帝王治理國家必須遵守的九種根本大法，即"洪範九疇"。

〔一四〕丕基：巨大的基業。

〔一五〕鳶飛魚躍：出自《詩·大雅·旱麓》："鳶飛戾天，魚躍于淵。"鳶，鷹。戾，到達。鷹在天空中飛翔，魚在深潭中跳躍。世間萬物都自然、自在地存在於天地間，道於此可見。

〔一六〕距詖闢邪：距，通"拒"，抵制。詖，偏陂，不正。闢，通"辟"，駁斥。邪，邪辟，不正當。孟子駁斥楊朱、墨翟之學，認爲其為邪辟之説，有失偏頗。

〔一七〕正論諤諤：諤諤，説話正直，直言争辯。孟子以聖人之道爲正論，駁斥邪説，力求恢復道統。

〔一八〕泰山喬嶽：喬，高。喬嶽，指岱宗泰山。暗喻孟子以崇高的聖賢之道立身。

〔一九〕陳鳳梧：生卒年不詳，字文鳴。江西泰和人。因泰和縣在歷史上隸屬盧陵郡，故碑文后署名"盧陵陳鳳梧"。明弘治九年(1496)進士，明代學者，曾任山東巡撫都御史、河南按察使、湖廣提學僉事等職。著有《奏議》《修辭録》《集定古易》《周禮合訓》等。

（劉　敏）

嘉靖八年羅玉過顔井詩碑

此碑立於明嘉靖八年(1529),現鑲於顔廟中院東碑亭外,南墻西石。碑身高約0.41米,寬約0.47米,刻雲邊。碑身行書,共8行,行8字,共53個字。駱承烈《石頭上的儒家文獻——曲阜碑文録》著録碑文。

駱承烈《石頭上的儒家文獻——曲阜碑文録》中"喫"作"吃",並記録此碑立於嘉靖四十四年(1565),實誤,己丑年爲嘉靖八年,乙丑年才爲四十四年,且孔承震於嘉靖元年任曲阜知縣,至十一年已是孔公珏任知縣,今改之。

過顔井

陋巷簞瓢喫苦辛,從容吾道樂天真。為仁四勿真能事,不較收回天下春〔一〕。

嘉靖己丑秋七月辛亥,鳳岡羅玉〔二〕。

曲阜縣知縣孔承震〔三〕立。

【注釋】

〔一〕《朱子語類》卷六説:"春時盡是温厚之氣,仁便是這般氣象。"此句用"春"字代指顔子的温厚之性。

〔二〕羅玉:疑即南充人羅玉。羅玉,號鳳岡,南充(今四川南充)人,正德六年(1511)進士,嘉靖八年任山東兖道副使。《四川通志》有傳。

〔三〕孔承震:字永器,孔子第六十代孫。弘治十一年(1498)進士,嘉靖元年(1522)保任曲阜縣知縣,敕封文林郎。

(崔偉芳)

嘉靖十二年張寅謁闕里先師廟詩碣

該石碣立於明世宗嘉靖十二年(1533)九月,今見於孔廟奎文閣前洪武碑亭内,南牆東石。碣長1.05米,寬0.54米。張寅書,草書。正文14行,行約9字,落款33字。正文内含張寅《謁闕里》五言律詩一首。《闕里誌》卷之十二《藝文三》著録该詩。駱承烈《石頭上的儒家文獻——曲阜碑文録》著録此碣。

《闕里誌》"觀日"誤作"九日"、"秋香"誤作"芹香"、"難"誤作"不"、"遍"作"徧"、"剝蝕"誤作"苔蝕"、"蒼苔"誤作"蒼蒼"。駱承烈《石頭上的儒家文獻——曲阜碑文録》"兩學師生"缺"兩"字、"孔希經"缺"經"字、"並讓"缺"並"字、"會于"誤作"會乎"、"兼逢"誤作"恭逢"、"擬聽"誤作"凝聽"、"重登"誤作"重祭"、"古碑讀難遍"誤作"真碑讀難過"、"蒼苔"誤作"苔蒼"。

嘉靖癸巳九月一日,謁闕里先師廟。適曲阜尹孔君公珏〔一〕同兩學師生族長孔希經,率聖裔百餘人,行釋菜禮〔二〕,並讓余主獻事。余曰:事罔職也,禮未閑也,誠弗豫也。歌舞迺克,行四拜禮,立觀其成。遍閱壇宇碑跡之

勝,會于詩禮堂,因紀一律:

九月謁文廟,兼逢觀日良。衣冠來聖裔,俎豆薦〔三〕秋香。擬〔四〕聽金絲壁,重登詩禮堂。古碑讀難遍,剝蝕半蒼苔。

高唐州添注判官前監察御史太倉〔五〕張寅〔六〕書。

曲阜縣世職知縣孔公珏、典史孫弘同立。

【注釋】

〔一〕孔公珏:孔彥之子,爲曲阜世尹,因忠於明室而被"屢行旌異",是明代的循臣。

〔二〕釋菜禮:祭祀先聖先師的一種典禮,古代入學時常設酒、芹、棗、栗等蔬果菜羹祭獻於孔子及顔淵、閔子騫等賢哲位前,以此來禮敬師尊,以示敬學重道。

〔三〕薦:進獻、祭獻。

〔四〕擬:思量,揣度。

〔五〕太倉:地名,今江蘇省蘇州市太倉市。古爲濱海村落,三國吴時於此建倉囤糧,後漸次發展。明弘治十年,割昆山、常熟、嘉定三縣地建太倉州。張寅曾纂修《嘉靖太倉州志》十卷。

〔六〕張寅:字仲明,號曉川,南直隸蘇州府太倉人,明代政治人物。正德十六年登進士,嘉靖七年任南京監察河南道御史,曾彈劾禮部侍郎黄綰及左都御史汪鋐,後貶爲高唐判官,累官右春坊右司直兼翰林院檢討,不久被罷免。嘉靖二十七年,太倉知州周士佐、同知周鳳岐請張寅纂修《太倉州志》,張寅遂與陳之箕、陳之裘等人共同編撰成書。另著有《曉川詩文集》等。

(劉　敏)

嘉靖十二年張寅謁尼山先師廟詩碣

該石碣立於明世宗嘉靖十二年(1533)九月。今見於孔廟奎文閣前洪武碑亭外之西南牆上。碣長1米,寬0.48米。張寅書,草書。碣面斑駁,加之字體原因,較難辨認。正文19行,行約10字,落款28字。正文内含張寅《登尼山》七言律詩一首。《闕里誌》卷之十二《藝文三》著録该詩。駱承烈《石頭上的儒家文獻——曲阜碑文録》著録此碣。

駱承烈《石頭上的儒家文獻——曲阜碑文録》将“先師廟”誤作“先聖廟”、“嗟斷礎”誤作“嘆斷礎”、“石榻”誤作“石塌”。

嘉靖癸巳秋九月二日,余同邑博錢子奇登尼山,謁先師廟〔一〕,過智源溪〔二〕,入坤靈洞〔三〕,涉白雲河,訪觀川亭〔四〕,望昌平〔五〕諸山之明麗,真勝景也。然殿宇頹圮〔六〕,風雨莫蔽,林木翳伐,禁綱諌深,果人不足以勝天耶,抑斯文之一否也。有官守於縣土者,寧無惻然〔七〕於中乎?徘徊不去,遂宿聖公庄因紀一律:

羣山環峙插層天,五老峯〔八〕高瑞氣連。碧草廟門嗟斷礎，青山梁木萎何年。雲移河漢川流在，洞隱坤靈石榻懸。天使隙間光不滅，肯教長夜悼無傳。

高唐州添注判官前監察御史太倉〔九〕張寅〔一〇〕書。

曲阜縣世職知縣孔公珏〔一一〕立。

【注釋】

〔一〕先師廟：尼山孔廟，位於尼山中峰東麓。始建於五代周朝顯德年間，由兗州趙某於尼山創建廟祀，北宋仁宗時增建祠廟，元順帝時大行修建，明永樂十五年重建。其主體建築大成殿始建於元順帝至元二年，由尼山書院山長以私錢草創。後在孔子六十五代孫、衍聖公及齊魯士大夫的共同推動下，於至元四年落成。

〔二〕智源溪：尼山八景之一，爲尼山的山澗之溪，因孔子出生於此，故稱智源溪。位於尼山東側，流經尼山孔廟門前，後經欞星牌坊前的石橋，在夫子洞南側向東匯入沂河。明代張敏詩云："智源水遠東還魯，顏母山高上接天。木落空林明晚照，雁銜寒雨下秋田。"

〔三〕坤靈洞：尼山八景之一，又名夫子洞，爲天然石室，相傳爲孔子誕生處，位於尼山孔廟東南崖下。據《闕里誌》卷七《山川誌》記載，"溪流而南，其上爲坤靈洞"。"溪流"即指智源溪。

〔四〕觀川亭：尼山八景之一，始建於元順帝至元二年。據《論語·子罕》，孔子在此處看到河水川流不息，發出"逝者如斯夫！不舍晝夜"的感慨，故建亭紀念。

〔五〕昌平：在尼山之西五里。據《史記》，孔子生於魯昌平鄉，即指此處。

〔六〕頹圮：倒塌荒廢，遭毀棄。

〔七〕惻然：悲傷的樣子。

〔八〕五老峯：尼山共有五座山峰連峙，好似五位老人矗立，故稱五老峰。中峰爲尼山主峰，巍峨壯觀，因圩其頂，亦稱尼丘山。先聖廟即位於此峰之麓。

〔九〕太倉：地名，今江蘇省蘇州市太倉市。古爲濱海村落，三國吴時於此建倉囤糧，後漸次發展。明弘治十年，割昆山、常熟、嘉定三縣地建太倉州。張寅曾纂修《嘉靖太倉州志》十卷。

〔一〇〕張寅：字仲明，號曉川，南直隸蘇州府太倉人，明代政治人物。正德十六年登進士，嘉靖七年任南京監察河南道御史，曾彈劾禮部侍郎黄綰及左都御史汪鋐，後貶爲高唐判官，累官右春坊右司直兼翰林院檢討，不久被罷免。嘉靖二十七年，太倉知州周士佐、同知周鳳岐請張寅纂修《太倉州志》，張寅遂與陳之箕、陳之裘等人共同編撰成書。另著有《曉川詩文集》等。

〔一一〕孔公珏：孔夔之子，爲曲阜世尹，因忠於明室而被“屢行旌異”，是明代的循臣。

（劉　敏）

嘉靖十二年鄧直卿謁顔廟絶句二首

此碑立於明嘉靖十二年(1533)十月,現位於顔廟中院東碑亭東墻外南石。碑身高約0.64米,寬約0.49米。碑身楷書,共11行,行10字,共99個字,字跡清晰,保存完好。《陋巷志》卷七、駱承烈《石頭上的儒家文獻——曲阜碑文録》著録碑文。

《陋巷志》中"粹"誤作"質","豊"誤作"豐","愚"誤作"違"。駱承烈《石頭上的儒家文獻——曲阜碑文録》中"豊"誤作"豐","云"誤作"雲","髪"誤作"發","魯"作"曾","亦"誤作"開"。

謁顔廟絶句二首

純粹天豊亞聖資,云胡三十髪如絲〔一〕。欲知好學人難並,都在簞瓢獨樂時。

夫子當年憾起予,不愚魯〔二〕亦驗私居。潛心聖藴〔三〕今猶賴,速肖諸賢總莫如。

嘉靖癸巳十月念〔四〕又二日,監察御史南海鄧直卿〔五〕

謹題。

曲阜世職知縣孔公珏〔六〕、典史孫弘同立。

【注釋】

〔一〕《孔子家語·七十二弟子解》曰："(顔子)年二十九而髮白,三十一早死。"

〔二〕曾:"曾"字之異體。《論語·爲政》曰:"子曰:'吾與回言終日,不違,如愚。退而省其私,亦足以發,回也不愚!'"

〔三〕聖藴:即聖人之藴,孔子之道。《周子通書·聖藴》中説:"發聖人之藴,教萬世無窮者,顔子也。"

〔四〕念:"廿"字之俗體。

〔五〕鄧直卿:字正輿,南海縣(今廣東佛山市南海區)人,嘉靖五年進士,曾任長蘆巡鹽御史、山東道監察御史。

〔六〕孔公珏:字粟文,孔子第五十八代孫,監生。嘉靖十一年,保任曲阜縣知縣,敕封文林郎。爲官頗有政績,有"愛民如子"之譽。

(崔偉芳)

嘉靖十五年蔡經恭謁顏廟碑

此碑立於明嘉靖十五年(1536)二月,現位於顏廟中院東碑亭外,北牆東石。碑身高約0.47米,寬0.61米。碑身楷書,共10行,行10字,共64字,字跡清晰,保存完好。《陋巷志》卷七、駱承烈《石頭上的儒家文獻——曲阜碑文録》著録碑文。

《陋巷志》中"搆"作"構","堂"誤作"生"。駱承烈《石頭上的儒家文獻——曲阜碑文録》中"愽"作"博","只"作"衹"。

恭謁顏廟

陋巷名猶古,危祠搆〔一〕翼然。潛心由愽約,見道到高堅〔二〕。學已優希聖,天何惜假年。只今尋樂處,千載若堂前。

嘉靖十五年丙申春二月之望,後學閩中蔡經〔三〕拜書。

【注釋】

〔一〕搆:"構"字之異體,構建。

〔二〕潛心由慱約，見道到高堅：慱，“博”字之異體，廣博廣泛；約，約束。《論語·子罕》曰：“顔淵喟然嘆曰：‘仰之彌高，鑽之彌堅。瞻之在前，忽焉在後。夫子循循然善誘人，博我以文，約我以禮，欲罷不能。既竭吾才，如有所立，卓爾。雖欲從之，末由也已。’”此句意爲：顔子全心全意廣泛地學習經典文獻，且按照儒家禮儀來約束自己，得以領悟孔子的高深之道。

〔三〕蔡經：疑即張經。張經，字廷彝，號半洲，侯官（今福建省福州市）人。初冒蔡姓，後來才改回張姓。明正德十二年進士，歷任嘉興知縣、右副都御史、兵部右侍郎、兵部尚書等。嘉靖三十三年，總督江南、江北等諸軍，抵禦倭寇，但被趙文華誣陷，三十四年被殺。《明史》有傳。

（崔偉芳）

嘉靖十五年喬宇謁顏子廟碑

此碑立於明嘉靖十五年(1536),現鑲於顏廟中院西碑亭外東墻,南石。碑身高約0.49米,寬約0.69米,碑身楷書,共7行,行9字,共47字。字跡清晰,保存完好。《陋巷志》卷七、駱承烈《石頭上的儒家文獻——曲阜碑文録》著録碑文。

《陋巷志》中"羣"作"群","逢"作"縫"。

顏子廟

夫子闡人極〔一〕,羣儒領聖傳。論年傷太早〔二〕,聞道許誰先。禮樂為邦問,簞瓢陋巷賢。章逢〔三〕慚後進,不敢忘蹄筌〔四〕。

太原喬宇〔五〕。

【注釋】

〔一〕人極:即人的最高境界,最完美的狀態。周敦頤《太極圖説》:"聖人定之以中正,仁義而主静,立人極焉。"

〔二〕《孔子家語·七十二弟子解》:“顔回,魯人,字子淵,少孔子三十歲。年二十九而髮白,三十一早死。”

〔三〕章逢:即“章縫”,“章甫縫掖”的省稱,指儒生。孔子居魯時衣縫掖(寬袖衣服),居宋時冠章甫(帽子),所以後世以“章甫縫掖”代指儒生。

〔四〕《莊子·外物》:“筌者,所以在魚,得魚而忘筌。蹄者,所以在兔,得兔而忘蹄。”蹄即捕獵兔子的器具,筌即捕魚的竹具。本句意爲後進們不能忘記顔子得以譽滿寰中的基本,即儒家思想,鼓勵後進傳承儒家思想。

〔五〕喬宇:字希大,樂平(今山西昔陽)人。師從楊一清和李東陽,善詩文,兼通篆籀,著有《喬莊簡公集》《游嵩集》等。成化二十年(1484)進士,授任禮部主事,至太常少卿,後任南京禮部尚書。其時,寧王朱宸濠謀反,喬宇守衛南京有功,加任太子太保、少保。嘉靖繼位,任吏部尚書。後因多陳政事且常與皇帝意見相左而稱疾退休。《明史》有傳。

(崔偉芳)

嘉靖二十年沈教題名記碣

此碣立於明世宗嘉靖二十年(1541),位於曲阜孔廟同文門西南,南起第1石。碣高1.28米,寬0.64米,厚0.19米,右上角殘缺,有裂痕。碣面上有黄色花紋,碣文草書,字跡難辨。共9行,行約17字。題名記内含七言律詩一首。駱承烈《石頭上的儒家文獻——曲阜碑文録》著録此碣。

駱承烈《石頭上的儒家文獻——曲阜碑文録》"遂"作"遽"、"岱沂高奠"作"岱沂高要"、"自津津"作"日津津"。

嘉靖辛丑歲〔一〕夏四月望〔二〕,後學生教〔三〕,以山東布政使司左布政使奔走至此,謹齋沐〔四〕謁廟釋菜禮〔五〕,瞻仰宫牆,意志興動,遂大書萬世宗師四字,懸之奎文閣,再大書太和元氣四字,立石坊於欞星門内。已捐俸銀五十兩行縣丞為作成,迺〔六〕拜稽首〔七〕,敬詠以記。

慈谿〔八〕沈教書。

天下萬世仰至聖,生民兩儀〔九〕知成人。賢於堯舜非何好,道之邦家妙化神。岱沂高奠功宗永,濟泗瀠流澤被均。末學小生瞻拜下,杏風槐雨自津津。

【注釋】

〔一〕嘉靖辛丑歲:即嘉靖二十年,公元1541年。

〔二〕望:夏曆的每月十五,月圓的那一天。

〔三〕教:即沈教,字敬夫、敬敷,别號平墅,浙江慈谿縣人。正德九年(1514)賜同進士出身,授豐城知縣,後服闋補安慶桐城。正德十三年選爲陜西道監察御史,初巡薊北,再按滇南。嘉靖十五年(1536)轉太參督江右糧税,後轉山東左轄,嘉靖二十年提拔爲光禄卿,次年晉升都察院右副都御史。平生著述有《風化録》《戎政録》《巡東漫紀》《巡南雜詠》。

〔四〕齋沐:齋戒沐浴。

〔五〕釋菜禮:祭祀先聖先師的一種典禮,古代入學時常設酒、芹、棗、栗等蔬果菜羹祭獻於孔子及顔淵、閔子騫等賢哲位前,以此來禮敬師尊,以示敬學重道。

〔六〕迺:同"乃"。

〔七〕稽首:古時的一種跪拜禮,叩頭至地,是九拜中最恭敬最重的禮節。

〔八〕慈谿:今浙江省寧波市慈溪市。原爲慈溪,因明永樂十六年,慈溪縣印丢失,恐失印复出,被歹人利用,遂改溪爲谿。明代慈谿屬寧波府,隸浙江承宣布政使司。

〔九〕兩儀:中國古代哲學範疇。《易·繫辭上》:"易有太極,是生兩儀。"其意義有二説,一指天和地,一指陰陽二氣。

(劉　敏)

嘉靖二十一年姓氏源流序碑

此碑立於嘉靖二十一年(1542),在舊縣村少昊陵西南。碑頭高0.98米,寬1.23米,厚0.45米,碑身高2.22米,寬1.17米,厚0.39米。碑頭篆書“大明”,“明”字殘存右下角,碑文楷書,總計1849字,現存1848字。另,第四行“舜”、第九行“堂”、第二十八行“諸”等有殘損,但可辨識。碑陰“宗圖”磨損比碑陽重,不甚可讀。

姓氏源流序

古者天子建德,因生以賜姓,祚之土而命之氏。姓者,祖考之所自出,百世而不遷者也;氏者,子孫之所自分,数〔一〕世而一变〔二〕者也。諸侯以字為謚,因以為族,官有世功則有官族,故得姓雖一,而為氏則有不同。我闕里之有孔氏,其来遠矣。粤自黄帝生少昊金天氏,名玄囂,都曲阜,葬雲陽山,今曲阜之少昊是也。玄囂生蟜極,蟜極生帝嚳,帝嚳生契,為司徒而民成,舜封於商,始賜姓子，契生昭明，昭明生相土，相土生昌若，昌若生曹圉，曹圉生冥，冥生振，振生微，微生報丁，報丁生報乙，報乙生報丙，報丙生主壬，主壬生主癸，主癸生天乙，是為成湯，湯而下十六世至帝乙。周成王以帝乙長子微子啓國扵宋，是為宋人，傳弟微仲衍，衍生宋公稽，稽生丁公申，申生湣公共，共生弗父何，以有宋而授厲公，厲公者，何弟也，何生宋父周，周生世子勝，勝生正考父，考父生孔父嘉，孔父者，其字也，遇宋華督之難，其子木金父奔魯為大夫，是為魯人，而生祈父，五世親盡，别為公族，因以王父字為氏，至是始為孔氏矣。祈父生防叔，防叔生伯夏，伯夏生陬大夫叔梁紇，紇生孟皮及我聖祖焉。

聖祖生鯉，字伯魚，鯉生伋，字子思，代有封爵，通祀天下。伋生白，字子上，慱通群書，齊威王以為相。白生求，字子家，習儒道，有高尚之志。求生箕，字子京，為魏相。箕生穿，字子高，有王佐之才，遯世不仕。穿生謙，字子順，魏安釐王以孔氏後封魯國文信君。謙生鮒及弟騰。鮒字子魚，秦議焚書，與弟藏《家語》《尚書》《論語》《孝經》扵祖堂舊壁中，自隱扵嵩山，其子隨，字元路，承殷後為宋公。騰字子襄，通經慱學，漢高帝過魯，封奉祀君，後為惠帝慱士，遷長沙太守。騰生忠，字子貞，為慱士，封褒成侯。忠生武，字子威，為文帝慱士，至臨淮太守。武生延年，武帝時為慱士，轉少傅，遷大將軍。延年生霸，字次孺，昭帝時為慱士，宣帝時以太中大夫授皇太子經，遷詹事，元帝拜太師，賜爵関内侯。霸生福，福生房，俱襲封関内侯。房生均，字長平，拜尚書郎，平帝元始元年改封褒成侯。均生志，光武拜大司馬，襲封褒成侯。志生損，字君益，和帝永元四年改封褒亭侯。損生曜，曜生完，俱襲封褒亭侯。完無子，以弟讚之子羨繼嗣，羨字子餘，魏文帝黄初元年拜議郎，改封宗聖侯。羨生震，字伯起，晋武帝泰始三年改封奉聖亭侯，拜太常卿、黄門侍郎。震生嶷，字功成，嶷生撫，舉孝廉，為豫章太守，俱襲封奉聖亭侯。撫生懿，東晋襲封奉聖亭侯兼從事中郎。懿生鮮，字鮮之，宋文帝元嘉十九年改封崇聖侯。鮮生乘，字敬山，後魏舉孝廉，文帝延興三年封崇聖大夫。乘生靈珍，授秘書郎，孝文帝太和十九年仍封崇聖侯。靈珍生文泰，襲封崇聖侯。文泰生渠，北齊文宣帝天保元年改封恭聖侯；周静帝大象三年，加封鄒國公。渠生長孫，襲封鄒國公。長孫生嗣哲，隋文帝時應制登科；煬帝大業四年，改封紹聖侯。嗣哲生德倫，唐高祖武德九年改封褒聖侯；太宗貞觀十一年詔朝會，位同三品。德倫生崇基，中宗嗣聖十二〔三〕年，襲封褒聖侯；神龍元年，制授朝散大夫，陪祭朝會。崇基生璲之，字藏暉，玄宗開元二十七年改封文宣公，兼兖州長史。璲之生萱，兖州泗水令，萱生齊卿〔四〕，齊卿生惟晊，兖州功曹条軍，俱襲封文宣公。惟晊生策，明經及第，國子監丞，襲文宣公，遷國子尚書、博士。策生振，字國文，懿宗咸通四年状元及第，除秘書省校書，歷監察御史、左補闕，遷水部負外郎，襲封文宣公。振生昭儉，授廣文舘博士，兖州司馬，除秘書郎，襲封文宣公，宰曲阜。昭儉生光嗣，哀帝天祐二年授泗水令，陵廟主，為洒掃户孔末所害。光嗣生仁玉，字温如，年九月遇家難，母張氏抱養於外家，既長，魯人訴於官，事聞於朝，授曲阜主簿，陞縣令，襲封文宣公；後周太祖廣順二年謁廟林，召對，口授曲阜令兼監察御史；宋贈兵部尚書，號中興祖。今曲阜與衢族，皆其後也。仁玉生宜，字不疑，宋太祖乾德四年拜章闕下，授曲阜主簿；太宗太平興國三年，遷太子右贊善大夫，襲封文宣公。宜生延世，字茂先，雍熙中，授曲阜主簿；真宗即位，召赴闕下，授曲阜令，襲封文宣公。延世生聖祐，真宗景德四年授同學究出身；大中祥符元年東封，詔賜衣緑，次(京)〔五〕官陪位，駕幸儒廟，授太常寺奉禮郎；四年，為大理評事；天禧五年，以光禄丞襲封文宣公，知仙源縣事，遷贊善大夫；終，無子，以叔父延澤子宗愿承襲。宗愿字子莊，仁宗寶元二年襲封文宣公，知仙源縣事；至和二年，以祖無擇之言祖謚不可加後人，改封衍聖公，累遷尚書比部員外郎。生四子，若蒙、若虚、若愚、若拙，若蒙字公明，生端友，字子交，俱襲公爵。宋建炎四年，端友與昜公四世孫傳扈蹕南渡，寓三衢，無子，以端操子玠承襲，又五世至洙絕，今在衢者，傳之後也。端操，若虚子，金權襲封於魯。歷璠、捴至元措，章宗承安二年敕襲封衍聖公兼世襲曲阜令，貞祐二年，從宣宗遷汴，擬兄元用攝祀事。元用，若愚四世孫元孝之弟，是為吾門始祖。若愚字公直，生端立，端立生琥，琥生拂，是為元用之父。自是而下，子孫蕃衍，别為宗圖以載於碑陰。

嗚呼，莫為於前，雖盛弗傳；莫継於後，雖美弗彰。我小宗聞炳，弘棟其叔父也，可謂善継而知所重矣，為本源之不明，無以别支派、辨真偽也。乃揖諸族姓而告之曰：

方今冒孔姓者徧天下，諸父昆弟其知慮乎？僉曰：然，我之懷矣。遂與取諸家乘所載，序之貞珉，樹之宗祊，俾為子孫者明薦之下而一覽焉，庶有以知源流之所自云。

旹嘉靖二十一年歲次壬寅仲冬壬子月初十日丙辰，六十二代孫聞炳同叔弘棟、堂叔弘峻、堂叔祖承瑀、堂曾叔祖彦縣立。壻邑庠生孫東岱書。石匠馮英、岳則、岳伸、岳得永〔六〕鐫。

【注釋】

〔一〕数：即俗數字。

〔二〕变：即俗變字。

〔三〕二字中部磨損而出現倒三角，稍似“三”，據《孔子世家譜》是“二”。

〔四〕卿：即“卿”字。

〔五〕“京”字只殘存邊角，《孔子世家譜》卷二：“位次京官”，據此補。

〔六〕“永”字不甚清，前“英”“則”“伸”以後各空一格，此處似非空格。

（王漢峋）

嘉靖二十五年張奇清祭少昊碑

此石立於明世宗嘉靖二十五年(1546),現鑲於少昊陵正殿西牆,東起第1石。石高0.56米,寬0.86米。碑文正楷書寫,正文14行,落款7行,共156字。

駱承烈《石頭上的儒家文獻——曲阜碑文録》將"相継為君"的"継"寫作"繼"、"撫育群黎"的"群"寫作"羣",落款之處的"訓導王塾"的"塾"誤作"熟","仝立"的"仝"寫作"同"。

御製祭文

維嘉靖二十五年歲次丙午八月乙酉朔二十六日庚戌,皇帝遣曲阜縣世職知縣臣孔承(業)〔一〕致祭于帝少昊金天氏曰:昔者奉天明命,相継為君。代天理物,撫育群黎〔二〕。彜倫攸敘,井井繩繩。至今承之,生民多福,思不忘而報。兹特遣使張奇清賫捧香幣,祗〔三〕命有司詣陵致祭,惟帝英靈,來歆來格。尚享。

至聖六十代曲阜縣世職知縣孔(承)(業)〔四〕、縣丞趙錫、典史郭鐘、儒學教諭宋時望、訓導王(塾)〔五〕、蔣(炫)〔六〕仝〔七〕立。

【注釋】

〔一〕〔四〕據《闕里文獻考》卷九十八、乾隆《曲阜縣志》卷二十九記載,嘉靖二十五年曲阜縣知縣爲孔承業,碑文中所缺文字據此補足。孔承業,孔子六十代孫,字永基,嘉靖二十五年至四十二年任曲阜縣知縣。

〔二〕群黎:黎民百姓。

〔三〕祇:敬、恭敬。

〔五〕〔六〕括弧中文字據乾隆《曲阜縣志》補足。《曲阜縣志》卷三十九有记:(訓導)嘉靖中有濬縣李鯨,以歲貢任者有潞州崔鯉、臨淮馬升、建德戴欽、新城郭明、考城邵希賢、南陵王塾、縉雲蔣炫、襄陵郭巍、清曹劉官、孟縣邢冠、鹿邑藺珠、冀州張汝獻、襄陵許漸(后陞本學教谕)。

〔七〕仝:同"同"。

(劉文劍)

嘉靖二十六年楊時秀謁顔廟碑

此碑立於明世宗嘉靖二十六年(1547),位於顔廟克己門下。碑高0.6米,碑寬0.91米。碑邊淺雕,採用海濤紋圖案。題名爲"謁顔廟"三字,正文八列,每列七字,共五十六字,落款十五字。除落款中"時秀"二字為行書外,其餘皆爲楷書。碑尾刻有一列小字(十字),署明立碑人。

謁顔廟

天因吾道生夫子,復爲斯人生大賢〔一〕。終日有言〔二〕皆聖藴,為仁一問〔三〕發心傳。春風猶自簞瓢〔四〕外,古井還存廟貌前。瞻拜徘徊想和粹,令人塵俗盡消然。嘉靖丁未春二月,上丁日中都楊時秀,署縣事部主簿李景華立。

【注釋】

〔一〕大賢:指顔回。顔回爲"四哲十賢"之首。

〔二〕終日有言:《論語·爲政》:"子曰:'吾與回言終日,不違,如愚。退而省其私,亦足以發,回也不愚。'"孔子曾終日向顔回講學,但顔回從不提反對意見和疑問,孔子以爲顔回蠢笨。但後來發現顔回總是回去之後自己研究,也能舉一反三,從而改變了對顔回的看法。

〔三〕為仁一問:《論語·顔淵》:"顔淵問仁。子曰:'克己復禮爲仁。一日克己復禮,天下歸仁焉。爲仁由己,而由人乎哉?'""爲仁一問"指的是"克己復禮"這一問。

〔四〕簞瓢:《論語·雍也》:"子曰:'賢哉,回也!一簞食,一瓢飲,在陋巷,人不堪其憂,回也不改其樂。賢哉,回也!'"簞瓢即"一簞食,一瓢饮"。

(張　慧)

嘉靖二十六年吕懷謁顔廟碑

此碑立於明嘉靖二十六年(1547),現位於顔廟中院東碑亭内東側。碑頭高約0.15米,有楷書“大明”二字,四周刻雲邊。碑身高約2.1米,寬約0.84米,厚約0.2米。碑身草書,共6行,行12字,共62字,其中“運”字小寫。碑陰爲“順治十五年巡方繆公鄉試恩側記碑”。《陋巷志》卷七、駱承烈《石頭上的儒家文獻——曲阜碑文録》著録碑文。

駱承烈《石頭上的儒家文獻——曲阜碑文録》中“斯”誤作“期”。

謁復聖公廟古詩一首

乾坤斡元化,默運故不言。四時迭寒暑,天道見節宣〔一〕。至哉仁聖樂,陋巷挹大賢。克復事斯語,萬古開心傳。

明嘉靖丁未臘〔二〕,後學永豐吕懷〔三〕撰。

【注釋】

〔一〕《左傳·昭公元年》:"君子有四時:朝以聽政,晝以訪問,夕以修令,夜以安身。於是乎節宣其氣,勿使有所壅閉湫底,以露其體。"節宣,即有節制地散發(人體血氣)。此句意爲遵從四時變化,有節制地滿足人自身的生理需求,就可從中窺見自然天道。

〔二〕臘:夏曆十二月。

〔三〕吕懷:字汝德,號巾石,永豐(今江西吉安)人,由庶吉士任兵科給事中,至南京太僕少卿。師從明代哲學家湛若水,認爲王守仁的"良知"論與湛若水的"體認天理"論宗旨相同,都是在於人的變化氣質,並作《心統圖説》來具體闡釋。《明史》有傳。

(崔偉芳)

嘉靖二十八年趙時春祭少昊碑

此石立於明世宗嘉靖二十八年(1549),現鑲於少昊陵正殿西牆,東起第2石。石高0.56米,寬0.86米。碑文正楷書寫,正文14行,落款7行,共156字。

駱承烈《石頭上的儒家文獻——曲阜碑文録》將"相継為君"的"継"寫作"繼"、"撫育群黎"的"群"寫作"羣",落款之處的"訓導王塾"的"塾"誤作"熟","仝立"的"仝"寫作"同"。

御製祭文

維嘉靖二十八年歲次己酉八月戊戌朔二十七日甲子,皇帝遣曲阜縣世職知縣臣孔承(業)〔一〕致祭于帝少昊金天氏曰:昔者奉天明命,相継為君。代天理物,撫育群黎。彝倫攸敘,井井繩繩。至今承之,生民多福,思不忘而報。兹特遣使趙時春賫捧香幣,祗命有司詣陵致祭,惟帝英靈,來歆來格。尚享。

至聖六十代曲阜縣世職知縣孔(承)(業)〔二〕、縣丞趙錫、典史郭鏜、儒學教諭宋時望、訓導王(塾)〔三〕、蔣炫仝立。

【注釋】

〔一〕〔二〕據《闕里文獻考》卷九十八、乾隆《曲阜縣志》卷二十九補足。孔承業,孔子六十代孫,字永基,嘉靖二十五年至四十二年任曲阜縣知縣。

〔三〕據乾隆《曲阜縣志》補足。《曲阜縣志》卷三十九有记:(訓導)嘉靖中有濬縣李鯨,以歲貢任者有潞州崔鯉、臨淮馬升、建德戴欽、新城郭明、考城邵希賢、南陵王塾、縉雲蔣炫、襄陵郭巍、清曹劉官、盂縣邢冠、鹿邑藺珠、冀州張汝獻、襄陵許漸(后陞本學教谕)。

(劉文劍)

嘉靖三十年陋巷井題記

此碑立於明嘉靖三十年(1551)七月,現位於顏廟復聖門内陋巷井北,面北,其背面爲“康熙二十年陋巷井碑”。碑身高約1.86米,寬約0.73米,厚約0.22米(碑座高約0.18米)。碑文中郭登庸題記爲隸書,其餘爲行書。共7行,行15字,共78字,字跡偶有侵蝕殘缺。駱承烈《石頭上的儒家文獻——曲阜碑文録》著録碑文。

駱承烈《石頭上的儒家文獻——曲阜碑文録》中“朙”作“明”,“旾”作“春”,“郜登庸”作“郭登庸”,“敬”誤作“義”,“李”誤作“季”。

朙嘉靖丙申旾〔一〕正月,冀北郜登庸〔二〕敬〔三〕謁孔、顔廟,經陋巷井,題記。

嘉靖辛亥七月十九日,監察御史彭澤陶欽皐〔四〕、太僕寺丞寧都李國紀〔五〕先後恭謁顔子廟下,同日謹書□〔六〕于陋巷井碑之陰。

縣丞孔承業〔七〕入刻。

【注釋】

〔一〕旾:"春"字之異體。

〔二〕郭登庸:山陰(今山西山陰)人,明正德九年(1514)進士。嘉靖十四年任順天府丞,十五年陞右僉都御史巡撫宣府。著有《自修圖》。《山西通志》有傳。郭,"郭"字之異體。登,"登"字之異體。

〔三〕敬:"敬"字之異體。

〔四〕陶欽皐:字克允,彭澤(今江西九江)人,明嘉靖二十三年(1544)進士,任刑部主事。

〔五〕李國紀:字正之,號雲山,寧都(今江西贛州)人。明嘉靖元年(1522)由鄉薦任順天府通判,後任松江府通判時建上海縣城以抗倭寇。著有《雲山詩文集》,並參與撰修嘉靖十五年《贛州府志》。

〔六〕疑爲"名"字。

〔七〕孔承業:字永基,孔子第六十代孫,嘉靖二十五年保任曲阜世職知縣,敕封文林郎。並於三十一年刊刻了陳鎬編撰的《闕里誌》。

(崔偉芳)

嘉靖三十一年吕堯寧祭少昊碑

此石立於明世宗嘉靖三十一年(1552),現鑲於少昊陵正殿西牆,東起第3石。石高0.52米,寬0.93米。碑文正楷書寫,正文13行,落款5行,共153字。

駱承烈《石頭上的儒家文獻——曲阜碑文録》將"辛亥朔越貳拾柒日"的"貳拾柒"誤爲"二二七"、"相継為君"的"継"寫作"繼"、"尚饗"的"饗"寫作"享"。

御製祭文

維嘉靖叁拾壹年歲次壬子(捌)〔一〕月辛亥朔越貳拾柒日丁丑,皇帝遣曲阜縣世職知縣臣孔承(業)〔二〕致祭于帝少昊金天氏曰:昔者奉天明命,相継為君。代天理物,撫育黔黎。彛倫攸敘,井井繩繩。至今承之,生民多福,思不忘而報。玆特遣使吕堯寧賫捧香幣,衹命有司詣陵致祭,惟帝英靈,來歆來格。尚饗。

至聖六十代孫文林郎〔三〕曲阜縣世職知縣孔承

（業）〔四〕、縣丞楊鴻仁、儒學訓導蔣炫、郭巍同立。

【注釋】

〔一〕此字殘損，只剩左邊提手旁。乾隆《曲阜縣志》卷二十九有記"三十一年秋八月遣官來祭告少昊陵"，據此補足此字。

〔二〕〔四〕據《闕里文獻考》卷九十八、乾隆《曲阜縣志》卷二十九記載，嘉靖二十五年曲阜縣知縣爲孔承業，碑文中所缺文字據此補足。孔承業，孔子六十代孫，字永基，嘉靖二十五年至四十二年任曲阜縣知縣。

〔三〕文林郎：隋朝設置，歷代因之。文林郎不是職官，而是爲文官所授的散官名，用來界定級别，相當於現在所説的"行政幾級"。其所代表的級别也是不斷變化的，明朝時爲正七品。

（劉文劍）

嘉靖三十四年殷士儋
撰重修闕里林廟記碑

此碑立於明世宗嘉靖三十四年(1555)五月,今存曲阜孔廟十三碑亭院東南部,南排,東起第12石,面北。碑身高1.8米,其中含碑頭0.72米,上有麒麟、雲紋圖案,中間篆書"大明"二字。碑寬0.99米,厚0.27米。殷士儋撰,正書,云邊,共28行,行53字。落款55字。《闕里文獻考》卷三十四之《藝文考》第十二之三著録正文,駱承烈《石頭上的儒家文獻——曲阜碑文録》著録全碑。

《闕里文獻考》"即慨然嘆曰"作"即慨然歎曰"、"矧兹地寔教本邪"作"矧兹地實教本邪"、"齋閣門宇"誤作"齊閣門宇"、"粤癸丑六月"誤作"越癸丑六月"、"礱斵必堅"作"礱斲必堅"、"寔自兹始"作"實自兹始"、"不妨庻職"作"不妨庶職"、"郡邑庻僚"作"郡邑庶僚"、"低回久之"誤作"低徊久之"、"躬覩斯盛"作"躬睹斯盛"。駱承烈《石頭上的儒家文獻——曲阜碑文録》"董役者藩臬大夫"誤作"薰役於藩臬大夫"、"御製碑記昭示永久"誤作"御制碑事暗示永久"、"考定位號"作"攷定位號"、"有司不敢以聞"誤作"有司不敢以同"、"即慨然嘆曰"誤作"既慨然嘆曰"、"而曰必廑"誤作"面日必廑"、"林君悦"誤作"林君説"、"孔君承業"誤作"孔君承美"、"自殿寢樓廡"誤作"樂顧寢樓廡"、"垣屋碑亭"誤作"垣屬碑亭"、"畢力修舉"誤作"畢力修葺"、"足稱維新之典"誤作"是稱維新之典"、"不妨庶職"作"不妨庶職"、"曩歲"誤作"曩昔歲"、"諸之未及為也"誤作"諸諸未及為也"、"郡邑庶僚"作"郡邑庶僚"、"叶采勸功"誤作"葉守勸功"、"翕附恐後"誤作"爵時恐后"、"雖聖賢道德"誤作"邑聖賢道德"、"不視此加損"誤作"不視此為報"、"千載一時"誤作"千歲一時"、"則夫由必世之仁"誤作"則内必世之仁"、"史遷適魯"誤作"史遷適復"、"諸生習禮"誤作"諸生司禮"、"六藝者所折衷也"誤作"六藝者折衷也"、"余不敏"誤作"余不敢"。

重修闕里林庙记

按《闕里志》：国朝詔修孔廟者屢矣。皆司空〔一〕經畫〔二〕，内帑〔三〕給費，綱紀於撫臣，而董役〔四〕者藩臬〔五〕大夫也。役竣或遣輔臣來釋奠告成事，御製碑記昭示永久云，今天子中興，議禮制度尤重，先聖祀典，考定位號，更易像設，本隆啓毓，禮嚴配食，累代沿襲未安者，一朝咸正罔缺，猗與偉〔六〕矣。顧曲阜林廟距弘治修建且五十年所，久漸圮〔七〕敝，弗稱瞻仰。屬國計未裕，有司〔八〕不敢以聞。嘉靖壬子御史馮公薦命按東省首詣祗謁，即慨然歎曰，省方設教天子命御史意也，矧〔九〕兹地寔〔一〇〕教本邪，御史於諸廢置得一切便宜從事。至隆師重道之舉，不知身任其責，及時修飭而曰必廑〔一一〕，縣官惡在宣德意也。遂檄濟南府同知林君悦，兖州府通判張君承敘，推官盧君翰,暨曲阜世尹孔君承業,相與督視出貲贖羨,戒徒農隙,庀材鳩工〔一二〕,興頹易朽,自殿寢樓廡,齋閣門宇,垣屋碑亭及家廟祖林,計三十有七所。經始其年十月,粤癸丑六月訖工,礱斲〔一三〕必堅,丹堊〔一四〕有赫,燦然就緒。而馮公受代去矣,明年御史雍公焯繼至,樂踵前猷〔一五〕,更議增飾。凡昔之有待而未暇者,畢力修舉,罔不大備。蓋自我皇上釐正祀典以來,廟貌崇嚴,林域改觀,足稱維新之典,寔自茲始。而不煩朝命,不妨庶職,役不告勞,費不告侈,倡始圖終,後先相望,皆前此未有也。曩歲〔一六〕士儋奉使過濟南時,林君為余道之,因偕諸君子來徵文紀其事。會余北上,諾之未及為也。至是兖州守朱君應奎,同知王君三接,貽書京師,復述後功,申致前請。夫御史代天子行郡國,能仰承聖化,敦崇教本,郡邑庶僚,又皆叶采勸功〔一七〕,翕附恐後,均之知務矣。雖聖賢道德不視此加損,而國家褒德右文之澤,聖天子表章率作之效,不益徵千載一時哉。則夫由必世之仁,適變道之會,衍盛治無疆之休端在茲矣。昔史遷適魯,觀孔氏廟堂,車服禮器,諸生習禮其家,低回久之,不能去。獨以言六藝者所折衷也。迺〔一八〕今道學大明,丕隆文治,刪述垂憲者,不徒託諸空言。遷誠躬覩斯盛,當復何如哉? 余不敏,謬從史氏後,媿無以揚厲聖朝之化,而闡明諸君子之功也。聊為次序其事,以識歲月云。

賜同進士出身翰林院國史檢討徵仕郎濟南殷士儋〔一九〕撰。

嘉靖三十四年夏五月吉旦兖州府知府朱應奎謹

刻石。

曲阜縣世職知縣孔承業立。

【注釋】

〔一〕司空:明、清工部尚書的别稱。

〔二〕經畫:經營籌劃。

〔三〕内帑:皇帝、皇室的私産。内即内府,皇室的倉庫。帑,古代指收藏錢財的府庫和府庫里的錢財。

〔四〕董役:監督勞作。

〔五〕藩臬:即藩臺和臬臺,布政使和按察使的並稱,同爲省長。

〔六〕猗與偉:美而且大。猗,美。偉,大。

〔七〕圮:塌壞、倒塌。

〔八〕有司:古代設官分職,各有專司,故稱有主管某部門權限的官吏爲有司。

〔九〕矧:况且,何况。

〔一〇〕寔:通"實",確實、實在。

〔一一〕廑:通"勤",殷勤。

〔一二〕庀材鳩工:庀材,備齊建築材料。鳩工,聚集工匠。

〔一三〕礱斲:磨和砍削,或指琢磨、切磋。在此處取前者之意。礱,磨。斲,"斫"字之異體,亦作"斵",意爲大鋤,引申爲用刀、斧等砍劈。

〔一四〕丹堊:涂紅刷白,泛指用油漆粉刷裝飾。丹,紅色。堊,一種白色土。

〔一五〕前猷:先王的謀劃。

〔一六〕曩歲:往年。曩,以往、從前。

〔一七〕勸功:努力建功立業。

〔一八〕迺:同"乃",於是。

〔一九〕殷士儋:字正甫,又字棠川,濟南歷城人。生於明世宗嘉靖元年(1522),卒於明神宗萬曆九年(1581)。嘉靖二十六年(1547)考中進士,選爲庶吉士,授任翰林院檢討。隆慶元年(1567),陞爲侍讀學士,進禮部右侍郎。翌年,陞禮部尚書。隆慶三年,兼任文淵閣大學士,後晉陞少保,改武英殿大學士。因官至內閣大學士,人稱"殷閣老"。隆慶五年(1571),請求辭職獲准,返歸故里,著書講學。逝後,朝廷追封太保,謚號"文通",後改謚"文莊"。殷士儋在詩壇頗負盛名。著有《金輿山房稿》十四卷,爲其門人于慎行所編。

(劉　敏)

嘉靖三十四年高經良祭少昊碑

此石立於明世宗嘉靖三十四年(1555),現鑲於少昊陵正殿西牆,東起第4石。石高0.52米,寬0.90米。碑文正楷書寫,正文14行,落款5行,共154字。此石中間斷裂,殘爲兩半,已修復。

駱承烈《石頭上的儒家文獻——曲阜碑文録》將"歳次乙卯"誤爲"歳次己卯"、"致祭于帝"的"于"寫作"於"、"相継為君"的"継"寫作"繼"、"賫捧香帛"的"賫"寫作"齎"。

御製祭文

維嘉靖三十四年歳次乙卯八月癸亥朔越二十九日辛卯,皇帝遣曲阜縣世職知縣臣孔承(業)〔一〕致祭于帝少昊金天氏曰:昔者奉天明命,相継為君。代天理物,撫育黔黎。彝倫攸敘,井井繩繩。至今承之,生民多福,思不忘而報。兹特遣使高經良賫捧香帛,祗命有司詣陵致祭,惟帝英靈,來歆來格。尚饗。

至聖六十代孫文林郎曲阜縣世職知縣孔承(業)〔二〕、

縣丞汪金、儒學教諭李欽、訓導劉宦同立。

【注釋】

〔一〕〔二〕據《闕里文獻考》卷九十八、乾隆《曲阜縣志》卷二十九記載,嘉靖二十五年曲阜縣知縣爲孔承業,碑文中所缺文字據此補足。孔承業,孔子六十代孫,字永基,嘉靖二十五年至四十二年任曲阜縣知縣。

(劉文劍)

嘉靖三十七年郭悦成祭少昊碑

此石立於明世宗嘉靖三十七年(1558),現鑲於少昊陵正殿西牆,東起第5石。石高0.59米,寬0.70米。碑文行楷書寫,正文15行,落款5行,共154字。

駱承烈《石頭上的儒家文獻——曲阜碑文録》將"八月乙巳"誤爲"八月乙己"、"尚饗"的"饗"寫作"享"、"縣丞胡潭"的"潭"誤爲"煒"。

御製祭文

維嘉靖三十七年歲次戊午八月乙巳朔越二十七日辛未,皇帝遣曲阜縣世職知縣臣孔承(業)〔一〕致祭于帝少昊金天氏曰:昔者奉天明命,相繼為君。代天理物,撫育黔黎。彝倫攸敘,井井繩繩。至今承之,生民多福,思不忘而報。玆特遣使郭悦成賫捧香帛,祗命有司詣陵致祭,惟帝英靈,來歆來格。尚饗。

至聖六十代孫文林郎曲阜縣世職知縣孔承(業)〔二〕,

縣丞胡(潭)[三],教諭林翰,訓導劉宦[四]、邢冠同立。

【注釋】

〔一〕〔二〕據《闕里文獻考》卷九十八、乾隆《曲阜縣志》卷二十九記載,嘉靖二十五年曲阜縣知縣爲孔承業,碑文中所缺文字據此補足。孔承業,孔子六十代孫,字永基,嘉靖二十五年至四十二年任曲阜縣知縣。

〔三〕據《嘉靖四十年齊大賓祭少昊碑》補足。

〔四〕宦:"宦"字之異體。

(劉文劍)

嘉靖四十年齊大賓祭少昊碑

此石立於明世宗嘉靖四十年(1561),現鑲於少昊陵正殿西牆,東起第6石。石高0.54米,寬0.81米。碑文行楷書寫,正文15行,落款6行,共154字。

駱承烈《石頭上的儒家文獻——曲阜碑文録》將"尚饗"的"饗"寫作"享"。

御製祭文

維嘉靖四十年歲次辛酉八月戊午朔越十七日甲戌,皇帝遣曲阜縣世職知縣臣孔承(業)〔一〕致祭于帝少昊金天氏曰:昔者奉天明命,相繼為君。代天理物,撫育黔黎。彜倫攸敘,井井繩繩。至今承之,生民多福,思不忘而報。兹特遣使齊大賓賫捧香帛,祇命有司詣陵致祭,惟帝英靈,來歆來格。尚饗。

至聖六十代孫文林郎曲阜縣世職知縣孔承(業)〔二〕,縣丞胡潭,儒學教諭林翰,訓導邢冠、藺珠同立。

【注釋】

〔一〕〔二〕據《闕里文獻考》卷九十八、乾隆《曲阜縣志》卷二十九記載，嘉靖二十五年曲阜縣知縣爲孔承業，碑文中所缺文字據此補足。孔承業，孔子六十代孫，字永基，嘉靖二十五年至四十二年任曲阜縣知縣。

（劉文劍）

嘉靖年間陳鳳梧登奎文閣謁闕里廟詩碣

此碣立於明世宗嘉靖年間。今見於孔廟奎文閣前東碑亭即洪武碑亭外之北牆東頭。碣高0.5米,寬0.9米,雲邊。正文共16行,行約10字。陳鳳梧正書。碣面斑駁,有劃痕,但字跡較清晰。正文包括陳鳳梧七言律詩兩首。《闕里文獻考》卷四十一《藝文考》之十著録《登奎文閣》一詩。《闕里誌》卷十二《藝文三》亦著録該詩。駱承烈《石頭上的儒家文獻——曲阜碑文録》著録此碣全文。

《闕里文獻考》"嵳峩"作"嵯峩"、"出宫墻"誤作"入宫牆"、"明日月"誤作"明日表"、"牙籖"作"牙籤"、"従"作"從"。《闕里誌》"出宫墻"誤作"入宫墻"、"岱嶽"作"岱岳"。駱承烈《石頭上的儒家文獻——曲阜碑文録》"嵳峩"作"嵯峨"、"宫墻"作"宫牆"、"牙籖"作"牙籤"、"従"作"從"、"竊餘芳"誤作"竊餘芳"、"祇謁"誤作"祇褐"、"燦新晴"誤作"燦新晴"、"瓌"誤作"壞"、"暝暝"誤作"冥冥"。

嵳峩〔一〕傑〔二〕閣出宫墻,上有雲梯百尺長。丹碧九霄明日月，牙籤[三]萬軸映奎光。滄溟[四]俯視東洋外，岱嶽平臨北斗傍。何幸登高豁心目，願従聖道竊[五]餘芳。

祗[六]謁闕里廟亭，行釋菜禮[七]

嗚珮[八]迴翔闕里城，文星五夜燦新晴。趨庭詩禮真如在，瓌[九]壁金絲尚有聲。（有詩禮、金絲二堂）祭品荒涼恭釋菜，告文諄複敢披誠。殿頭旭日暝暝[一〇]上，聖道依然萬古明。

靜齋陳鳳梧[一一]，曲阜縣世職知縣孔公統、縣丞龐虎同立。

【注釋】

〔一〕崖峩：山勢高峻的樣子。

〔二〕傑：高大。

〔三〕牙籤：牙製籤牌，上标書名，以備檢取。

〔四〕滄溟：一種解釋爲大海，另一種解釋爲蒼天、高远幽深的天空。

〔五〕竊："竊"字之異體。私下、私自，多用作謙詞。

〔六〕祗：恭敬地。

〔七〕釋菜禮：祭祀先聖先師的一種典禮，古代入學時常設酒、芹、棗、栗等蔬果菜羹祭獻於孔子及顔淵、閔子騫等賢哲位前，以此來禮敬師尊，以示敬學重道。

〔八〕珮：繫在衣帶上用作裝飾的玉。

〔九〕瓌："瑰"字之異體。質地僅次於玉的美石。但從文意來講，此處應爲動詞，故揣測此處碑刻所寫大概爲環的誤筆，取環繞的意思。

〔一〇〕暝暝：天色昏暗的樣子。

［一一］陳鳳梧：生卒年不詳，字文鳴。江西泰和人。弘治九年(1496)進士。历官刑部主事、湖廣提學僉事、山東左布政使。著有《修辭録》《集定古易》《周禮合訓》等。

(劉　敏)

沈應乾謁顔廟詩

此碑無明確時間,世職知縣孔承業任職時間爲嘉靖二十五年(1546)至嘉靖四十二年(1563),立碑應在這一時段内。現鑲於顔廟中院西碑亭外東墻,北石。高約0.52米,寬約0.85米。碑文隸書,正文共9行,行9字,共113字。署名處有兩方小印。《陋巷志》卷七、駱承烈《石頭上的儒家文獻——曲阜碑文録》著録碑文。駱承烈《石頭上的儒家文獻——曲阜碑文録》中"幸"誤作"辜"。

謁顔廟

千年兖國一愚人,終日忘言意已神。龍德〔一〕何緣終遯世,斯文不幸又生榛〔二〕。一瓢滋味誰堪共,四勿功夫久絕塵。天若憐才顔必壽,未應尼父獨安仁。

明進士五河後學沈應乾〔三〕頓首拜書。

曲阜縣世職知縣孔承業〔四〕、縣丞汪金、儒學教諭李欽、訓導郭巍、劉宦同立。

【注釋】

〔一〕龍德：語出《易·乾卦·文言》："龍德而隱者也，不易乎世，不成乎名，遁世無悶，不見是而無悶。"意爲像潛龍一樣的隱者，不會因世俗之見而改變自己，也不會去追求功名，遁世不會覺得苦悶，不被社會認可也不會感覺憂愁。

〔二〕榛：叢生的樹木，有時用來形容荒涼之地。此處用來形容顏子逝后，儒學受到的消極影響。

〔三〕沈應乾：號蒞川，五河（今安徽五河）人。嘉靖二十二年（1543）進士，曾任保定知府、户部廣西司主事。嘉靖四十年（1561），辭官講學，著有《北園粹稿》，並參與纂修《五河縣志》。

〔四〕孔承業：字永基，孔子第六十代孫，嘉靖二十五年（1546）保任曲阜世職知縣，敕封文林郎。並於三十一年（1552）刊刻了陳鎬編撰的《闕里誌》。

（崔偉芳）

萬曆五年王藻謁顏廟碑

此碑立於明萬曆五年(1577),其背面爲“萬曆六年重修復聖顏子廟碑”,現位於顏廟東碑亭内。碑頭高約0.68米,有楷書“大明”二字。碑身高約1.02米,寬約0.92米,厚約0.26米,雕龍邊。碑身楷書,共9行,行24字,共127個字。字跡清晰,保存完好。《陋巷志》卷六、駱承烈《石頭上的儒家文獻——曲阜碑文録》著録碑文。

《陋巷志》中“貧”作“窮”,醴”誤作“禮”。駱承烈《石頭上的儒家文獻——曲阜碑文録》中“八月朔”缺“八”字,“惟”作“維”,“天”誤作“大”,“兼”作“兼”,“墻”誤作“址”,“醴”誤作“禮”,“庻”作“庶”。

維萬曆五年,歲在丁丑,秋閏八月朔,越有九日癸巳,巡按山東監察御史王藻〔一〕敢昭告於復聖顏子之神曰:

於惟復聖,智本天成,才兼王佐,四勿〔二〕傳心,百代禮樂,優入聖域,貧而能樂,羽翼道統,群夷超卓。藻仰止不違,思尋樂處,再覩宫墻,風和雲霽,敬束牲帛,肅償醴儀,大賢有容,庶幾不棄。尚饗。

管理曲阜縣事濟寧州知州孔弘復〔三〕立。

【注釋】

〔一〕王藻:字國華,真定(今河北正定)人,隆慶二年(1568)進士。歷任廣東道御史、隴右道參政、河南布政使等,萬曆五年(1577)巡按山東。藻秉性清介,重視百姓,爲官頗有政績。著有《賢吟詩草》等。《真定縣志》有傳。

〔二〕四勿:語出《論語·顔淵》:"顔淵問仁。子曰:'克己復禮爲仁。一日克己復禮,天下歸仁焉。爲仁由己,而由人乎哉?'顔淵曰:'請問其目。'子曰:'非禮勿視,非禮勿聽,非禮勿言,非禮勿動。'顔淵曰:'回雖不敏,請事斯語矣。'"

〔三〕孔弘復:字以誠,號桂窗,孔子第六十一代孫,歷任曲阜縣知縣、都轉鹽運同直、東昌府通判,敕封中憲大夫。著有《聖跡圖》,並於萬曆二十一年主修曲阜第一部縣志《曲阜縣志》。

(崔偉芳)

萬曆十二年王弘誨謁顏廟碑

此碑立於明神宗萬曆十二年(1584),位於顏廟克己門下北側西石,碑高0.59米,碑寬0.76米。碑周淺刻雲紋,全文行楷。題名為“謁顏廟”三字,正文五十字,落款十四字,碑尾小字(九字)署明刻碑人。

《陋巷志》卷七稱《禮部尚書安定王弘誨謁顏廟》,著録全文。

謁顏廟

孔門稱庶幾〔一〕,其惟顏氏子。終日嘗如愚,好學實罕比〔二〕。克復〔三〕既請事,高堅悟卓爾,具體亦已微。惜未見其止,陋巷想遺芬,賢哉懷闕里。

安定王弘誨題,萬曆甲申孟春之吉,六十五代傅士胤祚刻。

【注釋】

〔一〕庶幾:差不多,一般用在稱贊場合。

〔二〕好學實罕比:《論語·雍也》:"哀公問:'弟子孰爲好學?'孔子對曰:'有顔回者好學,不遷怒,不貳過。不幸短命死矣,今也則亡,未聞好學者也。'"孔子盛贊顔回好學,認爲顔回死後,再也没有可以稱爲好學的人了。

〔三〕克復:克己復禮。

(張　慧)

萬曆二十三年闕里重修林廟碑

此碑立於明神宗萬曆二十三年(1595)六月,現位於孔林前神道中萬古長青坊前之西碑亭内。碑頭高1.2米,雕龍,篆書"闕里重修林廟碑"7字,碑高4米,寬1.21米,厚0.38米。碑座高0.56米。碑身正書,于慎行撰,共29行,現存1837字,殘2字,落款存15字,周邊龍紋。碑陰上部雕龍,篆書"碑音"二字,下部正書,共兩行,29字。

明于慎行修《兖州府志》卷四十二、明陳鎬《闕里誌》卷十、清岳濬等修《山東通志》卷三十五之九、清孔繼汾《闕里文獻考》卷三十三、駱承烈《石頭上的儒家文獻——曲阜碑文録》著録全碑。孔祥霖《曲阜碑碣考》卷三丙部有記,名爲"重修林碑"。

《兖州府志》"連公標"誤作"連公格","杏壇之下"誤作"杏壇之墀","乃進"誤作"乃揖","以蘘大觀"作"以褎大觀","有僾者"誤作"有墁者","廿六"作"二十六","不腆"誤作"不腆","陶鑄萬世"前脱"以"字,"王倎吉"誤作"王侯倎吉","大小駿奔"誤作"小大駿奔"。

《闕里誌》"頴川"作"穎川","杏壇之下"誤作"杏壇之墀",

"乃進"誤作"乃揖","以虆大觀"作"以褻觀","有優者"誤作"有墁者","廿六日"作"二十六日","不腆"誤作"不賟","陶鑄萬世"前脱"以","萬世"誤作"後世","王�吉"誤作"王侯夷吉","屹彼高墉"誤作"岐彼高墉","大小駿奔"誤作"小大駿奔"。

《山東通志》"潁川"作"穎川","連公標"誤作"連公格","杏壇之下"誤作"杏壇之墀","乃進"誤作"乃揖","毖祀"誤作"必祀","以虆大觀"作"以褻大觀","弘啓"諱作"大啓","有優者"誤作"有墁者","躭躭"作"眈眈","乃蒞齋室"誤作"乃立齋室","廿六"作"二十六","遡厥源流"作"溯厥源流","萬世"誤作"後世","恢弘"諱作"恢宏","王徸吉"誤作"王侯徸吉","孔弘復"諱作"孔宏復","乃降玄聖"諱作"乃降元聖","萬世爲土"誤作"萬世爲祖","不有冎搆"誤作"不有鼎構","畀諸大夫"作"俾諸大夫","德聲有燁"誤作"德聲有赫"。

《闕里文獻考》"膺籙"誤作"膺圖","御二十"前衍"總"字,"御"字後脱"天","進諸大夫"前脱"乃","胥受簡書"誤作"胥膺簡書","以虆大觀"誤作"以失大觀","烝嘗於茲"誤作"烝嘗以祠","其何可弗飭"前脱"亦"字,"聖靈翊襄"誤作"聖靈翊贊","躭躭"作"耽耽","牓曰"誤作"榜曰","廿六日"作"二十六日","風教所元"誤作"風教所先","安所曰"誤作"安可曰","萌隸"誤作"氓隸","匪不"誤作"靡不","王徸吉"誤作"王侯夷吉","孔弘復"諱作"孔宏復","廼降玄聖"諱作"廼降元聖","林有雉觀"誤作"林有規觀","不有冎搆"誤作"不有鼎構","大小駿奔"作"小大駿奔","德聲有燁"誤作"德聲有曄"。

駱承烈《石頭上的儒家文獻——曲阜碑文録》"兼翰林院學士"誤作"前翰林院學士","太子太保"誤作"太保","東萊"誤作"隸萊","膺籙"誤作"膺圖","進諸大夫前"脱"乃"字,"胥受簡書"誤作"胥膺簡書","以虆大觀"作"以褻大觀","烝嘗於茲"誤作“烝嘗以祠”，“何可弗飭”前脱“亦其”二字，“聖靈翊襄”誤作“聖靈翊贊”，“嶽祠”誤作“嶽祀”，“有僾者”誤作“有墁者”，“躭躭”作“耽耽”，“牓曰”誤作“榜曰”，“廿六日”作“二十六日”，“厥祀”誤作“厥廟”，“風教所元”誤作“風教所先”，“所曰”誤作“可曰”，“不閑”誤作“不間”，“已綏輯”前脱“既”字，“萌隸”誤作“氓隸”，“匪不”誤作“靡不”，“王俠吉”誤作“王侯夷吉”，“孔弘復”作“孔宏復”，“廼降玄聖”作“廼降元聖”，“不有鼎搆”誤作“不有鼎構”，“林有雉觀”誤作“林有規觀”，“乃稽僉謨”誤作“乃稽僉模”，“大小駿奔”作“小大駿奔”，“德聲有煒”誤作“德聲有暐”。

另，《兖州府志》、《闕里誌》、《山東通志》、《闕里文獻考》、駱承烈《石頭上的儒家文献——曲阜碑文録》所著录者與原碑皆两处大段异文：其一，原碑“於是前分守叅政四明楊公德政，後攝守叅議賓陽邵公以仁，分巡副使汝南趙公壽祖，同檄署曲阜縣事運司同知孔弘復，泗水知縣尤應魯偕往，營度具其材，用人徒之數，以復乃相與下記所司，使會厥费，於是左布政使中山王公藻，右布政使晉陽田公疇，计厥當用为金三千，以兩臺之贖鍰，當三之一，以嶽祠之香税，與将作之餘，當三之一，以莞庫之羡金，當三之一，具其出入之纪以復乃相，與下记所司使簡厥良以任，於是兖州府知府東明盧侯學禮谓：通判王俠吉可使綜理，鄒縣縣丞張東陽、滋陽縣典吏儲明明善可使督工具其職名。以復，則遂使營馬命曰：咨爾乇僚其帥丞史以往敬共乃事，毋干里胥功期於宏，毋堉於制期，於永毋隳於亟我，其偕視厥成”一段，《兖州府志》、《闕里誌》、《山東通志》、《闕里文獻考》、駱承烈《石頭上的儒家文献——曲阜碑文録》著录爲：“計當用金三千，以兩臺之贖鍰，當三之一，以嶽祠之香税，與將作之餘，當三之一，以莞庫之羡金，當三之一。”其二，原碑：“工之成也，河道叅政梅公淳，分守叅政侯公应徵，分巡僉事李公天植，兵備僉事戴公爗，莅任始至，共視立石焉。”《兖州府志》、

《闕里誌》、《山東通志》、《闕里文獻考》、駱承烈《石頭上的儒家文獻——曲阜碑文録》著録爲："役之興也，度支經費，則左布政使中山王公藻、右布政使晉陽田公疇。綜理工程，則分守叅政四明楊公德政，攝守叅議貴陽邵公以仁，分巡副使汝南趙公壽祖，而河道叅政梅公淳，分巡僉事李公天植，兵備僉事戴公爆，咸樂觀其成，而立石焉。至於贊襄謀畫，則兖州府知府盧侯學禮。專董工役則兖州府通判王侯儁吉，而署曲阜縣事運司同知孔弘復，泗水縣知縣尤應魯，會計於先。鄒縣縣丞張東陽，滋陽典史儲明善，分督於下，法皆得書。"

闕里重修林廟碑

賜進士出身資政大夫禮部尚書兼翰林院學士前經筵日講國史副總裁官魯國諸生于慎行〔一〕撰文。

賜進士出身光禄大夫太子太保吏部尚書海豐楊巍〔二〕書丹。

賜同進士出身資善大夫刑部尚書東萊趙煥〔三〕篆額。

聖上膺籙〔四〕，御天〔五〕二十有二祀〔六〕，歲在甲午，山東巡按御史潁川連公標〔七〕，奉命省方，至於闕里，祗謁孔廟，拜於杏壇之下，仰視者三。繼謁孔林，拜於洙水之陽，環視者三。乃進諸大夫，而詠〔八〕曰：惟天子祗若〔九〕典訓，經緯八埏〔一〇〕，用毖祀〔一一〕於先師孔子，我二三執事〔一二〕胥受簡書〔一三〕以來，敷化〔一四〕於東土。兹惟聖作之邑，亦越廟庭林域，自弘治聿新以迄於今，歷載滋久，無乃有所頹敝，以虧〔一五〕大觀。若在元聖周公，弘啓國宇，以開厥緒。若在復聖顔子，潛心道奥，以衍厥傳，咸有烝嘗〔一六〕於兹，亦其何可弗飭。時惟我二三執事之責,乃白於巡撫都御史括蒼鄭公汝璧〔一七〕。郑公曰:咨〔一八〕時惟予責,中丞奉上明命,撫有大東,罔不惟肅若聖靈翊襄〔一九〕,文化是圖,曷敢曰執事之不閒以須異日。乃相與下記所司,使相厥工,於是前分守叅政四明楊公德政,後攝守叅議賫〔二〇〕陽邵公以仁,分巡副使汝南趙公壽祖,同檄署曲阜縣事運司同知孔弘復,泗水知縣尤應魯偕往,營度具其材,用人徒之數,以復乃相與下記所司,使會厥费,於是左布政使中山王公藻,右布政使晉陽田公疇,计所當用为金三千。以兩臺之贖鍰〔二一〕,當三之一;以嶽祠之香稅〔二二〕,與将作〔二三〕之餘,當三之一;以箢庫〔二四〕之羨金〔二五〕,當三之一。具其出入之纪以復乃相,與下记所司使簡厥良以任,於是兖州府知府東明盧侯學禮谓:通判王徠吉可使綜理,鄒縣縣丞張東陽、滋陽縣典吏儲硎善可使督工。具其職名以復,則遂使營馬〔二六〕命曰:咨爾䆮〔二七〕僚其帥丞史以往,敬共〔二八〕乃事,毋干里胥〔二九〕,功期於宏,毋堬〔三〇〕於省,制期於永,毋隳〔三一〕於亟,我其偕視厥成,於是蒃日揆景〔三二〕,庀徒鳩材〔三三〕。以其十之三營於孔廟,乃新殿閣,乃飾廊廡,乃立重城皐門〔三四〕,以象朝闕〔三五〕,梱楶甓甃〔三六〕之有朽者易之,丹雘髤漆〔三七〕之,有優〔三八〕者塗之,煌煌〔三九〕如也,躭躭〔四〇〕如也。以其十之五營於孔林,乃恢享祠,乃葺齋室,乃立石闕六楹,以廣神路〔四一〕,繚垣〔四二〕十里,壖垣〔四三〕千步,有版築〔四四〕焉,嶢嶢〔四五〕如也,鬱鬱〔四六〕如也。則以其一營於周廟坊諸其閎〔四七〕,牓〔四八〕曰“元聖”。則以其一營於顔廟坊諸其間〔四九〕,牓曰"陋巷",巘巘[五〇]如也,翼翼[五一]如也。經始於四月廿六日至十一月三日,厥功告成。霞駮雲蔚[五二],冐立星羅,埒如鈞天之宫、帝者之宇於都[五三]哉,凫繹[五四]之岑[五五]若增,而峻洙泗之流若濬而深矣。宗子上公[五六],三姓之裔[五七],以春秋執豆籩[五八]於斯。魯之父老諸生,瞻仰絃歌於斯。四方之學士大夫,躡屩停軌,展禮於斯。咸曰:偉哉!聖里之榮觀,以流燿四方,是惟二公之績。亦曰:鑠哉!熈朝[五九]之盛典以昭垂萬禩,亦惟二公之績。二公不自居也,曰:不腆[六〇]司工之役,賴諸大夫之成,何勞之與有?諸大夫乃礱石闕里,使魯人于慎行為記。辭不獲命,爰拜手稽[六一]首而稱曰:粤自昊穹[六二]之初,肇立人紀[六三],聖神代作,咸克左右,上帝綏猷,兆人[六四]以逮[六五]。我先師孔子,乘百王之運,闢六藝之塗,用能集厥大成[六六],以陶鑄[六七]萬世,與天無極。厥后英君誼辟,罔不尊用其(道)[六八],(以)建化原。亦罔不恪脩厥祀,以報本始,皇綱帝紘[六九]之不隊,至於今是賴。於戲[七〇],盛哉,洪惟聖朝受命,尊師重道,圖臻上理,褒崇之典,有加在昔[七一],用致重熈累洽[七二]之休。以及我聖上儲精三五[七三],潤色大業,亦惟先師之道,是訓是行,罔敢軼於成憲[七四]。矧兹聖作之邑,風教肵元。廟貌寢園,肅焉如在。而使榱桷[七五]之屬,一有或[七六]闕以,弗稱昭代[七七]精禋之禮,安肵曰執事之不閑以須異日也。二公祇承大命,照臨魯國,既已綏輯萌隸[七八],防遏疆圉[七九],庶政[八〇]畢康,彛文咸秩。又儼然景仰聖哲,以崇此大役也。允可謂帝臣之上績,人文之景運矣。於戲,懋哉!蓋孔子之道得統於周公，而顏氏之子能發其藴，以教萬世。惟魯建國，實始終三聖賢之迹，以有遺烈〔八一〕於此也。自漢永平以來典制代更，或奉周公為先聖，孔子為先師。亦或奉孔子為先聖，顏子為先師。匪不遡厥源流，以昭統緒〔八二〕，而揆之秩叙〔八三〕，亦少斁焉。我朝叅稽〔八四〕前代，更正典禮，既荐聖師之號，以尊孔子。首配享之位，以宗顏氏，復以二帝三王〔八五〕並稱先聖，周公孔子並稱先師，而别祀於文華〔八六〕之左室，於是道統益明，倫敘不紊。而聖師之所從授，與所由傳，可考而陳矣。今是役也，新廟貌以致嚴，飭寢園以妥祀。因而標廣魯之圖，揚紹聖之懿。使天下萬世明於斯道之授受，而求諸六經之藴，以永太平之烈，所以恢弘遡聖迹，而對揚〔八七〕天子之丕赫命，實惟萬世無疆之庥〔八八〕。於戲，遠哉！工之成也，河道叅政梅公淳，分守叅政侯公应徵，分巡僉事李公天植，兵備僉事戴公燝，莅任始至，共視立石焉。既紀其歲月，因系之詞曰：

泰山巖巖〔八九〕，群嶽所宗，泗彼流水〔九〇〕，亦朝於東。海岱〔九一〕之壤，龠為魯國，廼降玄聖〔九二〕，此惟與宅。運乘五百〔九三〕，道衍三千〔九四〕，江河行地，日月麗天。列辟〔九五〕是師，萬世為土，有廟有林，於焉終古。我明御天，興化崇文，昭假〔九六〕聖祀，跨越前聞。廟有俎筵，林有雉觀〔九七〕，熙洽〔九八〕相承，式增輪奐〔九九〕。胡成弗虧，胡久弗渝，不有冓搆，曷奠神居。惟殿中丞，保釐東夏，侍御省方，亦宣文化。廼協素志，乃稽僉謨，經之營之，畀諸大夫。費不及官，力不及役，五材〔一〇〇〕雲龠，群工霧集。乃作於廟,百堵千楹[一〇一],重闗洞啓,屹彼高墉。乃作於林,為堂為室,樹之華表,石闕是闢。遐犮元聖[一〇二],實國於東,為楹為桷,有侐閟宫[一〇三]。卓爾大贊,靈宇相望[一〇四],匪雕匪飾,華彼陋巷。敝者以新,隘者以宏,或翼或拱,有師有宗。金絲[一〇五]既穆,簠簋[一〇六]孔飭,靈之格思,終安且懌。神明之裔,大小駿奔,逖邇庶士[一〇七],罔或不欣。既闡儒風,亦揚帝烈,肅肅二公,德聲有燁。泰山若礪[一〇八],滄海成田,皇圖聖迹,於千萬季[一〇九]。魯生不敏,敢勒貞石,匪以為觀,永示爾極。

新安羅文瑞摹勒上石,吴郡吴應祈鐫。

(以下碑陰)

萬曆二十三年六月二十二日立。

督工省祭官孫宗基,石匠陳其善、馮良德。

【注釋】

〔一〕于慎行(1545—1607):字無垢,号穀山,平陰東阿人。《明史》有傳。隆慶二年(1567)成爲進士,改庶吉士,授翰林院編修官。萬曆年間任禮部尚書、太子少保兼東閣大學士。他熟悉歷代典章,對明朝禮制建設有較大貢獻;文學成就超群,其詩文"春容弘麗,一時推大手筆",被譽爲明萬曆年間"文學爲一時冠"。著有《穀城山館詩文集》《讀史漫録》《穀山筆麈》等,編纂《兖州府志》《東阿縣志》等。

〔二〕楊巍(1517—1608):字伯謙,號夢山,又稱二山先生。山東海豐縣(今無棣縣)人。《明史》有傳。嘉靖二十六年(1547)中進士,歷任武進縣知縣、晋陝二省巡撫、兵部侍郎、户部尚書、工部尚書和吏部尚書，並加太子少保、太子太保、上柱國。著有《存家詩稿》《續存家詩稿》《文稿》《雜著》《譫語》《樕餘録》《諸家抄》《宏正詩抄》《近疏漫録》《四書訓略》《桃花嶺詩集》《歸桃花嶺詩集》。

〔三〕趙煥(1541—1619)：字文光，號吉亭，掖城人。《明史》有傳。嘉靖四十四年(1565)進士，歷任烏程知縣、工部主事、順天府丞、左僉都御史、工部右侍郎、吏部左侍郎、刑部尚書、兵部尚書，吏部尚書等職。熹宗初，贈太子太保。

〔四〕膺籙：謂帝王承受符命。

〔五〕御天：控御天道，統治天下。《易·乾》："時乘六龍以御天。"

〔六〕祀：商代對年之稱呼。《爾雅·釋天》："夏曰歲，商曰祀，周曰年。"

〔七〕連標：河南禹州人，進士，萬曆時任巡按監察御史。

〔八〕諏："諏"字之異體，咨詢，謀劃。《爾雅·釋詁上》："諏，謀也。"《玉篇·言部》："諏，問正(政)事也。"

〔九〕祗若：敬順。《書·説命上》："疇敢不祗若王之休命。"孔傳："言王如此，誰敢不敬順王之美命而諫者乎?"

〔一〇〕經緯八埏：謂治理天下。埏，地之邊際；八埏，八殥。

〔一一〕毖祀：謹慎祭祀。《書·洛誥》："予衝子夙夜毖祀。"孔傳："言政化由公而立，我童子徒早起夜寐，慎其祭祀而已。"

〔一二〕執事：有職守之人，指官員。《書·盤庚下》："嗚呼！邦伯師長百執事之人，尚有隱哉。"孔穎達疏："其百執事謂大夫以下，諸有職事之官皆是也。"

〔一三〕簡書：用於告誡、策命、盟誓、徵召等事的文書。

〔一四〕敷化：布行教化。

〔一五〕薿：察諸文義疑此字有誤，《兖州府志》等其他著録版本爲“褎”，或因與“褎”字形相近而誤。

〔一六〕烝嘗：秋冬二祭，亦泛稱祭祀。《詩·小雅·楚茨》：“絜爾牛羊，以往烝嘗。”鄭玄箋：“冬祭曰烝，秋祭曰嘗。”

〔一七〕鄭汝璧(1546—1607)：字邦章，號昆岩、愚公，縉雲(今浙江麗水)縣城東門人。明隆慶二年(1568)進士。始授刑部江西司主事，累遷雲南司郎中。神宗萬曆二十一年(1593)爲右僉都御史、巡撫山東，修繕孔廟、孔林，立碑建坊，著有《五經旁訓》《功臣封爵考》《皇明帝后紀略》《同姓諸王表》《臣謚類鈔》《大明律例解》《封司典故》《延綏鎮志》《由庚堂詩文集》等。

〔一八〕咨：通“茲”，此也。《爾雅·釋詁下》：“咨，此也。”

〔一九〕翊襄：輔佐、輔助。

〔二〇〕貰：“貴”字之異體。

〔二一〕贖鍰：贖罪的銀錢。

〔二二〕香稅：對朝山進香的信士、信女徵收的一種特殊稅錢。

〔二三〕將作：古代官署名，是中國古代負責宫室、宗廟、陵寢等公共土木建築的機構，兼領百工。秦、漢、魏、晋、隋、唐置將作監，均隸屬少府(少府監)，宋代與少府監並立，政令仰工部。元代稱將作院，管理範圍包括前代少府監與將作監。明代初設將作司，後廢入工部。

〔二四〕筦庫：即管庫、倉庫。

〔二五〕羡金：餘金。

〔二六〕營馬：兵馬。

〔二七〕郡：“郡”字之異體。

〔二八〕敬共：恭敬地供給。共，通“供”。《左傳·襄公八年》：“敬共幣帛，以待來者，小國之道也。”

〔二九〕里胥：里長。

〔三〇〕埆：獄訟。《集韵·覺韵》：“埆，獄也。”

〔三一〕懥：通"惰"，怠惰，此處謂偷工減料。

〔三二〕菓日揆景：占卜日子，測量日影，以定時間或方位。

〔三三〕庀徒鳩材：聚集工匠、役夫，準備材料。

〔三四〕臯門：古時王宫的外門。臯，"皋"字之異體。

〔三五〕朝闕：宫闕。

〔三六〕楣楶甓甃：楣，房屋的横梁。楶，古木構架建築中斗栱。甓甃，磚壁。

〔三七〕丹雘髹漆：塗飾油漆色彩。

〔三八〕僈：污。《荀子·榮辱》："污僈突盜，常危之術也。"楊倞注："僈當爲'漫'，漫亦污也。"

〔三九〕煌煌：明亮輝耀貌。《詩·陳風·東門之楊》："昏以爲期，明星煌煌。"朱熹："煌煌，大明貌。"

〔四〇〕躭躭：深邃貌。

〔四一〕神路：孔子墓前的道路，謂亡靈所經之路徑。

〔四二〕繚垣：圍墻。

〔四三〕壖垣：宫外的矮墻。

〔四四〕版築：土墻之類的工事或圍墻。

〔四五〕嶢嶢：高貌。

〔四六〕鬱鬱：美好貌。

〔四七〕閎：巷門。

〔四八〕牓：牌額、題榜。

〔四九〕閭：里、巷的大門。《説文·門部》："閭，里門也。"

〔五〇〕巘巘：高貌。

〔五一〕翼翼：莊嚴雄偉貌。

〔五二〕霞駮雲蔚：形容顔色如霞一樣光彩斑斕，如雲一樣絢麗華美。典出《文選·魯靈光殿賦》："霞駮雲蔚，若陰若陽。"

〔五三〕都：明代鄉里行政建制中的一級機構，相當於區或鄉。

〔五四〕凫繹：繹，通"嶧"。凫繹，指山东鄒縣的凫山、嶧山。《詩·魯頌·閟宫》："保有凫繹，遂荒徐宅。"毛傳："凫，山也。繹，山也。"

〔五五〕岑：山石險峻貌。

〔五六〕宗子上公：宗子，族長。上公，公爵的尊稱，亦泛指高官顯爵。

〔五七〕三姓之裔：由前面碑文記載修建孔廟孔林、周公廟、顔廟等事，可知所謂三姓即爲孔子、周公、顔子的後裔。

〔五八〕豆籩：祭器。木製的叫豆，竹製的叫籩。《書·武成》："丁未，祀於周廟，邦甸侯衛，駿奔走，執豆籩。"蔡沈集傳："豆，木豆。籩，竹豆。祭器也。"

〔五九〕熈朝：興盛的朝代。熈，通"熙"。

〔六〇〕不腆：謙詞，猶言淺薄。

〔六一〕稽："稽"字之異體。

〔六二〕昊穹：蒼天。

〔六三〕肇立人紀：開始創修人立身處世的道德規範。《書·伊訓》："先王肇修人紀。"孔傳："言湯始修爲人綱紀。"

〔六四〕兆人：兆民，百姓衆民。

〔六五〕逮：《字彙·辵部》："逮，逮逮，安和貌。"

〔六六〕集厥大成：謂孔子思想集古聖賢之大成。語出《孟子·萬章下》："孔子之謂集大成。集大成也者，金聲而玉振也。"

〔六七〕陶鑄：比喻造就、培育。

〔六八〕括弧内字據《兖州府志》補，下同。

〔六九〕皇綱帝紘：帝王治國之綱紀。

〔七〇〕於戲：猶於乎。戲，"戲"字之異體。

〔七一〕在㫺：從前、往昔。㫺，"昔"字之異體。《書·洪范》："我聞在昔，鯀堙洪水，汨陳其五行。"

〔七二〕重潕累洽：前後功績相繼，累世昇平。潕，"熙"字之異體。

〔七三〕三五：指三十年和五百年。古謂天運三十年一小變，五百年一大變。《史記·天官書》："爲國者必貴三五。"司馬貞索隱："三五，謂三十歲一小變，五百歲一大變。"

〔七四〕成憲：原有的法律、規章制度。《書·説命下》："監於先王成憲，其永無愆。"

〔七五〕榱桷：屋椽，圓形爲椽，方形爲桷。

〔七六〕戓："或"字之異體。

〔七七〕昭代：政治清明的時代。常用以稱頌本朝或當今時代。

〔七八〕綏輯萌隷：安撫百姓。隷，"隸"字之異體。萌隷，猶百姓。

〔七九〕疆圉：邊境、邊界。

〔八〇〕庻務：各種政務。《易·賁》："山下有火，賁。君子以明庶政，無敢折獄。"

〔八一〕遺烈：前人遺留的烈節、風操。

〔八二〕統緒：系統。

〔八三〕秩叙：正常的次序。《周禮·地官·鄉師》："凡邦事，令作秩叙。"鄭玄注："秩，常也。叙，猶次也。"

〔八四〕参稽：参酌稽考，对照查考。《荀子·解蔽》："疏观万物而知其情，参稽治乱而通其度。"

〔八五〕二帝三王：指唐堯、虞舜、夏禹、商湯、周文王（或周武王）。《文選·揚雄〈羽獵賦〉》："昔在二帝三王，宫館臺榭……財足以奉郊廟，御賓客，充庖廚而已。"李善注引應劭曰："堯、舜、夏、殷、周也。"

〔八六〕文華：宫殿名，爲明清皇帝講授經史之所。

〔八七〕對揚：頌揚。凡臣受君賜時多用之，兼有答謝、頌揚之意。《書·説命下》："敢對揚天子之休命。"孔傳："對，答也。答受美命而稱揚之。"

〔八八〕庥：庇蔭、保護。

〔八九〕泰山巖巖：言泰山之高巖巖然。語出《詩·魯頌·閟宫》："泰山巖巖，魯邦所詹。"

〔九〇〕沔彼流水：典出《詩·小雅·沔水》："沔彼流水，朝宗於海。"毛亨："沔，水流滿也。"

〔九一〕海岱：海，渤海。岱，泰山。

〔九二〕玄聖：指孔子。

〔九三〕運乘五百：謂孔子之道統秉承於五百年前之周文王。《孟子·盡心下》載："由堯舜至於湯，五百有餘歲，若禹、皋陶，則見而知之。若湯，則聞而知之。由湯至於文王，五百有餘歲，若伊尹、萊朱，則見而知之；若文王，則聞而知之。由文王至於孔子，五百有餘歲，若太公望、散宜生，則見而知之；若孔子，則聞而知之。"

〔九四〕道衍三千：謂孔子之道由其三千弟子繼承傳衍。《史記·孔子世家》載："孔子以《詩》《書》《禮》《樂》教，弟子蓋三千焉，身通六藝者七十有二人。"

〔九五〕列辟：指歷代君主。

〔九六〕昭假：昭示其誠敬之心以達於神。《詩·大雅·雲漢》："大夫君子，昭假無贏。"朱熹："昭，明也。假，至也。"

〔九七〕雉觀：雉，城墻。觀，宫門之闕。

〔九八〕熙洽：清明和樂，安樂和睦。

〔九九〕輪奂：形容屋宇高大衆多。

〔一〇〇〕五材：指金、木、水、火、土五種物質。《左傳·襄公二十七年》："天生五材，民並用之，廢一不可。"杜預注："五材，金、木、水、火、土也。"

〔一〇一〕百堵千楹：指很多建築。堵，墙。楹，柱。

〔一〇二〕元聖：指周公。

〔一〇三〕有侐閟宫：典出《詩·魯頌·閟宫》："閟宫有侐，實實枚枚。"毛傳："閟，閉也。先妣姜嫄之廟在周，常閉而無事。"

〔一〇四〕望："望"字之異體。

〔一〇五〕金絲：借指弦樂器。

〔一〇六〕簠簋：簠與簋。兩種盛黍稷稻粱之禮器。

〔一〇七〕庻士：衆士。庻，"庶"字之異體。《書·畢命》："兹殷庶士，席寵惟舊。"孔傳："此殷衆士，居寵日久。"

〔一〇八〕泰山若礪：泰山小得象塊磨刀石，比喻時間久遠。礪，磨刀石。《史記·高祖功臣侯者年表》："封爵之誓曰：'使河如帶，泰山若礪，國以永寧，爱及苗裔。'"

〔一〇九〕秊："年"字之異體。

（陳以鳳）

萬曆三十一年重修顏廟碑文

此碑立於萬曆三十三年(1605),現鑲於顏廟中部東碑亭西側墻壁内。碑身較小,分左右兩塊,每塊規格相當,碑高約0.32米,寬約0.85米。現被侵蝕嚴重,許多字跡已模糊不可辨認。《陋巷志》卷六、乾隆《曲阜縣志》卷三十《通編》、《古今圖書集成·方輿彙編·職方典》、駱承烈《石頭上的儒家文獻——曲阜碑文録》著録碑文。

重修顏廟碑文

夫圓靈〔一〕上運,則七政〔二〕緯其高明,方祇〔三〕下凝,則嶽瀆〔四〕經其博厚,斯兩儀〔五〕繇之奠位〔六〕,四序〔七〕所以成功也。粵自鴻濛〔八〕既派〔九〕,元氣攸分,帝籍〔一〇〕稍渝〔一一〕,皇風〔一二〕益邈〔十三〕,則始儲精〔一四〕啟運〔一五〕,寄命〔一六〕聖哲,而孔氏之統興焉。固以模範百王,典謨〔一七〕萬代,配乾元〔一八〕之資始,儷〔一九〕坤德〔二〇〕之廣生矣,三千及門,七十通藝,四科之首,位冠羣賢,大哉顏氏之承其緒乎！爾其陶鑄〔二一〕聖門，步趨師矩〔二二〕，秉上智之質而發以如愚〔二三〕，懸坐忘〔二四〕之符而助以不惰〔二五〕，口絕談議〔二六〕而聖蘊畢彰，訓闕篇籍而師宗獨著，蓋為道生孔，為孔生顔，所以翊贊化原〔二七〕，羽儀景運〔二八〕，辟在天之懸象則義明為衆陽之宗，方在地之成形則岱宗為生物之府。斯以彖玄造〔二九〕而不毀，歷振古〔三〇〕而如新者，與列辟相承，代脩秩祀，制多沿革，禮蔑汙隆。稽〔三一〕統業〔三二〕於皇王，則孔師而周聖，遡淵源於授受，則孔聖而顔師。固已登布素〔三三〕於握圖〔三四〕，緒宗祧〔三五〕於主器，而表章雖備，擬議〔三六〕非倫，至首加五等之階〔三七〕，特錫元公之號，斯則假器名於人爵，授寵數〔三八〕於朝章〔三九〕，非所以全太上之尊，表無文之敬也。聖朝丕膺景曆〔四〇〕，益闡文明，嚴事聖師，特崇首配，較諸前代，典秩有加焉。逮我世祖議禮更化，改剏〔四一〕隆儀，乃釐〔四二〕兗國之封，薦復聖之號，徽稱既備，明祀益虔，祝嘏〔四三〕被於普天，裸獻〔四四〕覃〔四五〕於出日〔四六〕，況星纏〔四七〕降毓之區，雲裔蒸嘗之地哉！曲阜顔廟即陋巷故居，子孫所世守也，宋熙寧間始搆亭於其井，而勒以銘；元元貞間始移祀於其亭而更為廟；我朝囙其舊址，益衍洪基，堂寢階墉，一如孔宮之制而稍殺〔四八〕，以楹及武〔四九〕焉。歷紀以来，部使牧守，時有修營，載離寒暑，朽敝或多。越萬曆三十祀，巡撫都御史温陵黄公克纘〔五〇〕保釐〔五一〕東夏，禮教聿興；巡按御史河東趙公標〔五二〕、吳門嚴公一鵬〔五三〕，肅靖海邦，文風丕扇，先後行部，至邑展禮，廟庭相與，矢畫協謀，大加興葺，下記所司，庀徒〔五四〕揆日〔五五〕，飾其僾滮，補其圮缺，制雖仍舊，工則鼎新。經始於壬寅〔五六〕九月十一日，至癸卯〔五七〕五月五日落成，於是廟貌彌嚴，俎筵有秩，丹青上絢，黝堊〔五八〕四周，智井〔五九〕覆以雕甍〔六〇〕，舊巷儼如絳闕〔六一〕。是使觀風問禮之使，肅〔六二〕榱桷〔六三〕而興懷，奉璋輿巹〔六四〕之倫，駿豆籩而如在。囬視闕宫有侐〔六五〕，鞠為蓁莽之郊，靈殿巋存，淪作樵牧之藪。斯以考芳躅〔六六〕之無盡，徵聖緒之遐昌者，與世尹孔君既告竣事，乃奉中丞之命求勒貞碑，夫德鄰上聖，稱謂之所不形，道謝羣流，名言之所罕喻，要以昭德紀功，言時稱伐，假徽辭於篆素，考鴻構於鼎鐘云爾。是役也，左布政使沈公季文〔六七〕暨分守叅政來公三聘〔六八〕、分廵副使李公士登〔六九〕受記經營，兖州府知府劉公廷柱〔七〇〕、石公九奏〔七一〕鳩工勸閱，曲阜縣世職知縣孔君貞叢〔七二〕躬親督課，翰林院博士顔君胤祚〔七三〕、伯貞〔七四〕相繼祗奉明禋，而董〔七五〕工則縣丞張擔也，乃作銘曰：

皇風既謝，聖統斯甄，乃命尼父，降靈自天，大猷丕顯，粤﨑惟淵，不有上哲，孰發而傳，緬為華胄，國分遂古，繼别於郳，改服於魯，奕世承家，袞衣章甫，如何我師，韜貞環堵，才則王佐，位與聖鄰，慱約修道，克復歸仁，為邦請益，四代畢陳，邈哉峻軌，允冠人倫，理會寘詮，神符玄契，匪書匪言，訓以萬世，配孔稱師，榮徽罔既，象日麗天，埒嶽峙地，皇明撫運，允廸舊章，乃睠仁里，式廓宫墻，鴻名改薦，制由世皇，淵謨炤焕，靈宇焜煌，於鑠中丞，觀風聖域，乃及侍御，協謀興葺，方岳賦工，郡邑效職，費不及民，成非待日，昔稱陋巷，今也璇宫，重樂宿霧，畫棟宛虹，華堂㷓敞，飛閣穹崇，孔維象帝，此則王公，黻帳孔閑，雕楹有楚，肅穆几簻，雍容萬舞，誰其尸之，雲仍接武，誰其相之，工祝在俎，於昭聖造，文化丕彰，允益監使，仁風載揚，五方翹誦，庶士趨蹌，偉哉崇搆，永耀無疆，世道交喪，彝倫攸斁，匪樹風聲，曷陳藝極，高山是仰，瀦源可挹，嗟我後人，永維是式。

賜進士出身、資善大夫禮部尚書兼翰林院學士、前經筵日講、《國史》副總裁官魯國諸生于慎行〔七六〕撰文。

長洲諸生杜大綬〔七七〕書。

吳郡沈本立刻。

【注釋】

〔一〕圓靈：亦稱"圓精"，即圓天，古以天圓且有精靈，故稱。《文選·顔延之〈宋文皇帝元皇后哀策文〉》："圓精初鑠，方祇始凝。"李善注："言天地始分也。"吕延濟注："圓精，謂天也；方祇，謂地也。"《淮南子·天文訓》曰："宇宙生氣，氣有涯垠，清陽者薄靡而爲天，重濁者凝滯而爲地。"

〔二〕七政：指日、月和金、木、水、火、土五星。

〔三〕方祇：指地。

〔四〕嶽瀆：即五嶽四瀆，儒教百神，也泛指天下所有的山川之神。五嶽是東嶽泰山、西嶽華山、南嶽衡山、北嶽恒山、中嶽嵩山；四瀆是長江、黄河、淮河、濟水。

〔五〕兩儀：指天地。一説指陰陽。《易·繫辭上》："是故易有太極，是生兩儀。"孔穎達疏曰："不言天地而言兩儀者，指其物體。"

〔六〕奠位：定位。

〔七〕四序：指春夏秋冬四季。

〔八〕鴻濛：宇宙形成前的混沌狀態。

〔九〕派：原指水的支流，引申爲分開。

〔一〇〕帝籍：皇族世系的譜録。

〔一一〕渝：溢也，水满外流，這裏引申爲有餘、完備。

〔一二〕皇風：皇帝的教化。

〔一三〕邈：遥遠、久遠。

〔一四〕儲精：儲存精氣。精，指精氣、元氣，古人認爲事物本原的東西。

〔一五〕啟運：指皇帝開啓世運。

〔一六〕寄命：以重任相委託。《論語·泰伯》："可以託六尺之孤，可以寄百里之命，臨大節而不可奪也，君子人與？君子人也。"

〔一七〕典謨：《尚書》中《堯典》《大禹謨》的並稱，泛指經典之文，這裏用作動詞，作爲萬代的典謨。

〔一八〕乾元：天。《易·乾》："大哉乾元，萬物資始。"孔穎達疏："萬象之物，皆資取乾元，而各得始生。"

〔一九〕儷：即配，匹配、配合。

〔二〇〕坤德：指地。此兩句言孔子之德，得配天地。

〔二一〕陶鑄：製作陶範並用以鑄造金屬器具，比喻造就、培育。

〔二二〕步趨師矩：語出《莊子·田子方》："顔淵問於仲尼曰：'夫子步亦步，夫子趨亦趨，夫子馳亦馳；夫子奔逸絶塵，而回瞠若乎後矣！'"

〔二三〕如愚：語出《論語·爲政》："吾與回言終日，不違如愚，退而省其私，亦足以發，回也不愚。"

〔二四〕坐忘：語出《莊子·大宗師》："顔回曰：'回益矣。'仲尼曰:‘何謂也?’曰:‘回忘仁義矣。’曰:‘可矣,猶未也。’他日復見,曰:‘回益矣。’曰:‘何謂也?’曰:‘回忘禮樂矣。’曰:‘可矣,猶未也。’他日復見,曰:‘回益矣。’曰:‘何謂也?’曰:‘回坐忘矣。’仲尼蹴然曰:‘何謂坐忘?’顔回曰:‘墮肢體,黜聰明,離形去知,同於大通,此謂坐忘。’仲尼曰:‘同則無好也,化則無常也。而果其賢乎!丘也請從而後也。’”學人常説顔子“坐忘”,這其實是莊子遁世之説,而不是儒家正統思想。

〔二五〕不惰:語出《論語·子罕》:“子曰:‘語之而不惰者,其回也與!’”范祖禹説:“顔子聞夫子之言,而心解力行,‘造次’‘顛沛’,未嘗違之。如萬物得時雨之潤,發榮滋長,何有於惰?此群弟子所不及也。”

〔二六〕口絕談議:文獻中多有顔子“口絶談議”的描述,如《論語·爲政》中孔子讚許顔子:“吾與回言終日,不違如愚,退而省其私,亦足以發,回也不愚。”《説苑·指武》::“孔子喟然歎曰:‘登高望下,使人心悲,二三子者,各言爾志,某將聽之。’……顔回獨不言……曰:‘文武二事,二子已言之,回何敢焉。’”王陽明《梁仲用默齋説》贊歎顔子曰:“故善默者莫如顔子,闇然而日章,默之積也。”

〔二七〕翊贊化原:翊贊,輔助。化原,生化之原。

〔二八〕羽儀景運:羽儀,輔翼。景運,好時運。

〔二九〕玄造:造化、創造演化。

〔三〇〕振古:遠古、往昔。

〔三一〕稽:考計。

〔三二〕統業:帝王之業。

〔三三〕布素:本指布質素衣。布指質地,古代麻葛織品。素指顔色,白色的。布素形容衣著儉樸,也用來代指貧寒士人。

〔三四〕握圖:謂膺天命而有天下。圖指符命。

〔三五〕宗祧:即宗廟。祧,遠祖之廟。《禮記·祭義》曰:"築爲宫室,設爲宗祧,以别親疏遠邇,教民反古復始,不忘其所由生也。"

〔三六〕擬議:揣度議論,多指事前的考慮。

〔三七〕五等之階:典出《禮記·禮器》"大夫五尺"。鄭玄注曰:"大夫堂五尺,階五等。"這裏用五尺之階代指官職,顔子一生没有入仕,後世朝廷多對顔子贈官加封。

〔三八〕寵數:帝王給予的禮數。

〔三九〕朝章:朝廷的典章。

〔四〇〕曆:年代、壽數。

〔四一〕刱:同"創"。

〔四二〕釐:賜予。

〔四三〕祝嘏:古代祭祀時的祝禱和所傳達的言辭。祝是替主人傳話給上神或祖先的祭告之辭,嘏是由尸代表上神或祖先向主人祝福之辭,合稱祝嘏。《禮記·禮運》:"修其祝嘏,以降上神與其先祖。"鄭玄注:"祝,祝爲主人饗神辭也。嘏,祝爲尸致服於主人之辭也。"

〔四四〕祼獻:古代帝王、王后祭祀時,以香酒灌地、以腥熟之食獻神的禮儀。《周禮·天官·内宰》:"大祭祀,后祼獻則瓚,瑶爵亦如之。"鄭玄注:"謂祭宗廟。王既祼而出迎牲,后乃從後祼也……獻,謂王薦牲薦孰,后亦從後獻也。"

〔四五〕覃:遍及、廣施。

〔四六〕出日:日出之處,泛指天下。

〔四七〕星纏:如列星環繞。

〔四八〕殺:減省。

〔四九〕武:繼承。

〔五〇〕黄公克纘:即黄克纘,字紹夫,號鍾梅,温陵(今福建晋江)人,萬曆八年(1580)進士,官任南京兵部尚書,曾任山東左布政使,就地轉任右副都御史,巡撫山東。

〔五一〕保釐:治理百姓,保護扶持使之安定。

〔五二〕趙公標:即趙標,字貞甫,山西解州人,萬曆十四年(1586)進士,累仕巡按直隸監察御史,曾彙刻《三代遺書》六種(《竹書紀年》二卷,《汲冢周書》十卷,《批點考工記》二卷,《穆天子傳》六卷,宋蘇洵、謝枋得《檀孟批點》二卷,《六韜》六卷)。

〔五三〕嚴公一鵬:即嚴一鵬,字化卿,江蘇無錫人,萬曆五年(1577)進士,曾任山東巡按。無錫有一座齒德兼優坊,乃崇禎皇帝褒獎他而建。明《歷乘》及泰山行宫石刻記載嚴一鵬與黄克纘同遊華不注山所唱和之詩:《同嚴侍御登山》《同遊次黄大中丞韻》。

〔五四〕庀徒:聚集工匠、役夫。

〔五五〕揆日:測量日影以確定營造方位,亦指選擇時日。

〔五六〕壬寅:萬曆三十年(1602)。

〔五七〕癸卯:萬曆三十一年(1603)。

〔五八〕黝堊:黑色和白色。

〔五九〕眢井:無水的井,此指陋巷井。

〔六〇〕雕甍:雕鏤文采的屋棟。甍,屋棟。

〔六一〕絳闕:宫殿寺廟前的朱色門闕。

〔六二〕肅:整理、整飭。

〔六三〕榱桷:即椽子。榱,《説文》曰:"榱,秦名爲屋椽,周謂之榱。"桷,方形的椽子。《説文》曰:"桷,榱也,椽方曰桷。"

〔六四〕斞鬯:舀取祭祀用的香酒。

〔六五〕閟宫有侐:語出《詩·魯頌·閟宫》:"閟宫有侐,實實枚枚。"閟,神秘的。侐,清静貌。

〔六六〕芳躅:前賢的蹤跡。芳,指有美譽的賢人。躅,足跡。

〔六七〕沈公季文:即沈季文,字少卿,吴江(今江蘇蘇州)人,萬曆五年(1577)進士,歷任工部主事、四川按察使、河南巡撫、山東布政使等。

〔六八〕來公三聘:即來三聘,字任請,浙江蕭山人,萬曆十一年(1583)進士,曾任山東副使,尋加參政,備兵兖西。少喜作詩,著有《西軺漫稿》《薄游吟稿》。

〔六九〕李公士登:即李士登,河南洛陽人,萬曆八年(1580)進士,曾任東昌(聊城)知府、山東副使、廣西參政。

〔七〇〕劉公廷柱:即劉廷柱,江西南昌人,萬曆二十年(1592)進士。

〔七一〕石公九奏:即石九奏,字伯成,冀州(今河北衡水)人,萬曆二十年(1592)進士。著有《石伯成詩稿》。

〔七二〕孔君貞叢:即孔貞叢,字用茂,孔子第六十三代孫,萬曆二十七年(1599)任曲阜縣世職知縣。撰《闕里誌》十二卷,是書乃陳鎬《闕里誌》後第二次重修本,成於萬曆三十七年(1609)。

〔七三〕顔君胤祚:即顔胤祚,字永錫,號新吾,以兄胤宗早卒,於萬曆十七年(1589)代襲翰林院五經博士,主奉祀事。撰萬曆二十九年(1601)《陋巷志》八卷。

〔七四〕伯貞:即顔伯貞,字叔節,號建中,顔胤宗之子、胤祚從子。萬曆二十七年(1599)襲翰林院五經博士,主奉祀事,封修職郎。

〔七五〕董:監督管理。

〔七六〕于慎行:字無垢,山東東阿人,隆慶二年(1568)進士,授編修之職。萬曆初,充日講官,後陞任禮部尚書,因請立國本,惹怒皇帝而避罪辭職。萬曆三十三年(1605)始起掌詹事府,三十五年(1607)加封太子少保兼東閣大學士,數日卒,謚號文定。《明史》有傳。

〔七七〕杜大綬:江蘇蘇州人,明代書畫家,精楷書,亦善山水、蘭竹。傳世有《幽蘭圖》。

(崔偉芳)

萬曆三十八年題孔林詩碑

此碑立於明神宗万曆三十八年(1680),現位於孔林洙水橋北,西側南起第2石。碑高1.38米,寬0.79米,厚0.19米。碑座高0.14米。碑身草書,共6行,正文現存31字,落款18字。此碑下半部完全殘壞,不復存在,故碑文缺字甚多。

清孔繼汾《闕里文獻考》卷四十一、駱承烈《石頭上的儒家文獻——曲阜碑文録》著録全碑。《闕里文献考》著録名爲"畢懋康謁林",其中"正化"誤作"已化";駱承烈《石頭上的儒家文獻——曲阜碑文録》"正化"誤作"已化"。

洙泗瀠廻〔一〕兩派分〔二〕,(泰)〔三〕(山)(龍)(護)(素)(王)(墳)。

傳經正化三千士〔四〕,執(贄)〔五〕(難)(逢)(七)(十)(君)〔六〕。

室築〔七〕空場生蔓草,樹(連)(華)(表)(鎖)(寒)(雲)。

高山仰止〔八〕勤瞻拜,敬(向)(春)(風)(獻)(魯)

(芹)[九]。

皇明萬曆歳在庚戌暮春,欽差巡按直隸[一〇]等處。

【注釋】

〔一〕濴廻:水流回旋。

〔二〕此句概謂洙泗分流之事。古時洙水、泗水於今山東省泗水縣北合流而下,至曲阜北,分爲二水,洙水在北,泗水在南。

〔三〕括弧内字據《闕里文献考》補足,下文同。

〔四〕此句謂孔子傳經教化三千弟子。《史記·孔子世家》載:"孔子以《詩》《書》《禮》《樂》教,弟子蓋三千焉,身通六藝者七十有二人。"正化,正統的教化。

〔五〕執贄:古代禮制,謁見人時攜禮物相贈。執,持;贄,禮物。《禮記·檀弓上》:"魯人有周豐也者,哀公執贄請見之。"

〔六〕此句謂孔子周遊列國,拜見過多位諸侯國君,終不得用。《史記·十二諸侯年表》載:"孔子明王道,干七十餘君,莫能用。"

〔七〕室築:建築屋舍。此處謂孔子卒後,子貢於冢前築室守墓六年一事。《史記·孔子世家》:"孔子葬魯城北泗上,弟子皆服三年。三年心喪畢,相訣而去……唯子贡廬於冢上,凡六年,然後去。"

〔八〕高山仰止:表崇敬仰慕之意,語出《詩·小雅·車舝》:"高山仰止,景行行止。"

〔九〕獻魯芹:謙言自己獻礼品菲薄。

〔一〇〕隸:"隸"字之異體。

(陳以鳳)

萬曆三十九年重建顔廟門坊碑

此碑位於顔廟歸仁門下西側,高189釐米,寬66.5釐米,厚16.5釐米,碑頭楷書"大明"二字,碑身共52字,楷書,保存完好。

駱承烈《石頭上的儒家文獻——曲阜碑文録》著録全碑,題名作"萬曆三十九年顔廟卓冠賢科碑","于"作"於","廵按"誤作"巡撫","博"作"博"。《曲阜的歷史名人與文物》有記,"三十九年"誤作"三十二年"。

顔聖紅門、卓冠賢科坊歲久圮壞,于萬曆三十九年,蒙欽差廵按直隸等處監察御史馬孟禎〔一〕重建。世襲翰林院五經博士顔伯廉〔二〕立石。

【注釋】

〔一〕據《明史·馬孟禎傳》,孟禎字泰符,安徽桐城人,爲人耿直清廉,不參與黨争,數起數落。

〔二〕顔伯廉:顔胤宗之次子,字叔清,嘉靖三十四年(1555)世襲翰林院五经博士，天啓元年(1621)任修職郎。

(鄧田田)

萬曆四十八年王在晉祭顔碑

此碑立於神宗萬曆四十八年(1620),位於顔廟克己門下南面西墻,碑高 0.57 米,碑寬 1.03 米。全文皆爲行書。碑頭爲一"維"字,正文一百六十字,落款十四字。

維萬曆四十八年歲次庚申,四月辛巳朔,越五日壬子,欽差巡撫山東等處地方,頒督理□田,提為軍務都察院右副都御史王在晉,謹以牲配之儀致祭于復聖顔子之前曰:魯國□□,扵道庶幾。心齋坐息,三月不違〔一〕。簞瓢陋巷,人不堪憂。子曰賢哉,樂復何求。不伐符施,克己復禮〔二〕。一善拳拳〔三〕,心乎仁矣。上下不交〔四〕,子畏扵匡,斯文未喪〔五〕,舍之則藏〔六〕。誦詩讀書,千古尚友,四科十哲〔七〕,德行居首。我所願學,學孔希顔。仰之邇□,□望尼山。行過闕里,穆陳尊俎。舊巷千穐,顔子樂處。

【注釋】

〔一〕三月不違:語出《論語·雍也》:"子曰:'回也,三月不違仁,其餘則日月至焉而已矣。'"孔子讚揚顔回長久地不離開仁德,其他人衹是偶爾想起一下罷了。

〔二〕克己復禮:語出《論語·顔淵》:"顔淵問仁。子曰:'克己復禮爲仁。一日克己復禮,天下歸仁焉。爲仁由己,而由人乎哉?'"即克制自己,使言語行動皆合於禮。做到克己復禮,也就做到了"仁"。

〔三〕一善拳拳:典出《中庸》:"子曰:'回之爲人也,擇乎中庸,得一善,則拳拳服膺而弗失之矣。'"孔子説顔回選擇了中庸之道,得到它的好處,就牢牢地放在心上,不讓它失去。

〔四〕上下不交:《易·否卦·彖傳》:"上下不交而天下無邦也。"象徵在黑暗閉塞的局勢下,天地相互不交合,萬物生養不暢通,君臣上下不溝通,天下分崩離析,難成國邦。

〔五〕子畏於匡,斯文未喪:《論語·子罕》:"子畏於匡,曰:'文王既没,文不在兹乎?天之將喪斯文也,後死者不得與於斯文也;天之未喪斯文也,匡人其如予何?'"孔子經過匡,遭囚禁。孔子認爲周文王死後,文化遺産的傳承都在他那裏,如果上天要消滅這種文化,那麽他就不會掌握這種文化了,如果上天不要消滅這種文化,那麽匡人就能拿他怎麽樣呢?

〔六〕舍之則藏:語出《論語·述而》:"子謂顔淵曰:'用之則行,舍之則藏,惟我與爾有是夫!'"

〔七〕四科十哲:典出《論語·先進》:"德行:顔淵,閔子騫,冉伯牛,仲弓。言語:宰我,子貢。政事:冉有,季路。文學:子游,子夏。""四科"即德行、言語、政事、文學。"十哲"即顔淵、閔子騫、冉伯牛、仲弓、宰我、子貢、冉有、季路、子游、子夏,其中,顔淵爲十哲之首。

(張　慧)

錢達道謁顏子廟詩

此碑無明確刻石時間,惟知作者爲明萬曆間人。現鑲於顏廟中院西碑亭外北墻,西石。高約0.57米,寬約0.78米,四周刻雲邊。碑文楷書,共8行,行7字,共57字。《陋巷志》卷七、駱承烈《石頭上的儒家文獻——曲阜碑文録》著録碑文。

駱承烈《石頭上的儒家文獻——曲阜碑文録》中"齋"誤作"齊","泯"誤作"珉"。

謁顏子廟

闕里稱多士,賢哉獨坐忘〔一〕。齋心泯爾我,處世任行藏〔二〕。軒冕〔三〕榮何戀,簞瓢樂自將。和風〔四〕披拂處,血食〔五〕正無疆。

海虞錢達道〔五〕。

【注釋】

〔一〕坐忘:典出《莊子·大宗師》:"顏回曰:'回益矣。'仲尼曰:'何謂也?'曰:'回忘仁義矣。'曰:'可矣,猶未也。'他日復見,曰:'回益矣。'曰:'何謂也?'曰:'回忘禮樂矣。'曰:'可矣,猶未也。'他日復見,曰:'回益矣。'曰:'何謂也?'曰:'回坐忘矣。'仲尼蹴然曰:'何謂坐忘?'顔回曰:'墮肢體,黜聰明,離形去知,同於大通,此謂坐忘。'仲尼曰:'同則無好也,化則無常也。而果其賢乎! 丘也請從而後也。'"學人常説顔子"坐忘",這其實是莊子遁世之説,而不是儒家正統思想。

〔二〕行藏:典出《論語·述而》:"子謂顔淵曰:'用之則行,舍之則藏,惟我與爾有是夫!'"意爲:孔子對顔子説能被任用就入世行道,不能被任用就離開,能做到這樣的衹有你和我了吧。這亦是承接上句意思,表達一種曠達的處世態度。

〔三〕軒冕:古時士大夫乘軒戴冕,所以後世用以代指官位爵禄或顯貴的人。

〔四〕和風:程頤説:"仲尼,天地也;顔子,和風慶雲也;孟子,泰山之氣象也。"此處以"和風"代指顔子。

〔五〕血食:即受享祭品,古代殺牲取血以祭祀,故稱;此處用"血食"代指儒家禮儀。此兩句意爲顔子思想深遠,儒家禮儀文化産生廣泛影響。

〔六〕錢達道:字五卿,號培垣,常熟(今江蘇常熟)人。萬曆元年(1573)舉人,歷任兖州府同知、曹縣(今山東菏澤曹縣)知縣等,萬曆十八年(1590)纂修《曹縣志》。著有《鹿苑閑談》一卷。

(崔偉芳)

天啓元年姚士慎祭少昊碑

此石立於明熹宗天啓元年(1621),鑲嵌於少昊陵享殿東與偏門西之間的牆壁上。石高0.7米,寬0.52米。碑文正楷書寫,9行,共86字。

駱承烈《石頭上的儒家文獻——曲阜碑文録》將"維天啟元年"的"維"誤作"惟","辛酉"誤作"癸酉","越柒日"誤作"月七日","致祭于帝少昊金天氏"的"于"寫作"於"、漏掉"帝"字,"於惟聖神"的"惟"誤作"隆"。

維天啟元年歲次辛酉柒月庚子朔越柒日丙(午)〔一〕,皇帝謹遣順天府府丞姚士慎〔二〕致祭于帝少昊金天氏曰:於惟聖神,挺生〔三〕上古。繼天立極〔四〕,開物成務〔五〕。功化之隆,利賴〔六〕萬世。玆予祗承天序〔七〕,式〔八〕展明禋〔九〕,用祈歆鑒,永祚〔一〇〕我邦家。尚饗。

【注釋】

〔一〕初一爲庚子日,根據干支紀日方法,推算得知初七爲丙午日。括弧中"午"字據此補足。

〔二〕姚士慎:字岱芝,松江府華亭縣(今上海松江)人,九歲能屬文,登萬曆三十二年(1604)甲辰科進士,選庶起士,改吏科給事中,累陞光禄寺卿,天啓元年(1621)四月陞爲順天府府丞,天啓二年(1622)六月擢爲通政使司左通政。後,晉南京刑部尚書,致仕。

〔三〕挺生:挺拔生長,亦謂傑出。

〔四〕繼天立極:秉承天意,登基立位。繼天,禀承天意。立極,登帝位,秉國政。

〔五〕開物成務:開通萬物之志,成就天下之務。指通曉萬物的道理並按這道理行事而得到成功。

〔六〕賴:利益,有好處,有益處。

〔七〕天序:天然的秩序、規律、倫常。

〔八〕式:句首語氣詞,無實義。

〔九〕明禋:神明的、真誠的祭祀。禋,誠心祭祀。

〔一〇〕祚:賜福、保佑。

(劉文劍)

崇禎四年優免顏氏雜役闔族感恩記碑

此碑刻於明崇禎四年(1631),位於顏廟"克己門"下南面東側,曲阜知縣孔弘毅等立。碑高2.1米(含"大明"二字碑頭0.46米),寬0.85米,厚0.21米。碑文楷書,共27行,每行54字。駱承烈《石頭上的儒家文獻——曲阜碑文録》著録碑文。

駱承烈《石頭上的儒家文獻——曲阜碑文録》"已二百載"脱"二"字,"法久滋玩"作"法以滋即","孔氏自崇禎"的"氏"作"代","比照"作"此照","先經辨明"的"經"作"紀","吾族"作"五族","崇禎二年亦"作"崇禎前","軫念"作"轉念","獲有寧宇"的"獲"作"猶","敢忘源哉"的"忘"作□,"以垂來禩"的"垂"作"屬","奉本府"脱"本"字,"監察御史"的"監"作"督","優恤"作"有恤","切照"作"竊照","鈞係"脱"鈞"字,"寵錫"作"寵賜","豆碑誌"作"至碑誌","而證"作"而澄","無寧宇"作"無寧乎","北山之感"作"北山之愚","伏□"作"伙□","倘徼"作"倘繳","永切"的"永"字作□,"戴矣"作"戴闕","申稱"作"中稱","有誌書"脱"書"字,"居其七"作"民其七","孔顏居其"下脱"九百姓居其"五字,"今酌處"作"令酬酌處","不獨地方"作"觸地方”,“亦且各衛”下脱“身家原非雜泛差役先年孔氏告免保甲伙夫已”十九字,“俯從”作“府徙”,“從古”作“徙古”,“毋違”作“母違”,“遵依”作“遵以”,“備帖”作“脩帖”,“曉諭”下脱“外”字,“豎立”作“監立”,“聞柱”“聞科”等人名“聞”字俱作“間”。

優免顔氏雜役闔族感恩記

至聖先師〔一〕及復聖先祖〔二〕,皆誕育於曲阜,故茲土為孔顔世居。自漢唐宋以來,代有優恤。至我朝尤加崇重,蠲其租,復其身,即流寓他處者皆免差役,已二百載有奇矣。法久滋玩,有司故膺雜役。孔氏自崇禎元年比照孟氏子孫先經辨明,盡為除豁。吾族於崇禎二年亦比例孔孟具呈按按臺,蒙我邑邑大夫遠舉孔公〔三〕,軫念一體之誼,極力代為伸明,是吾族之獲有寧宇,皆公之恩庇也。飲水者敢忘源哉,因勒之琬琰〔四〕以垂來禩〔五〕云。

兗州府曲阜縣為懇恩比例優恤賢裔事,奉本府帖文,蒙巡按山東監察御史〔六〕王批,據四氏學〔七〕生員顔從理等呈為懇恩比例優恤賢裔事,切照孔、顔、曾、孟鈞係聖賢苗裔,歷代各有褒崇,國朝獨加寵錫,洪武元年有孔氏盡行蠲免,顔氏准免,太宗之旨。厥後顔氏族屬蕃衍,於正統七年,宗官顔希仁題准顔氏子孫亦行蠲免,遂定為儒籍,給以儒服,令之周族□豆,碑誌可考而證也。日久不無玩視,百姓撥膺雜差。前孔氏向撫臺〔八〕辦理,但引洪武遠例,而不及正統。近思此孔氏已得息肩,而顔氏卒無寧宇。竊思均屬聖賢子孫,未免勞佚不一,此諸生動北山之感〔九〕也，伏□□大□師□臺□准批，查優免曾否，碑誌虛實，倘徼一視之仁，永切〔十〕二天〔十一〕之戴矣。理合具呈，須至呈者。蒙批兗州府查議報。蒙此，行□曲阜縣申稱，該知縣孔弘毅查得孔顏二氏，俱係先聖先賢之後，屢荷國恩，崇重甚隆，顧顏氏雖無碑文可考，亦有誌書可憑，前蒙撫院詳允，孔氏子孫優免保甲雜泛差役，獨顏氏而不與焉。此所以來生員顏從理之呈也。以卑職論之，曲阜一邑孔顏居其七，百姓僅有其三，近奉保甲之法，申飭甚嚴，以十家為率，一家有事，九家救援，九家不救，一體連座。且以一村論之，多有孔顏居其九，百姓居其一者，甚有俱係孔顏全無百姓者，倘俱不入保甲，特或一朝有事，誰為稽查，誰為守望，則罪責亦將誰歸哉？誠非保甲立法之深意也。為今酌處，合無將顏氏編入保甲，仍在疃長保正副之中，其鎗手火夫併一切雜泛差役，俱為優免。庶得與孔氏一視同仁，以示優恤□典可也。□蒙行查但特恩出自上裁等因，其詳到府。據此，查得孔顏二氏，從無雜役，袛〔十二〕因地方多事編沒保甲之法，不獨地方賴以綏靖，亦且各衛身家，原非雜泛差役。先年孔氏告免保甲伙夫，已蒙撫臺詳允，此顏氏生員有比例呈也。既給該縣議稱多事，顏氏仍編入保甲，止色火夫雜差，以示優恤，似應俯從合候詳允行令曲阜縣遵奉施行等因，共呈照詳。蒙本院批編保立甲，原不為差，是從古守望之義也，即聖賢世裔准免雜差，未有不入保甲者，此繳。蒙此，擬合就行。為此，帖仰本縣官吏，即將顏氏族人，仍舊編入保甲，共相守禦地方，亦且便於稽查，准免保甲伙夫雜差，以示優恤，俱毋違錯。未便先俱遵依，報府查考，須至帖者等因，備[十三]帖到縣。奉此，隨將顔氏一應雜泛差役伙夫等項，遵照帖文内事理，悉與豁免。已經出示曉諭外，合行勒石豎立廟前，永為遵守。

曲阜縣世職知縣孔弘毅，世襲翰林院五經博士顔光魯，族長重介、舉事胤禧、外翰胤惺，生員胤裕、從理、嗣禎、胤統等戶，舉頭弘溪、弘仁、胤勳、聞柱、胤德、光明、徙坤、嗣楠、胤案、聞科、胤志、胤□、弘動、從周、嗣緒、胤福、聞□、胤恕、伯儒、聞舉、從愛、嗣耀、胤芳、聞英、胤川、光巨立石。

崇禎四年二陽之吉。

【注釋】

〔一〕至聖先師：指孔子。

〔二〕復聖先祖：指顔回。

〔三〕遠舉孔公：即孔弘毅，字遠舉，孔子六十一世孫，據《曲阜縣志》載，崇禎二年至十三年爲曲阜縣令。

〔四〕琬琰：美玉，後成爲碑石的代稱。

〔五〕來禩：即將來。禩，"祀"字之異體。

〔六〕巡按山東監察御史：明代官名，指巡查山東的監察御史，對地方官進行監察糾核。

〔七〕四氏學：封建帝王爲崇奉儒學，專爲孔顔曾孟四姓子弟設立的學校，原爲孔顔孟三氏學，明嘉靖年間增入嘉祥曾氏而爲四氏，四氏生員在科举考試方面享有一定特權。

〔八〕撫臺：即巡撫，巡查地方軍政、民政的大臣，後來演變爲一省主官。

〔九〕北山之感:指勞逸不均的感歎。典出《詩·小雅·北山》:"王事靡盬,憂我父母。溥天之下,莫非王土。率土之濱,莫非王臣。大夫不均,我從事獨賢。"描述一個日夜忙於王事的士子對勞逸不均的不滿。

〔十〕永切:疑爲永叨,永遠承受。

〔十一〕二天:感恩之詞。《後漢書·蘇章傳》:"順帝時,(章)遷冀州刺史。故人爲清河太守,章行部案其奸臧,乃請太守,爲設酒肴,陳平生之好甚歡。太守喜曰:'人皆有一天,我獨有二天。'"

〔十二〕袛:"祇"字之異體。

〔十三〕偹:"備"字之異體。

(曹景年)

崇禎十三年改正顔族地糧碑

此碑立於明崇禎十三年(1640),位於顔廟克己門下南面西側,顔光魯立。碑高2.12米(含風、日、雲紋及“皇明”二字碑頭0.52米),寬0.84米,厚0.22米。碑身有花邊,楷書,共17行,每行14字。駱承烈《石頭上的儒家文獻——曲阜碑文録》著録碑文。

駱承烈《石頭上的儒家文獻——曲阜碑文録》“兵備道左參議”脱“道”字,“申詳本道”作“申飭本道”,“而反於每畝”“而反重於百姓”的“反”均作“及”,“有是理乎”的“有”作“者”,“而欲為議”作“而欽為議”,“勢固難行”脱“難”字,“而共遵復聖”的“而”作“為”,“緣繇”作“緣緜”,“覆批戶房里”的覆作“復”。

奉撫道各上司憲批改正顔族地糧,原詳兖州府為懇恩均賦事。崇禎十二年六月十三日,蒙欽差分守東兖都餉兵備道左參議汪劄付前事,該蒙欽差巡撫山東等處地方督理營田贊理軍務都察院右僉都御史劄批,據本道呈據兖州府申詳本道,看得聖賢後裔原當并從優視,故辦納租稅有不可以編戶〔一〕例之者，孔氏以續買民田，尚併點銀盡豁。顏氏田少於孔氏，乃不辨膏瘠，而反於每畝多加四厘。夫以顏氏之田而不得擬孔氏，猶可言也，至於顏氏之田而反重於百姓，有是理乎？今以一成之額，而欲為議蠲，勢固難行，若以一邑之糧而攤之闔郡，情猶未協，惟有以曲阜多派之糧，仍歸之曲阜百姓，庶乎以錙銖之輸納，而共尊復聖〔二〕之鉅與？計生於聖賢之里者，人或有同心也。緣繇具呈照詳，蒙批如議行繳，蒙此擬合就行。為此，劄仰本府官吏，照依詳劄事理，即便轉行曲阜縣，將顏氏多派之糧，遵照均之該縣百姓，允為便計等因，到府擬合就行。為此，帖仰本縣官吏，照帖備蒙憲劄内事理，將顏氏多派之糧，遵炤均之該縣百姓，勿得違錯，須至帖者。本年七月帖行至縣，該本縣覆批戶房里書遵炤編派，于十三年為始，每小畝減去四厘，永遠遵守。

崇禎十三年五月吉日世襲翰林院五經博士光魯等立石。

【注釋】

〔一〕編户：古代爲徵税而把百姓按户編入户籍，此處指孔、顏二氏不按普通百姓所編的户籍收税，而執行另外一套減免的辦法，這體現了國家對聖人後裔的優恤。

〔二〕復聖：指顏氏祖先、孔子弟子顏回，後人尊爲復聖。

（曹景年）

譚耀謁孔林詩碑

此碑立於明代,具體時間不詳。現位於洙水橋北西側,南起第3石。碑頭雕花卉紋,高0.3米。碑身高1.75米,寬0.81米,厚0.27米。碑座高0.16米。碑身行書,譚耀書,共7行,正文存75字,落款存16字,花卉紋邊。碑身上半部斷裂,今已修復,修復處個别字殘壞不清。因石碑所用石材較差,自然風化下,現碑文整體字跡已模糊不清。

駱承烈《石頭上的儒家文獻——曲阜碑文録》著録全碑,“飛影”誤作“飛彰”,“翹瞻”誤作“翹仰”,“徂暑”誤作“徂署”,“謹書”誤作“拜書”。清孔祥霖《曲阜碑碣考》卷三丙部有記,名爲“譚耀謁林詩”。

謁孔林偶賦一律,不敢一贊所仰〔一〕,用紀其歲月云爾。

岱麓洙源合泗流,銀虹飛影〔二〕翼菟裘〔三〕。翹瞻〔四〕寢宅〔五〕同天遠,想見衣冠〔六〕並扃〔七〕游。長隧〔八〕幽悉〔九〕迎蕙若〔一〇〕,繞井佳氣蔚松楸〔一一〕。墓身猶有三季〔一二〕築,悵指高風〔一三〕思獨悠。

歲丙戌徂暑〔一四〕之六日嶺南譚耀頓首謹書。

【注釋】

〔一〕仰:“仰”字之異體。

〔二〕飛影:移動的影子。

〔三〕菟裘:地名,在今山東省泗水縣。《左傳·隱公十一年》:“羽父請殺桓公,以求大宰。公曰:‘爲其少故也,吾將授之矣。’使營菟裘,吾將老焉。”

〔四〕翹瞻:仰看。

〔五〕寢宅:宗廟後宅衣冠所藏處。寢,“寢”字之異體。

〔六〕衣冠:衣和冠,借指孔子所倡揚的禮樂文明。

〔七〕虒:“虎”字之異體。

〔八〕長隧:長長的地道。

〔九〕秂:“香”字之異體。

〔一〇〕蕙若:蕙草與杜若,皆香草。

〔一一〕松楸:松樹與楸樹。因墓地多植此两树,故以之代稱墳墓。

〔一二〕三季:指夏、商、周三代的末期。《漢書·叙傳下》:“三季之後,厥事放紛。”顔師古注:“三季,三代之末也。”

〔一三〕高風:高尚的風操。

〔一四〕徂暑:盛夏六月。《詩·小雅·四月》:“四月維夏,六月徂暑。”鄭玄箋:“徂,猶始也,四月立夏矣,而六月乃始盛暑。”

（陳以鳳）

施閏章贊手植楷詩碑

此碑立於清朝初期,具體時間不詳。現位於孔林享殿後楷亭外南之東側。碑高 1.45 米,寬 0.7 米,厚 0.18 米,碑座高 0.25 米。碑身行書,施閏章書,共 4 行,現存 44 字,落款存 6 字。碑身殘,現已修復。

清孔繼汾《闕里文獻考》卷四十一著録全碑。駱承烈《石頭上的儒家文獻——曲阜碑文録》著録全碑,"施閏章"誤作"施潤章"。孔祥霖《曲阜碑碣考》卷三丙部有記,名爲"施閏章手植楷詩"。施閏章《學餘堂文集》亦著録此詩,文爲:"手植甇誰記,殘碑留至今。共看獨樹影,猶見古人心。閲歷風霜盡,支離天地陰。經過築室處,千載一沾襟。"與此碑有多處異文。

子貢植楷

不辨何季〔一〕植,殘碑〔二〕留至今。共看獨樹影,猶見古人心〔三〕。閲歷〔四〕風霜盡,蒼茫天地陰。經過築室〔五〕處,千載一霑襟〔六〕。

江左施閏章〔七〕題。

【注釋】

〔一〕秊:"年"字之異體。

〔二〕殘碑:謂子貢植楷碑,位於孔林享殿後。

〔三〕古人心:謂子貢尊師重道的一片誠心。

〔四〕閱歷:經歷。

〔五〕築室:建築屋舍。此處謂孔子卒後,子貢於冢前築室守墓六年一事。《史記·孔子世家》:"孔子葬魯城北泗上,弟子皆服三年。三年心喪畢,相訣而去……唯子贡廬於冢上,凡六年,然後去。"

〔六〕霑襟:浸濕衣襟,謂傷心落淚。《莊子·應帝王》:"列子入,泣涕沾襟以告壺子。"

〔七〕施閏章(1619—1683):字尚白,一字屺雲,號愚山、蠖蘿居士、蠖齋,晚年又號矩齋,江南宣城(今安徽宣城)人。清初著名詩人。順治六年(1649)進士,授刑部主事。十八年(1661)舉博學鴻儒,授侍講,預修《明史》,進侍讀。文章醇雅,尤工於詩,少年即有文名,與宋琬、嚴沆、丁澎、張譙明、趙錦帆、周茂元等以詩相和,時稱"燕臺七子"。與同邑高咏生唱和,主持東南詩壇數十年,時稱"宣城體",位"清初六家"之列,處"海内八大家"之中,在清初文學史上享有盛名。著有《學餘集》《雙溪詩文集》《學餘堂文集》《愚山詩文集》《試院冰淵》《觀海集》《矩齋雜記》《蠖齋詩話》《青原山志略》等。

(陳以鳳)

康熙七年楊永寧祭少昊碑

此碑立於清聖祖康熙七年(1668),位於少昊陵東廡南,東起第2石,碑高2.5米(含浮雕雙龍紋碑首0.81米),寬0.84米,厚0.15米。碑首淺雕雙龍雲紋,篆書“大清”二字,高0.81米。碑身正文用正楷書寫,11行,共119字,碑文四周雕刻龍邊。碑殘爲三,今已修復。

駱承烈《石頭上的儒家文獻——曲阜碑文録》將“康熙柒年”的“柒”寫作“七”,“越拾柒日”的“拾柒”寫作“十七”,“敬遣耑官”的“耑”寫作“專”,將“亟宜肇修”的“亟”誤作“及”。

維康熙柒年歲次戊申肆月己巳朔越拾柒日乙酉,皇帝謹遣光禄寺正卿加一級楊永寧〔一〕致祭於少昊金天氏曰:自古歷代帝王,繼天立極,功德並隆。治統道統,昭垂奕世〔二〕。朕受天眷命,紹纘丕基〔三〕,庶政方親〔四〕,前徽是景〔五〕。明禋大典,亟宜肇修〔六〕。敬遣耑〔七〕官,代將牲帛,爰昭殷薦〔八〕之忱,聿修欽崇之禮。伏惟格歆,尚其鑒饗。

【注釋】

〔一〕楊永寧:字地一,號起齋,山西聞喜縣(今山西聞喜)人。崇禎十二年舉人,順治九年進士,選庶起士,授翰林院檢討。順治十四年,任國子監司業。順治十六年,陞任翰林院侍講學士。順治十八年,任武會試正考官。康熙六年,任光禄寺卿。康熙九年,任太常寺卿、宗人府府丞。康熙十年,任都察院左副都御史、兵部右侍郎。康熙十二年,任兵部左侍郎。康熙十八年,任吏部左侍郎。楊永寧爲人内明外恕,遇事不激不隨,有古大臣之風。《山西通志》卷一百三十五有載。康熙七年,時爲光禄寺卿,受帝命詣闕里祭告少昊,《山西通志》《幸魯盛典》均記有此事。

〔二〕奕世:累世、代代、世代。

〔三〕紹纘丕基:繼承巨大的基業,實指繼承帝位。紹纘,繼承。丕基,巨大的基業。

〔四〕庶政方親:康熙六年七月,康熙親政,是年康熙十四歲,索尼、蘇克薩哈、遏必隆、鰲拜仍爲四大輔臣。

〔五〕前徽是景:以前的懿行是我們應該景仰,遵從的。徽,美好、善良。景,佩服、仰慕、信服、附從。

〔六〕肇修:開始辦理、履行的意思。

〔七〕嵩:同"專"。

〔八〕殷薦:盛大的殷切的樂舞祭祀。殷,一爲樂舞意,《説文》:"殷,作樂之盛稱殷。"二爲盛大意,《廣雅》:"殷,大也,衆也。"三爲深切意。薦,進獻,祭獻,無酒肉做貢品的祭祀,素祭。

(劉文劍)

康熙十七年重修尼山書院碑記

此碑立於清聖祖康熙十七年(1678)仲秋。位於尼山孔廟大成殿前,东側南石。碑高1.72米,寬0.81米,厚0.21米。共19行,行8字。孔興淳等立。

尼山為我聖祖發跡之地。創廟以祀,始於後周顯德中〔一〕,宋元歷有增脩。自明永樂〔二〕時,制〔三〕乃大備。今逾三百年,兵燹屢被,殿廡摧殘,凡奉牲帛而供駿奔〔四〕者,孰無水源木本之思。而因循〔五〕期待,終不能起而新之。我先宗公大脩闕里廟庭,工尚未竣,而兩楹遂夢〔六〕。是以尼山一坯土〔七〕,剝風蝕雨,荊紫苔青,雖春秋之俎豆〔八〕無恙,而棟宇門牆將有不可復識者矣。

我宗公英年主鬯〔九〕,孝思〔一〇〕精純,其繼志述事,已為宗族之所胥稱〔一一〕,而尤以脩廢舉墜為亟亟〔一二〕。故廟林之工既畢,而防山之啟聖墓、鄒邑之中庸書院〔一三〕,皆相繼告成,鞏固壯美。視舊有加,更聚族而謀曰:"我家世居昌平鄉，尼山在其北，則我啟聖王父母禱嗣之所，而我聖祖鐘靈之區也，建為書院，奕世子孫守之，四方學者歸之，甚盛事也。今荒廢若此，是誰之責歟？”於是星稅露處，儲材鳩工，俾老成吏以董〔一四〕之。肇〔一五〕於歲乙卯之二月，訖〔一六〕於戊午之八月，中為正殿五楹、寢殿五楹，廊廡齋廳，輪奐眾新，門楣台陛，整嚴非舊。西祀聖父、聖母，而淵源有自；後祀二世、三世，而授受不窮。北立講書之堂〔一七〕，以教來學。前立毓聖之廟，以安神明。至於祀品有廚，祭器有庫，周垣之高，若雲階直如矣。雖曰重脩，實逾創制。

嗚呼壯哉！俯察仰觀，窮高極廣，雲霞煥宮殿之容，金碧壯王者之氣。顏母山上，井臼〔一八〕猶存；五老峰頭，絲竹〔一九〕不遠；其大聖之安居，而斯文之朝宗也。使非今日之舉，不及於閑花野草，同興感於夕陽西下也哉？蓋祖宗締構，子孫能嗣而葺之者鮮矣。我宗公以弱冠之年，慨然復數百載既廢之模，經營締造，迄用有成，其孝思誠有足多者。爰宗族眾，伐珉〔二〇〕紀功，用告世世之奉祀事者。

東昌府通判加四級管理曲阜縣事孔興淳。

孔顏曾孟四氏學教授徐鵬驥，學録孔貞紘。

曲阜縣儒學訓導高廸述。

曲阜縣典史許亮。

康熙歲在戊午仲秋吉旦。

【注釋】

〔一〕周顯德中：公元954年至960年間。

〔二〕明永樂：公元942年7月至943年10月間。

〔三〕制：規模。

〔四〕駿奔：亦作“駿犇”，急速奔走。

〔五〕循：拖延。

〔六〕兩楹遻夢：指逝世。

〔七〕一坯土：指殘存的廟墟。

〔八〕俎豆：指奉祀。

〔九〕主鬯：主掌宗廟祭祀。

〔一〇〕孝思：孝親之思。

〔一一〕胥稱：全都贊揚。

〔一二〕亟亟：急迫。

〔一三〕中庸書院：元元貞元年（1295），鄒縣縣令司居敬在鄒县县城東南隅孟子故居處建屋四楹，取名“淵源”，内設子思、孟子像，春秋祭祀。孔顔孟三氏學教授張頴作《中庸精舍記》以記之。元仁宗延祐二年，改中庸精舍（書院）爲子思書院，設山長。

〔一四〕董：監督。

〔一五〕肇：開始。

〔一六〕訖：完成。

〔一七〕講書之堂：尼山書院。

〔一八〕井臼：形狀像臼的土井，傳説爲顔母飲水之井。

〔一九〕絲竹：指音樂。

〔二〇〕伐珉：碑石的美稱。

（李　翠）

康熙三十七年林前居民感恩碑

此碑立於清聖祖康熙三十七年(1698),現位於孔林大門東南欄内,南石。碑高2.15米,寬0.78米,厚0.26米。碑身正書,共24行。現存844字,殘9字,落款存145字。

駱承烈《石頭上的儒家文獻——曲阜碑文録》著録全碑,"再俾"前衍"一"字,"編氓"誤作"編瑁","易易"誤作"易之","承簡命莅兹土"誤作"承一間命莅土","畒"誤作"動"。清孔祥霖《曲阜碑碣考》卷三丙部有記,名爲"林前居民感恩碑"。

建立請允免役林前等六村居民感恩碑記

曲邑者,聖祖〔一〕梓里〔二〕也。遡自鍾靈發祥〔三〕,迄今兩千餘載,歷代帝王褒崇封謚,愈久益隆,其德澤汪濊〔四〕。波及人士者,豈徒子姓〔五〕承沐〔六〕無窮,凡屬土民居同里〔七〕而仰膏雨,亦不知其幾世於兹矣。他姑勿論,即如我曲地瘠民貧,(至)〔八〕(煩)賦狀重,得借庇蔭息免者,何可勝道。况林廟附近居民沾恩蒙惠,莫能枚舉，尤大彰彰〔九〕者耶。自宋真宗東封禮成，親謁林廟，嘗撥丁壯民兵，豁免徭役，以爲防禦計，何其重也〔一〇〕。及明太祖又撥靖(海)(衛)存操官軍四百員名，給以月糧〔一一〕，免其丁差，永著看守之成，令其崇儒重道之典。炳昭古今，顧不偉歟。後至正德七年正月間，響馬〔一二〕流賊殘毀縣治，移築新城，而聖廟得恃以金湯〔一三〕矣。惟聖林距城外，未(免)(有)樹木斧斤〔一四〕之憂，仍令附近居民防守如故。雖當兵戈亂離之際，徭役幸蒙豁免者，猶久而弗替也。及(我)(朝)定鼎〔一五〕初年，土寇竊發，因將附近居民編入行伍〔一六〕，而軍役煩興，自兹始矣。後雖寇平亂定，其免役恩例置若弁髦〔一七〕。因循至今，即看守聖林，另有典守。如遇上司祭謁與喜慶拜奠，一切棚場物料，裕監□□六村勞費。嗟此窮民，既隨編氓〔一八〕以當差，又督林内以供役。犁鋤〔一九〕之手足幾何以堪，此奔命弗暇哉。恭遇皇上御極〔二〇〕，业有三載，甲子歲東巡幸魯，謁林廟，躬行釋奠，一時恩禮(隆)厚，超越前代。〔二一〕際此隆遇，所謂千載一時也。六村居民情願〔二二〕供事聖林，謀以援例免役具奏，先爲啓請公府，公謂免役舊制也。顧存恤之令，雖云恩出朝廷，而推之行之者，實惟有司是煩，爾等盍商之縣主也。伊時緘翁孔公理縣事，公曰：爾既供役聖林，再俾其苦于堡伍〔二三〕非制也，免役亦易易〔二四〕耳。何必上瀆宸聽〔二五〕哉。議成，未及舉行，而公旋以丁艱〔二六〕解綬〔二七〕去。幸際玉翁孔公承簡命莅兹土。不一二年間，政簡刑清，盜止訟息，九〔二八〕利獘之當興除者，莫不釐剔井然。四境之内熙熙皞皞〔二九〕,舉欣然如遊春臺〔三〇〕之樂。一日居民以重累〔三一〕之説進公,輒惻然念動,謂民之效力我聖祖與夫輸忠於王家等耳,豁免寧容吝私耶。果蕪重累,則蠲除之令,當不俟崇朝者矣。爰將六村什伍〔三二〕差役批示槩行例免。夫以數十年來之曠典〔三三〕,毅然而舉之一旦,則公爲之斯邑也,其惠澤有以慰窮簷〔三四〕歟,猷有以光宗祖政治,有以報朝廷。不負國不負民不負所學者,不於茲而見一班哉。民之感頌無已有由然矣。爰命工人勒之貞珉〔三五〕,匪徒以紀一時之盛也。盍以誌公德于不朽,而俾後世有以繼公之志爾。且是舉也,贊成其事也,鄉紳某某,生員某某也。援例具請者,約耆鄉老〔三六〕某某也。因並書之以表一時之共事云。

太子少師襲封衍聖公孔毓圻〔三七〕,曲阜縣世職知縣孔尚愉,四氏學生員孔尚愷,世襲翰林院五經博士加六級孔毓埏,洙泗書院學録孔興烒、孔尚文,原任曲阜縣世職知縣加銜東昌府通判加四級孔衍淳,候選州同知孔興景,鄉耆張弘亮,原任曲阜縣世職知縣加一級孔興認,太學生郭璇、方從教,欽授世襲翰林院五經博士東野沛然。

康熙三十七年歲次戊辰仲秋吉日仝立〔三八〕。

【注釋】

〔一〕聖祖:謂孔子。

〔二〕梓里:故鄉。

〔三〕鍾靈發祥:靈氣凝聚創業興起。

〔四〕汪濊:深廣。濊,"濊"字之異體。《漢書·司馬相如傳下》:“威武紛雲,湛恩汪濊。”顔師古注:“汪濊,深廣也。”

〔五〕子姓:謂孔子之子孫。《禮記·喪大記》:“既正尸,子坐於東方,卿大夫父兄子姓立於東方。”鄭玄注:“子姓,謂衆子孫也。”

〔六〕承沐:承受皇恩潤澤。

〔七〕同里:同鄉。《逸周書·大武》:“四戚:一内姓,二外婚,三友朋,四同里。”

〔八〕括弧内字據駱承烈《石頭上的儒家文獻——曲阜碑文録》補足,下同。

〔九〕彰彰:昭著,明顯。

〔一〇〕此句謂宋真宗於大中祥符元年(1008)在泰山封禪後,親臨曲阜,謁孔廟、孔林,祭拜孔子,並下詔撥鄰近十户奉守林廟,廢除自漢代以來的“榷酒酤”,特許孔家自行造酒以奉祭祀,重申免除孔氏子孫賦役,諸多優崇甚於前代。

〔一一〕月糧:古代每月支給兵丁的口糧。

〔一二〕響馬:指强盗。因舊時結夥攔路搶劫的强盗所騎之馬身皆繫鈴,故而稱之。

〔一三〕金湯:即金城湯池,形容城池險固。《漢書·蒯通傳》:“必將嬰城固守,皆爲金城湯池,不可攻也。”顔師古注:“金以喻堅,湯喻沸熱不可近。”

〔一四〕斧斤:泛指各種斧子,謂砍伐。

〔一五〕定鼎:建立王朝。

〔一六〕行伍:指軍隊。古代兵制,五人爲伍,五伍爲行。

〔一七〕置若弁髦:謂遭到輕視摒棄。弁,黑布帽子。髦,兒童眉際的垂發。

〔一八〕編氓:編入户籍的平民。

〔一九〕犁鋤:借指耕作。

〔二〇〕御極:登基、即位。

〔二一〕此句謂清聖祖仁皇帝玄燁於康熙二十三年(1684,甲子)十一月十八日臨幸闕里,親謁林廟,行釋奠禮祭拜孔子,隆禮重軌,前所未有。

〔二二〕頖:"願"字之異體。

〔二三〕堡伍:即保伍,古代基層户籍編制,古時居民五家爲伍,又立保相統攝。

〔二四〕易易:簡易、容易。《禮記·鄉飲酒義》:"吾觀於鄉,而知王道之易易也。"

〔二五〕宸聽:謂帝王的聽聞。

〔二六〕丁艱:即丁憂。舊制,父母死後,子女要守喪,三年内不做官,不婚娶,不赴宴,不應考。

〔二七〕解綬:解下印綬。謂辭免官職。

〔二八〕九:"凡"字之異體。

〔二九〕熙熙皞皞:形容和樂舒暢、恬然自得。

〔三〇〕春臺:春日登眺覽勝之處。《老子》:"荒兮其未央,衆人熙熙,如享太牢,如登春臺。"

〔三一〕重累:猶重疊,相同的東西層層相積。《漢書·郊祀志下》:"大尤尊盛,至妻公主,爵位重累,震動海内。"

〔三二〕什伍:古代户籍編制,五家爲伍,十户爲什,相聯相保。

〔三三〕曠典:稀世盛典。

〔三四〕窮簷:指茅舍、破屋。簷,通"檐"。

〔三五〕貞珉:石刻碑銘之美稱。《説文》:"珉,石之美者。"

〔三六〕耆鄉老:耆,六十歲以上的老人。鄉老,鄉里年高德劭的人。

〔三七〕孔毓圻(1657—1723):字鍾在,又字翊宸,號蘭堂。山東曲阜人。孔子第六十六代嫡長孫。康熙六年(1667),襲封衍聖公。康熙九年(1670),授光禄大夫。康熙十五年(1676),晉階太子少師。好詩文,工擘窠大字,善畫墨蘭,得元人趙孟頫之旨。卒謚恭慤。著有《蘭堂集》《幸魯盛典》。

〔三八〕仝立:共同立碑。仝,通“同”。

(陳以鳳)

康熙四十九年重修顔廟識言碑

此碑位於顔廟克己門以南東側，碑頭高 63 釐米，寬 86 釐米，碑身高 178 釐米，寬 80.5 釐米，厚 28.5 釐米，碑頭上篆書“皇清”二字，碑文楷書，共 527 字。

駱承烈《石頭上的儒家文獻——曲阜碑文録》著録全碑，“名”誤作“各”，“舉”誤作“聿”，“念”誤作“顔”，“九府君”誤作“九府郡”，“驪”誤作“輾”，“工之煩費”誤作“公之煩費”，“勒”誤作“泐”，“仕”誤作“准”，並有多字未釋讀。

重修祖廟識言

復聖始祖道明德立，為聖門高弟，所居陋巷，建立耑祠，崇報千秋，甚盛典也。距今二千餘年，恢廓修葺，不知幾興作於其間。然而揆厥由來，類出皇家內帑及名公巨卿倡義捐脩，至我子姓，代有通顯，而克以修舉為貴[一]者，則未數數見也，唯我河東運使澹園公諱光猷[二]，自幼爲諸生時，即入廟思敬，每見殿宇傾圮，陋巷兩坊僅存基址，輒惻然動念，以脩葺為已任，果爾有志事成。同胞兄弟一門三進士〔三〕，或亦聖祖在天之靈有以默佑而啓其衷也。通籍後猶有志未逮，閱數歲由編脩而郡守，後復晉秩河東鹽運使。因上書於我先大人，向九府君竟詣河東公，請當事及謀諸網商，捐金輪俸，共募貲財二千有奇，因選我族内誠實練達名紹志者，並管事人劉彦英、劉宗舜共董其事，扵是鳩工庀材，不二年間重修啓聖後殿三楹、碑樓二座、門外三石坊，且圍以石欄，表延數百步，穹窿鼎峙，煥然改觀。於戲，是役也，使非我澹園公與我先大人同心協力，有木本水源之思，亦烏能如是整舊如新、屹然鞏固、傳之永久而無替哉。工成告竣，闔族紳士驩然色喜，共請余文以誌之。余曰：脩廟我後人分内事也，矧河東公非樂名者，既而轉思河東公與我先大人有此一段經營，孝思可照日月、可垂千古，若使湮沒無傳，揆之有美必彰，則又何容嘿嘿〔四〕已也，因叙次其事之始末，與夫工之煩費，勒之貞珉，以慰衆請，以昭來許，且以示後之子姓，本支绳绳，得志仕進者，有所感發而興起云。

翰林院世襲五經博士七十代孫主鬯〔五〕崇敷謹識。

康熙四十九年歲次庚寅仲春穀旦。

【注釋】

〔一〕“貴”字上方左右兩側稍有磨損，似“責”。

〔二〕光猷：即顔光猷，字秩宗，號澹園，顔伯璟之子，據《晚晴簃詩匯》，光猷係康熙癸丑科進士，著有《澹園文集》《水明樓詩》等。

〔三〕三進士:即顔光猷、顔光敏和顔光斅,三人在康熙年間中進士。光敏,字遜甫,號樂圃,善詩,著有《樂圃集》《旧雨堂集》等。光斅,字學山,康熙祭孔時曾助祭,著有《浙游漫録》《懷軒遺稿》等。

〔四〕嘿嘿:即消失無聞。嘿,通“默”。

〔五〕主鬯:主持祭祀之人。

(鄧田田)

康熙四十九年張鵬翮詩碑

此碑立於清聖祖康熙四十九年(1710),現位於孔林洙水橋北東側,北起第2石。碑高2.16米,寬0.73米,厚0.2米,碑座0.26米。碑身正書。9行,共137字,落款26字。碑身殘斷爲兩部分,現已修復,無缺字。

駱承烈《石頭上的儒家文獻——曲阜碑文録》著録全碑,"恭紀"誤作"恭祀","昌期"誤作"易期",脱"羣黎"二字,落款處"三級"誤作"二級"。清孔祥霖《曲阜碑碣考》卷三丙部有記。

聖駕幸魯〔一〕釋奠〔二〕先師恭紀

天縱〔三〕神靈萬世師〔四〕,古今瞻仰聖人祠。禮崇九拜〔五〕隆〔六〕紹代〔七〕,樂奏宫縣〔八〕重昔時。道統〔九〕淵源垂令範〔一〇〕,心傳默契際昌期〔一一〕。遥占奎壁〔一二〕騰光彩,御筆新題幸魯詩〔一三〕。孔林檜柏欝〔一四〕森森,洙水濚〔一五〕泗教澤深。訪道來經詩禮宅〔一六〕,求仁如見聖賢心。環橋弟子聞天語〔一七〕,賜複羣黎〔一八〕誦德音。仿佛遺徽〔一九〕千古在，金絲〔二〇〕闕跡〔二一〕愛重尋。

戶部尚書加三級張鵬翮〔二二〕。

大清康熙肆拾玖年歲次庚申夏月穀旦〔二三〕。

【注釋】

〔一〕聖駕幸魯：指康熙皇帝二十三年(1684，甲子)至魯地祭孔一事。《康熙二十五年闕里至聖先師孔子廟記碑》："歲甲子十有一月，時邁東魯，躬詣曲阜，展修祀事，復謁聖墓。"

〔二〕釋奠：古代學校設置酒食以祭奠先聖先師的典禮。

〔三〕緵："縱"字之異體，賦予之意。

〔四〕萬世師：即萬世師表孔子。康熙皇帝二十三年(1684)臨幸闕里时御書"萬世師表"四字匾懸額大成殿中，表達對孔子聖道的尊崇之意。

〔五〕九拜：古代祭祀時的九種禮拜形式，以表崇高敬意。《周禮》謂"九拜"："一曰稽首，二曰頓首，三曰空首，四曰振動，五曰吉拜，六曰凶拜，七曰奇拜，八曰褒拜，九曰肅拜。"康熙皇帝甲子年(1684)臨幸闕里，即"以萬乘之尊，特行九叩禮"。

〔六〕隆：尊崇。

〔七〕紹代：連續幾代。

〔八〕宮縣：四面懸樂，皇帝用樂制度的級别。縣，通"懸"。《周禮·春官·小胥》載："正樂縣之位，王宮縣，諸侯軒縣，卿大夫判縣，士特縣，辨其聲。"

〔九〕道統：指儒家承載與傳續先王之道的脈絡和譜系。此説萌發於孟子，他認爲孔子之道上接堯、舜、湯、周文王，並自命繼承孔子的正統。唐代韓愈於《原道》中正式闡發道統説，釐定儒學傳道的譜系爲"堯以是傳之舜，舜以是傳之禹，禹以是傳之湯，湯以是傳之文武周公，文武周公傳之孔子，孔子傳之孟軻，軻之死不得其傳也”。宋代張載、二程(顥、頤)、朱熹等儒學大師再次發展、詮釋道統説,如朱熹認爲,儒家的道統是以周敦頤、二程上承孟子,而自己又繼周、程爲儒家正統。雖然不同時代的儒家學者對儒家道統傳承脈絡認識不盡一致,但都强調並致力於對“道”的繼承與發展。

〔一〇〕令範:良好典範。

〔一一〕昌期:昌盛兴隆的时期

〔一二〕奎壁:二十八宿中奎宿與壁宿的並稱,比喻文苑。

〔一三〕御筆新題幸魯詩:康熙二十三年(1684)十一月十八日親臨曲阜祭拜孔子後,曾御書《過闕里》一詩,内容如下:“鑾輅來東魯,先登夫子堂。兩楹陳俎豆,萬仞見宫牆。道統唐虞接,儒宗洙泗長。入門撫松柏,瞻拜肅冠裳。”

〔一四〕欝:同“鬱”。

〔一五〕瀠:水流迴旋。

〔一六〕訪道來經詩禮宅:詩禮宅,即孔廟詩禮堂,爲紀念孔子教育兒子孔鯉學詩學禮而命名。據《康熙三十四年幸魯盛典告成記碑》載:“歲在甲子十一月長至,我皇上親幸闕里,謁至聖先師禮成,設御幄於燕申門之詩禮堂,召諸生講大《易》。”可知此句意指康熙幸闕里時召諸生於詩禮堂講解經書。

〔一七〕天語:謂天子詔諭。

〔一八〕羣黎:百姓萬民。《詩·小雅·天保》:“羣黎百姓,徧為爾德。”鄭玄箋:“黎,衆也。羣衆百姓。”

〔一九〕遺徽:謂孔子生前的美好德行。

〔二〇〕金絲:借指《樂經》。

〔二一〕閟跡:了無蹤跡,意謂《樂經》佚失。閟,同“閉”。

〔二二〕張鵬翮(1649—1725):字運青,號寬宇,清代名臣。康熙九年(1670)進士及第,歷任禮部郎中、兖州知府、蘇州知府、江南學政、浙江巡撫、河道總督、兩江總督、刑部尚書、户部尚書、吏部尚書等職，累官光禄大夫、太子太傅、文華殿大學士，贈少保，謚文端。著有《治河全書》二十四卷、《奏議》十二卷、《文廟禮樂考》二卷、《奉使俄羅斯日記》一卷、《張文端公全集》八卷等，集政治家、治河專家、外交家、教育家、書法家、文學家和詩人於一身。以“賢相”享譽當世，康熙帝稱贊“天下廉吏，無出其右”，雍正帝譽爲“卓然一代之完人！”《清史稿》卷二百七十九、《清史列傳》卷十一、《國朝先正事略》卷九、《國朝耆獻類征初編》卷十一有傳。

〔二三〕穀旦：良辰吉日。

（陳以鳳）

康熙五十四年息陬乃魯陬邑碑

據馬場春吉《孔子聖跡志》(昭和九年,大東文化協會發行),此碑的位置在春秋書院東廡的前邊,原碑今未見。

碑文即據《孔子聖跡志》標點,其他書中未發現著録。

息陬〔一〕乃魯陬邑,啟聖祖〔二〕為大夫處。因我聖祖〔三〕還轅〔四〕息陬之操〔五〕,故曰"息陬",而實作《春秋》〔六〕於斯。舊有書院一區,聖容賢配〔七〕,冕旒〔八〕尊嚴,其來久。但廟貌聖存,祀事〔九〕未備。仰思聖祖轍還所經之處,莫不為位〔一〇〕,陳芻〔一一〕春秋享祀。矧〔一二〕茲息陬,乃歸老休息〔一三〕之鄉,筆削垂教〔一四〕之地。聖澤所在,自聖靈所棲〔一五〕。而可聽其冷落無祀耶?珥〔一六〕居此十餘載,每日瞻拜〔一七〕祠前,即思有以理之而不得。

甲午夏,適王子再越、趙子城璧〔一八〕,來謀〔一九〕于余,云:"父老傳聞書院祭祀,舊取本村市税〔二〇〕,之後緣東山寇亂〔二一〕,市停而祀遂廢,欲舉祀事,曷〔二二〕復其舊?"予聞之瞿然〔二三〕,曰:“嘻!蓄〔二四〕予此願,幾十五載,而苦於莫稽〔二五〕。由是言之,其殆〔二六〕斯事之當成於今日乎?”

遂商之族長公,同約本村紳衿〔二七〕,鳴之當事〔二八〕。仍以息陬行税充書院祭。春祭二月二十八日,聖祖諱辰〔二九〕。秋祭八月廿七日,聖祖誕辰〔三〇〕。復聯以社名曰“春秋”〔三一〕。宗主、四宗、儲宗、三宗、世尹、諸公咸來助祭〔三二〕。及東、西、南、北之鄰我息陬者,莫不聞風而至,以共襄力〔三三〕此盛事。于時濟濟蹌蹌、雍雍肅肅〔三四〕,大觀哉!將見精誠所格〔三五〕,有必通諸陟降〔三六〕者,雖在天之靈,實式憑〔三七〕之,而亦以見我魯多君子克成〔三八〕正大之事云爾。

是為記。六十四代孫尚珥〔三九〕熏沐〔四〇〕拜撰。大清康熙五十四年。

【注釋】

〔一〕息陬:古村名,今息陬鎮駐地。

〔二〕啟聖祖:即孔子的父親叔梁紇。

〔三〕聖祖:指孔子。

〔四〕還轅:回車。典出《孔叢子·記問》:“巾車命駕,將適唐都。黄河洋洋,攸攸之魚。臨津不濟,還轅息鄹。”春秋書院門前有“還轅橋”,《續修曲阜縣志》記載:“昔孔子欲西見趙簡子,至河乃還息於陬鄉,作息陬操,因以得名。”一説在今山東省茌平縣博平鎮三教堂村,那裏至今還保存著一通“孔子回轅處”石碑。另一説在山東省高唐縣姜店鄉南鎮村。南鎮村曾經是古靈縣所在地,流經這裏的鳴犢河,被稱之爲“靈鳴犢河”,曾有孔子當年回轅的鳴犢渡口。過去在這裏有一座聖跡廟,廟中有孔子乘車的塑像,還有"孔子回轅處"石碑一統。後因黄河改道,水斷河乾,鳴犢河不存,聖跡廟年久毁損,刻有"孔子回轅處"的石碑也不知去向。

〔五〕息陬之操:又名《息陬操》《盤操》《槃操》。《孔子家語·困誓》:"孔子自衛將入晉,至河,聞趙簡子殺竇犨鳴犢及舜華……遂還,息於鄹,作《盤操》以哀之。"王肅注:"盤操,琴曲名也。"一本作"盤琴"。

〔六〕春秋:指春秋時期魯國的國史,經孔子修定而成。

〔七〕聖容賢配:指孔子的塑像和配祀的先賢先儒。1934 年,馬場春吉《孔子聖跡志》所見:書院大門上有第六十八代襲封衍聖公孔傳鐸書寫的"春秋書院"匾額。進門後,正面是南面而立的大成殿,裏面供奉至聖先師孔子的牌位和孔子像。在位於中央的巨大的孔子像外側,如同佛堂裏的協侍,左右兩旁安置小像,殿内東側是復聖顔子、述聖子思子的畫像,西側是宗聖曾子、亞聖孟子的畫像和神位,即安置四配的所在。各府州縣書院都如此。兩廡是供奉先賢先儒牌位的所在,這又與普通文廟一致。

〔八〕冕旒:古代的一種禮冠。相傳,冕制起於黄帝,至周代時始完備。冕旒爲禮冠中最貴重者。

〔九〕祀事:指春秋書院的祭祀、釋菜等禮儀活動。

〔一〇〕為位:指設置祭位。

〔一一〕陳芻:指貢獻祭品。

〔一二〕矧:況且。

〔一三〕歸老休息:孔子周遊列國,自衛反魯,被稱爲國老。語見《左傳·哀公十一年》季孫氏語"子爲國老,待子而行,若之何之不言也?"

〔一四〕筆削垂教:筆削,語出《史記·孔子世家》:"至於爲《春秋》,筆則筆,削則削,子夏之徒不能贊一辭。"意即孔子筆削魯史而成《春秋》。垂教,即垂訓。唐牛僧孺《辨私論》:“宣父之作《春秋》,删《詩》《書》,是公其身於垂教也。”

〔一五〕聖靈所棲:指孔子的《春秋》精神之所寄託。前文“聖澤所在”主表,此“聖靈所棲”主裏。

〔一六〕珥:即本文作者孔尚珥。

〔一七〕詹拜:瞻仰參拜。

〔一八〕王子再越、趙子城壁:子爲尊稱。王再越,息陬村人,字正己,號安蹇先生,清康熙時著名象棋手,有《梅花譜》行世。據書前序云:“安蹇先生姓王,名再越,字正己,康熙時人。性剛直,家貧力學,不求聞達;而世亦無知者。一身坎坷,抑鬱無聊,爲象戲以消歲月。得意疾書,爰成六則,名之曰《梅花譜》。其間縱横馳驟不可端倪,真有行到水窮、坐看雲起之妙,誠象戲之矩觀也。弈雖小道,亦可見先生之一斑也。”趙城壁,不詳,當爲息陬村士紳。

〔一九〕謀:商議。

〔二〇〕市税:指息陬集市攤位費用。

〔二一〕東山寇亂:指當時曲阜東部山區的社會動盪。

〔二二〕曷:古同“盍”,何不。

〔二三〕瞿然:驚駭貌。

〔二四〕蓄:等待。

〔二五〕莫稽:無從核實。

〔二六〕殆:大概。

〔二七〕紳衿:指地方有身份、有話語權的體面人。紳,紳士,退居在鄉者的官員。衿,青衿,生員所服,指生員。

〔二八〕鳴之當事:即就某事商議、發表意見。鳴,發表意見。當事,跟某事有關聯。

〔二九〕諱辰:忌諱之時日,指孔子去世的日子。

〔三〇〕誕辰:出生的時日。

〔三一〕春秋:此處既明指結社以春秋祭祀,又隱含紀念孔子作《春秋》之意。

〔三二〕助祭:此處指以人力、物力、財力等協助辦理祭祀事宜。

〔三三〕襄力:輔助促成。

〔三四〕濟濟蹌蹌、雍雍肅肅:濟濟蹌蹌,莊重恭敬貌。雍雍肅肅,從容嚴正貌。

〔三五〕精誠所格:被精誠感通。

〔三六〕陟降:升降,此處指祖宗神靈暗中上下保佑。語出《詩·大雅·文王》:"文王陟降,在帝左右。"朱熹《集傳》曰:"蓋以文王之神在天,一升一降,無時不在上帝之左右,是以子孫蒙其福澤,而君有天下也。"

〔三七〕式憑:依靠、依附。

〔三八〕克成:完成。語出《尚書·武成》:"我文考文王,克成厥勳,誕膺天命,以撫方夏。"

〔三九〕孔尚珥:孔子六十四代孫。《孔府檔案》四九〇八之二十:"息陬春秋書院查係沂陽户候選州同孔尚珥改修大其規模,並請置祭田義集,由來已久。"

〔四〇〕熏沐:熏香沐浴,表示恭敬虔誠。古時祭拜之前,先將衣服用熏香熏過,洗澡除去身上的污垢。

【論説】

曲阜的書院多因聖跡而設,尼山書院、洙泗書院、春秋書院、石門書院等皆然。曲阜書院的歷史文獻研究資料,以尼山書院和洙泗書院居多。春秋書院和石門書院的資料,涉及孔子與《春秋》《周易》的關係問題,口頭傳説多而文字記載少。《康熙五十四年息陬乃魯陬邑碑》是曲阜書院的歷史研究的重要文獻，對其中的人物、因果、過程的考證，具有“上下”“左右”“前後”的可延展性。

首先，其“上下”延展性，體現在對春秋書院歷史的完整敘述方面。關於“孔子作《春秋》”，與儒家經學與史學關係密切。據《孟子·滕公下》，“世衰道微，邪説暴行有作……孔子懼，作《春秋》。”繼而引用孔子的話“知我者，其惟《春秋》乎？罪我者，其惟《春秋》乎？”進而“孔子成《春秋》而亂臣賊子懼”。《公羊傳·哀公十四年》中對於“孔子作《春秋》”的記述是“君子曷爲爲《春秋》”，一般認爲這個“君子”就是孔子。司馬遷《太史公自序》“昔西伯拘羑里，演《周易》；孔子厄陳、蔡，作《春秋》；屈原放逐，著《離騷》……不韋遷蜀，世傳《吕覽》；韓非囚秦，《説難》《孤憤》；《詩》三百篇，大抵賢聖發憤之所爲作也。”“孔子作《春秋》處”“春秋臺”“接北斗”等典故，涉及孔子教學著述的歷史遺跡，與曲阜地方歷史地理、禮儀制度、風俗習慣、民間信仰、口頭傳説及非物質文化遺産有密切關聯。關於“孔子作《春秋》處”，南朝任昉《述異記》云：“曲阜縣南十里有春秋臺。”“春秋臺”刻石，今未見。孔祥霖輯《曲阜碑碣考》云：“春秋臺刻石，正書，乾隆辛卯三十六年，春秋臺。”1934年，馬場春吉《孔子聖跡志》在《孔子聖跡志》第八章《曲阜城南外的歷史遺跡》之第八節“春秋書院”中寫道：春秋書院位於曲阜城南十華里息陬村，據任昉《述異記》裏記載“曲阜縣南十里有春秋臺”，據傳孔子在春秋臺作《春秋》，宋代立祠設計畫像，在村裏集資，作爲祭祀之用。後人時爲修葺，在書院門外左側立“孔子作《春秋》處”的石碑。書院大門上有第六十八代襲封衍聖公孔傳鐸書寫的“春秋書院”匾額。孔祥林主編的《孔子志》説：“春秋書院位於曲阜城東南的息陬村内，在相傳孔子作《春秋》的春秋臺前。宋代就有祠廟塑像奉祀孔子，以本村集市交易税作爲祭祀資金，以孔氏學官主祭。但春秋書院一名始見於清乾隆三十七年(1772)成書的《曲阜縣志》。1934 年改辦明德小學,後因年久失修,建築全部倒塌,乾隆三十六年(1771)刻立的《孔子作春秋處》石碑也被當做基石砌入牆内,1987 年重立於原址。"

其次,其"左右"延展性,體現在對春秋書院管理的系統研討方面。春秋書院管理的最初設計者是誰? 在三百年前的孔尚珥那裏已經不甚了了,他只是了解到息陬"舊有書院一區,聖容賢配,冕旒尊嚴,其來久。但廟貌聖存,祀事未備。仰思聖祖轍還所經之處,莫不為位,陳芻春秋享祀。矧玆息陬,乃歸老休息之鄉,筆削垂教之地。聖澤所在,自聖靈所棲。而可聽其冷落無祀耶?"孔尚珥不同尋常之處,是善於思考,他"居此十餘載,每日詹拜祠前,即思有以理之而不得"。1714 年(甲午)夏天,王再越、趙城璧向孔尚珥提出:"父老傳聞書院祭祀,舊取本村市税,之後緣東山寇亂,市停而祀遂廢,欲舉祀事,曷複其舊。"這與孔尚珥的想法不謀而合。於是,孔尚珥在取得王再越、趙城璧等支持的基礎上,"遂商之族長公,同約本村紳衿,鳴之當事。仍以息陬行税充書院祭。春祭二月二十八日,聖祖諱辰。秋祭八月廿七日,聖祖誕辰。復聯以社名曰'春秋'。"在孔尚珥的理想中,如果能做到"宗主、四宗、儲宗、三宗、世尹、諸公咸來助祭。及東、西、南、北之鄰我息陬者,莫不聞風而至,以共襄力此盛事"。那麽"濟濟蹌蹌、雍雍肅肅",便可謂"大觀哉!"届時,將證明"精誠所格,有必通諸陟降者,雖在天之靈,實式憑之,而亦以見我魯多君子克成正大之事云爾"。在孔尚珥看來,春秋書院管理的系統中,"族長公","宗主、四宗、儲宗、三宗、世尹、諸公"是管理的中堅力量,"本村紳衿"是統一戰線,"東、西、南、北之鄰我息陬者"是週邊力量。其中的常設議事管理機構"聯以社名曰'春秋'"——"'春秋'會社";資金來源"仍以息陬行税充書院祭";重點工作有兩項:"春祭二月二十八日,聖祖諱辰。秋祭八月廿七日,聖祖誕辰。"

再次,其“前後”延展性。體現在對“春秋書院管理互控糾紛案”的證據鏈連接爲一串,與方志、家乘,尤其是與《孔府檔案》的記載息息相關、前後呼應,這也是其重要性的集中體現。“春秋書院管理互控糾紛案”,即《孔府檔案》四九〇七之二十二所講的“貢生孔興閔、學録孔廣榜互控一案”前前後後共拖延了二十一年。其間發展經歷了三個階段:第一階段(1788—1792年),從乾隆五十三年到乾隆五十七年,争端爆發時期;第二階段(1792—1808),從乾隆五十七年到嘉慶十三年,相安無事的十六年;第三階段(1808—1809),出人意料的戲劇性轉折時期。

春秋書院管理互控糾紛案件是如何握手言和的呢?從乾隆五十七年四月十三日到嘉慶十三年三月二十一日,計十六年時間,春秋書院的管理進入相安無事的階段。這就是《孔府檔案》四九〇七之二十二所講的“貢生孔興閔、學録孔廣榜互控一案”均歸和好、同管集市。據《孔府檔案》四九〇七之二十二,乾隆五十七年四月十三日,孔興閔、孔廣榜均歸和好,情願照舊同管集市。經衍聖公府“飭傳妥議,務歸協和,以息訟端去後”。具體負責居中調停的,是衍聖公府五品執事官孔毓汭。他稱:“切照春秋書院義集職與社内人等酌議調處,現再孔興閔、孔廣榜均歸和好,情願照舊同管集市,嗣後倘有參商,致起争端情弊,職等均願甘罪,並無捏飾。”衍聖公府根據五品執事官孔毓汭“爲此具呈,懇請批示,以便遵照等情”,以他做的前期工作爲基礎,又據孔興閔、孔廣榜呈請將逢五集期舊行行户薛密等在市照應,逢十集期新行行户吴濟川等在市照應,各照舊規在廟伺候。如有滋事失誤情弊,均願甘罪出具甘結。並據新舊行户薛密、吴濟川等各具甘結前來,衍聖公拿出“息陬集期逢五逢十分由新舊行户照管”的方案。襲封衍聖公府移文曲阜縣:“照得春秋書院祀典向由息陬義集供辦……除批示遵照外,擬合移會。爲此合移貴縣,煩爲查照備案施行。

須至移者。右移曲阜縣。乾隆五十七年四月十三日。”孔興閔、學録孔廣楞互控一案,以息陬集期、逢五逢十、一個集市、兩期管理,“分由新舊行户照管事”得以暫時解決。

孔興閔克敵制勝的撒手鐧是什麼呢? 是“碑文四事”。嘉慶十三年四月二十六日,息陬村孔興閔等爲“經管息陬春秋書院集税事”呈文衍聖公府,附呈上了“碑文四事”。據《孔府檔案》四九〇八之六,“具呈恩貢生孔興閔年八十三歲、舉人宋丕恭、生員周雲翱等住息陬村。爲呈明緣由、懇恩電察、以肅祀典、以光聖跡事。切照□(城?)南十里許曰息陬,《志》稱先聖還轅處,孔子作《春秋》於斯。學者讀書懷古,有宋時即設祠像,故曰春秋書院,又曰息陬書院云。我朝自雍正十年族□(祖?)建祠院,公爲義市。取市税些須,以供春秋之薦。猶虞祠廟敝壞,公爲義會,置田八畝以備修葺之費,歲有常丁時請廟學官以主祭。至凡書□(院?)祭品、祭儀皆公舉可人以董其事。凡義市交易一切皆公議行人,以收其税,即廟學官不得過而問焉。厥典綦重,傳爲盛事,蓋以道觀於鄉禮可以跡留於永也。嗣於乾隆三十八年太常寺孔繼泰欲賣此義集,貢生面稟宗主,親蒙賜劄諭禁。五十三年前任學録孔廣楞劈空勁立行頭收税,呈稟公府,又蒙嚴示,禁止所有市儈窺伺漁利等弊。社衆節次呈稟顯尊,經前任潘、袁二縣主均行出示嚴禁,有案可查,更有碑誌鑿鑿,抄粘呈明。□去秋現任學録孔憲堉不守聖公家訓,不遵歷任斷案,復膽敢出示另立行頭,逼令董事人孔毓汭等索去京錢十餘千文,猶爲未足。今春仲丁肆行□難以枚舉,以致祭儀乖舛,義市擾亂,市儈棍徒接踵而至,甚非所以肅體統、光聖跡,而履霜堅冰,恐大典墜而祠廟毁矣。貢生等讀聖人書,雖以無事爲榮,亦豈□淪喪。爲此具呈。伏乞仁明大宗主恩准電察,使祀典得永,聖跡得光。不惟貢生等□□無已(既),即聖祖在天之靈亦默享於無既矣。”

據《孔府檔案》四九〇八之二十：衍聖公府裁決“息陬春秋書院仍著孔興閔管理”，理由第一條便是“息陬春秋書院查系沂陽户候選州同孔尚珥改修大其規模，並請置祭田義集，由來已久”。孔尚珥成爲春秋書院歷史上一個重要人物浮出水面。康熙五十四年，六十四代孫尚珥熏沐拜撰文的碑記便是明證。上文中提到的“碑文四事”，其中，最重要的便是這一事——“康熙五十四年息陬乃魯陬邑碑”。

春秋書院管理互控糾紛案件誰是贏家？當然是八十四歲的孔興閔，以“仍著孔興閔管理”而告終。嘉慶十四年七月十四日，告示爲曉諭息陬春秋書院仍著孔興閔管理事。據《孔府檔案》四九〇八之二十：襲封衍聖公府爲嚴切曉諭事。案照息陬春秋書院查系沂陽户候選州同孔尚珥改修大其規模，並請置祭田義集，由來已久。前此屢經批示，□孫孔興閔等經理社事，並禁止攪亂各在案。乃近年以來並不妥協承辦，祭祀廢弛，紊亂舊規，横争滋訟，殊屬不合，合亟出示曉諭。爲此示仰該廩貢生孔興閔等遵照所有集市祭田一應事宜，悉仍照舊承辦，以供祀典，仍將如何妥辦之處呈明存案。自示之後，毋負委任，倘有復生覬覦，致滋事端者，定行嚴□從重究治，決不寬恕。

孔興閔之所以是二十多年春秋書院管理互控糾紛案件的最後贏家，就在於其言出於心，自身明誠，而且“碑文四事”，證據確鑿。二十世紀三十年代還矗立在春秋書院東廡門前的“康熙五十四年息陬乃魯陬邑碑”，見證了孔興閔的祖父孫尚珥與息陬鄉賢士紳王再越、趙城璧等的懷祖初心和慘澹經營。今天，我們回顧這段歷史，以春秋書院歷史文獻反觀《大學》《中庸》之“明德”觀、“明誠”觀，可以對春秋書院的精神傳承與發展有更多的反思。《禮記注疏》中孔穎達疏“大學”篇題曰：“此大學之篇論學成之事能治其國，章明其德於天下，卻本明德所由，從誠意爲始。”鄭玄注

“明明德”曰:“明明德謂顯明其至德也。”在“明明德”的實現機制中,誠意是一個重要的開端。《大學》之道在明“明德”,《大學》“明德”觀深刻地影響到書院的發展。《中庸》則講:“自誠明,謂之性;自明誠,謂之教。誠則明矣,明則誠矣。”“明德”在曲阜春秋書院之清代禮俗中所體現的内容和價值,究其思想根源,可以上溯到《左傳》魯昭公七年孟僖子論孔丘之“臧孫紇有言曰:‘聖人有明德者,若不當世,其後必有達人。’今其將在孔子乎?”曲阜地域禮俗意義上的“聖人明德”“後有達人”是通過什麼體現出來的呢? 春秋書院管理糾紛案給我們提供了一個活生生的例證。在春秋書院歷史文獻中,圍繞管理糾紛的處理和時人的價值判斷中,“明德”“明誠”成爲具有壓倒性作用的砝碼。

(齊金江)

康熙五十七年王用霖謁林詩碑

此碑立於清聖祖康熙五十七年(1718)九月,現位於孔林洙水橋北東側,南起第四石。碑高2.3米,寬0.85米,厚0.25米,碑座高0.18米。碑身正書,王用霖書,共8行,正文存125字,落款25字,殘6字。石碑曾断裂爲三段,現已修復。右上部分完全殘損,修補後字跡無存。

駱承烈《石頭上的儒家文獻——曲阜碑文録》著録全碑,"九月"誤作"七月九日","上澣"作"上浣","昌"誤作"當"。清孔祥霖《曲阜碑碣考》卷三丙部有記。

□□□十七年歲次戊戌九月上澣〔一〕七日,奉□恭謁□林

聖林欣瞻仰,今古發幽光〔二〕。巍巍〔三〕冠宇宙,歷歷〔四〕扶綱常。道德世未有,冠履〔五〕昔所藏。尼山雲漠漠〔六〕,洙水流湯湯〔七〕。斯文〔八〕賴以振,聖緒〔九〕永為昌。松柏蔌四序〔一〇〕,麟吊〔一一〕列兩行。墓門魯之址,閟域〔一二〕泗之陽。臨聿〔一三〕會駐蹕,崇儒感君王。予承宣

化〔一四〕職，得來齊魯疆。平生切企慕〔一五〕，今日肅□蹌〔一六〕。千秋萬世後，覆載〔一七〕同其長。

山東等處承宣布政使司布政使〔一八〕加三級廣寧王用霖〔一九〕薰沐拜書。

【注釋】

〔一〕上澣：農曆上旬。

〔二〕幽光：潛隱的光輝，借喻聖人孔子之品德光輝照耀古今。

〔三〕巍巍：崇高偉大。《論語·泰伯》："巍巍乎！舜禹之有天下也而不與焉。"何晏集解："巍巍，高大之稱。"

〔四〕歷歷：清晰貌。

〔五〕冠履：帽與鞋。借喻上下、尊卑。《史記·儒林列傳》："冠雖敝，必加於首；履雖新，必關於足。何者，上下之分也。"

〔六〕漠漠：密佈貌。

〔七〕湯湯：水流盛大貌。《尚書·堯典》："湯湯洪水方割，蕩蕩懷山襄陵，浩浩滔天。"孔傳："湯湯，流貌。"《詩·衛風·氓》："淇水湯湯，漸車帷裳。"毛傳："湯湯，水盛貌。"

〔八〕斯文：文化。《論語·子罕》："天之將喪斯文也，後死者不得與於斯文也。"

〔九〕聖緒：帝王的統緒。

〔一〇〕四序：指春、夏、秋、冬四季。

〔一一〕虒："虎"字之異體。

〔一二〕堿："域"字之異體，葬地。

〔一三〕臨聿：帝王親臨。

〔一四〕宣化：傳佈君命，教化百姓。石碑詩文作者時任承宣布政使司布政使一職，主要負責向省內府州縣宣佈朝廷德澤政令等。

〔一五〕企慕:仰慕。

〔一六〕蹌:行走合乎禮節貌。《禮記·曲禮下》:"天子穆穆,諸侯皇皇,大夫濟濟,士蹌蹌。"鄭玄箋:"皆行容止之貌也。"

〔一七〕覆載:指天地。《禮記·中庸》:"天之所覆,地之所載,日月所照,霜露所隊,凡有血氣者,莫不尊親。"

〔一八〕承宣布政使司布政使:簡稱承宣布政使或布政使,俗稱"方伯""藩臺""藩司",爲明清兩朝的地方行政機關。明代時爲國家一級行政區,大約等於現代的"省"的最高行政長官。清朝沿襲明制,但其轄區統稱爲"行省",負責省内行政事務,掌一省之行政和財賦之出納,向府州縣宣佈國家政令。

〔一九〕王用霖:字静庵,奉天廣寧人,鑲黄旗人,廕生,康熙五十五年任山東等處承宣布政使司布政使。

(陳以鳳)

康熙年間牟欽元題孔林詩碑

此碑立於清聖祖康熙年間,具體時間不詳。現位於孔林洙水橋北,東側南起第3石。碑高1.95米,寬0.77米,厚0.23米。碑座高0.24米。碑身行書,牟欽元書,共5行,正文現存56字,落款5字。石碑殘爲三塊,今已修復。

駱承烈《石頭上的儒家文獻——曲阜碑文録》著録全碑,"何能"誤作"何敢","倒衣裳"誤作"制衣裳"。清孔祥霖《曲阜碑碣考》卷三丙部有記,名爲"牟欽元謁林詩碑"。

洙水為襟〔一〕泗水帶〔二〕,尼山脈接泰山長。地靈遜德傳文憲〔三〕,天意鐘奇〔四〕待素王〔五〕。

陽虎何能同骨相〔六〕,祖龍〔七〕空自倒衣裳〔八〕。祗今〔九〕茫漭神難測,楷木陰森蓍草香。

牟欽元〔一〇〕拜題。

【注釋】

〔一〕襟:衣襟,此句謂洙水如衣襟屏障於前。

〔二〕帶：大帶，束衣腰帶。此句謂泗水如衣帶圍繞於外。

〔三〕文憲：禮法、法制。

〔四〕鐘奇：凝聚奇秀之靈氣。

〔五〕素王：具有帝王之德而未居帝王之位者，此處謂孔子。

〔六〕陽庥：姬姓，陽氏，名虎，一名貨。春秋後期魯國人，季孫氏家臣。他以家臣身份，控制季孫氏、孟孫氏、叔孫氏三桓，掌握魯國大權，開魯國"陪臣執國政"的先河。據《史記·孔子世家》記載孔子狀類陽虎，曾因此被圍於匡。陽虎是魯國史上劣跡不少的反面人物，如暴虐匡地、據邑造反、投奔他國等事迹，此句即謂陽虎如何能與孔子形體、相貌相同。

〔七〕祖龍：指秦始皇。

〔八〕此句用典。典出《論衡·實知》："孔子將死，遺讖書曰：'不知何一男子，自謂秦始皇，上我之堂，踞我之床，顛倒我衣裳，至沙丘而亡。'其後，秦王兼吞天下，號始皇，巡狩至魯，觀孔子宅，乃至沙丘，道病而崩。"

〔九〕祇今：如今。

〔一〇〕年欽元：陳普佐領下人，正白旗，監生，康熙、雍正年間歷任湖北提刑按察使司、湖北承宣布政使司、河南布政使司等職，撰有《五經圖》。

（陳以鳳）

雍正十年諭旨修林碑

此碑立於清世宗雍正十年(1732),現位於孔林享殿内東側。雕龍碑頭高0.78米,篆書“綸音”二字。碑身高1.4米,厚0.28米,寬0.89米。碑身正書,共12行,正文存198字,落款存133字。四周以雲龍圖案爲飾。碑陰字跡現已模糊不清。

駱承烈《石头上的儒家文献——曲阜碑文録》著録碑文,“上諭”後衍“内閣曰”三字,“尊崇”脱“尊”字,“著”誤作“者”。清孔祥霖《曲阜碑碣考》卷三丙部有記,名爲“諭修林碑”。

雍正八年十二月一十九日奉上諭,皇五子〔一〕致祭〔二〕闕里文廟,典禮告成,回京奏稱:恭謁孔林,周視規制〔三〕,見享堂〔四〕牆垣間,有年久傾圮〔五〕之處。朕尊崇先師,夙夜罔斁〔六〕,今廟貌已經鼎新〔七〕,林園允宜〔八〕修葺,著欽天監〔九〕選員前往〔一〇〕,會同衍聖公孔傳鐸〔一一〕相度〔一二〕方位,宜於何時營治,詳愼定議。屆期朕命大臣前赴曲阜,令衍聖公孔傳鐸協同敬謹修理,務令崇閎〔一三〕堅固,光垂永久,以昭朕尊禮先師之至意,钦此。

雍正九年五月二十五日奉旨〔一四〕。孔林工程仍著修理闕里廟工之陳世倌〔一五〕、張體仁〔一六〕會同衍聖公孔傳鐸敬謹監修,其估計之處著會同該撫岳濬〔一七〕定議,具奏,欽此。

巡撫山東等處地方督理營田兼理軍務都察院右副都御史臣岳濬,原任巡撫山東督察院右副都御史臣陳世倌,山東分守濟東二府泰武濱高濮五州兼管水利通省驛傳道事務副使臣張體仁,六十八代孫襲封衍聖公臣孔傳鐸,七十代孫襲封衍聖公臣孔廣棨〔一八〕。

大清雍正十年七月初四日告成,敬謹勒石〔一九〕。

【注釋】

〔一〕皇五子:指清世宗第五子,和恭親王愛新覺羅·弘晝。

〔二〕致祭:前往祭祀。

〔三〕规制:建築物的規模形制。

〔四〕享堂:祭堂。

〔五〕傾圮:傾墜損壞。

〔六〕夙夜罔斁:日夜無倦怠。

〔七〕鼎新:更新。

〔八〕允宐:合宜。允,"允"字之異體;宐,"宜"字之異體。

〔九〕欽天監:明清官署名。主要負責觀察天象、推算曆法。

〔一〇〕徃:"往"字之異體。

〔一一〕孔傳鐸(1673—1732):字振路,號牖民。孔子第六十八代孫。康熙四十年(1702)賜二品冠服,雍正元年(1723)襲封衍聖公,雍正十三年(1736)四月卒。好讀書,通禮樂,工詩詞,精研理學,博求律吕之書,深於樂理。曾編輯《闕里盛典》,著有《安懷堂文集》《申椒集》《盟鷗集》等。

〔一二〕相度:觀察估量。

〔一三〕崇閎:高大宏偉。

〔一四〕旨:“旨”字之異體,御旨。

〔一五〕陳世倌(1680—1758):字秉之,號蓮宇,海寧鹽官人。《大清一統志》对其生平事跡略有記載:“康熙癸未進士,選庶吉士……雍正初由内閣學士巡撫山東,興利除害,多有善政,未幾以被劾罷職。”雍正四年(1726),其爲山東巡撫期間,曾奉命赴曲阜督修孔子廟,後又奉命修葺孔林。乾隆元年(1736),任左副都御史,累遷至工部尚書。乾隆六年,授文淵閣大學士。乾隆二十二年,以老乞休,加太子太傅。翌年卒,謚文勤。著有《學辯質疑》《讀書管見》《宋十賢傳》《嘉惠堂集》。

〔一六〕張體仁:山西浮山人,貢生,时任濟東道。

〔一七〕岳濬(?—1753):四川成都人,廕生,时任山東巡撫。

〔一八〕孔廣棨(1713—1743):字京立,號石門。孔子第七十代孫。雍正九年(1731),襲封衍聖公,授二品冠服。善詩文,著有《石門山人詩稿》一卷。

〔一九〕勒石:刻字於石。

(陳以鳳)

雍正十一年王士俊謁林詩碑

此碑立於清世宗雍正十一年(1733),現位於孔林洙水橋橋北西側,北起第1石。碑頭0.63米,花卉紋,正書"大清"二字。碑身高1.07米,寬0.74米,厚0.23米,碑座高0.18米。碑身已殘,裂爲多塊,現已修復,碑底部損壞無存。碑身王士俊正書,共9行,現存129字,殘1字,落款9字,周邊花卉紋。

清岳濬等修《山東通志》卷十一之八下有著録。駱承烈《石頭上的儒家文獻——曲阜碑文録》著録全碑,"癸"誤作"祭",脱"皇恩",脱"蟲唫","妙"誤作"渺"。孔祥霖《曲阜碑碣考》卷三丙部有記,名爲"王士俊謁林詩碑"。

雍正癸丑歲仲夏恭謁孔林,敬誌二章。

宫墻[一]謁罷赴林園,松栢蒼蒼石獸[二]蹲。泗水碧連洙水秀,東山翠繞泰山尊。三年廬(墓)[三](真)(師)(弟),(一)氣[四]封塋聖子孫。新見(慶)雲[五]浮樹杪[六],総同廟貎[七]永皇恩。衣冠肅穆謁先師,一點丹誠[八]九慘時。子貢精神留古楷[九],慮義道德□[一〇]靈著〔一一〕。蟲唫〔一二〕妙(合)(金)(絲)〔一三〕(響),(石)老輕將翁仲〔一四〕移(墓前翁仲新移子思子處),此際祇回〔一五〕情不忘,疃疃〔一六〕旭日掛松枝。

河東總督王士俊〔一七〕謹書。

【注釋】

〔一〕墻:"牆"字之異體。

〔二〕石獸:指孔子墓前的石獸文豹,是石虎的一種人爲變異,置於陵墓前,以示威嚴。後人爲凸顯孔子墓神道前石儀有別於其他陵墓,遂將石虎稱之爲"文豹",象徵吉祥,並驅逐鬼怪。

〔三〕三年廬墓:此謂孔子弟子子貢在孔子墓前結廬獨自守墓三年。《孟子·滕文公上》載:"昔者孔子没,三年之外,門人治任將歸,入揖於子貢,相向而哭,皆失聲,然後歸。子貢反,築室於場,獨居三年,然後歸。"括弧内"墓"字據《山東通志》補足,下文不注明者同。

〔四〕一氣:混沌之氣,古人謂之乃萬物之本原。

〔五〕慶雲:即青、白、赤、黑、黄五色雲,爲喜慶、吉祥之氣。

〔六〕樹杪:樹梢。

〔七〕皃:"貌"字之異體。

〔八〕丹誠:赤誠之心。

〔九〕子貢精神古楷:谓子貢爲報答孔子教誨之恩,守墓六年並手植楷樹。

〔一〇〕□:此字原碑殘,清岳濬等修《山東通志》作"配",駱承烈《石頭上的儒家文獻——曲阜碑文録》作"醖"。

〔一一〕靈著:占卜用的蓍草。

〔一二〕唫:同"吟",唱。《玉篇·口部》:"唫,亦古吟字"。

〔一三〕金絲:借指弦樂器。

〔一四〕翁仲：中國古代陵墓前面及神道兩側的銅像或石像。傳説秦始皇初兼天下，有長人見於臨洮，其長五丈，足跡六尺，仿寫其形，鑄金人以像之，稱爲“翁仲”，守護宫殿或墳墓，震懾世人。

〔一五〕祇回：猶低回、流連、盤桓。

〔一六〕曈曈：日出時光亮的樣子。

〔一七〕王士俊（1683—1750）：字灼三，號犀川，貴州平越人。康熙辛丑年間進士。雍正初以知州發河南，累擢河南巡撫。雍正十年以河東總督仍管河南巡撫。乾隆年間任四川巡撫，坐事革職杖徙。著有《閑家編》《河南山東古吏治行》《河東從政録》《困之録》《清流縣志》等。

（陳以鳳）

乾隆十三年謁孔林酹酒詩碑

此碑立於清高宗乾隆十三年(1748),現位於孔林享殿内西側。碑頭雕龍,高0.76米,篆書"御制"兩字。碑身高1.06米,寬0.92米,厚0.22米。龍紋邊飾。碑身为乾隆御筆,行書,共六行,正文45字,落款8字。碑陰題詩一首,草書,御筆,共五行,共40字,落款14字。碑右側題五律詩,行書,御筆,共40字,落款18字。碑左側題七律一首,行書,御筆,共56字,落款17字。

潘相修乾隆《曲阜縣志》卷二《奎文》分别著録碑文與碑陰題詩。《御制詩集》二集卷三、三集卷九十六、五集卷三分别著録碑文、碑陰、碑左側題詩。《闕里文獻考》卷三十二《藝文》、駱承烈《石頭上的儒家文獻——曲阜碑文録》皆著録碑文,但均未録碑陰、碑側題詩。清孔祥霖《曲阜碑碣考》卷三丙部對碑文、碑陰、碑側均有記,所記名稱分别爲"謁林酹酒詩碑","謁林碑陰","謁林碑側、陰側辛卯丙申甲辰庚戌題刻"。

謁孔林酹酒〔一〕

宫牆親釋奠〔二〕,林墓此重来。地闢天開雰〔三〕,泗南洙北隈〔四〕。春鳴仙樂〔五〕鳥，冬緑石碑苔。教澤垂千古，泰山終未頽〔六〕。

乾隆戊辰春仲〔七〕御筆。

（以下碑陰）

平原如峻嶽，佳氣鬱〔八〕蘢蔥〔九〕。地植四方樹，天生萬古宫。光流因德厚〔一〇〕，道重自功崇。肅拜〔一一〕梀桨〔一二〕奠，企予〔一三〕望不窮。

辛卯暮春上澣〔一四〕謁孔林酹酒作。御筆。

（以下碑右側）

一抔〔一五〕如五嶽，永古此幽宫〔一六〕。天朗林原氣，川流洙泗〔一七〕風。奠椒〔一八〕溯思雱，瞻楷不言中。萬載讀書者，水源木本同〔一九〕。

謁孔林孔林酹酒一律。丙申暮春月下澣御筆。

（以下碑左側）

吉禮〔二〇〕虔〔二一〕申〔二二〕釋奠忱，祭臺〔二三〕更詣酹喬林〔二四〕。桒〔二五〕田大海有時變，方趾圓顱〔二六〕無不欽。立教〔二七〕惟師真是獨〔二八〕，作君則我愧於心。柞枌〔二九〕聞說門人植，萬古千秋永鬱森〔三〇〕。

謁孔林酹酒一律。甲辰仲春之月中澣御筆。

【注釋】

〔一〕酹酒：以酒澆地，表祭奠之意。

〔二〕釋奠：古代學校設置酒食祭奠先聖先師的禮儀。

〔三〕雳："處"字之異體。

〔四〕泗南洙北隈：泗，泗水。洙，洙水。隈，水流彎曲處。

〔五〕仙樂：仙界之美妙音樂。

〔六〕泰山終未頽：頽，"頹"字之異體，此句意指孔子伟大形象終未磨滅。"泰山頹"指爲衆所敬仰的人的死亡。典出《禮記·檀弓上》，文曰："孔子蚤作，負手曳杖，消摇於門。歌曰：'泰山其頽乎？梁木其壞乎？哲人其萎乎？'……子貢聞之，曰：'泰山將頽，則吾將安仰？梁木其壞，哲人其萎，則吾將安放？夫子殆將病也？'遂趨而入。夫子曰：'賜！爾來何遲也？夏后氏殯於東階之上，則猶在阼也；殷人殯於兩楹之間，則與賓主夾之也；周人殯於西階之上，則猶賓之也。而丘也，殷人也。予疇昔之夜，夢坐奠於兩楹之間。夫明王不興，而天下其孰能宗予，予殆將死也。'蓋寢疾七日而没。"

〔七〕春仲：即仲春，農曆二月。

〔八〕欝：同"鬱"，草木叢生。

〔九〕蘢蔥：青翠茂盛。

〔一〇〕光流因德厚：即德厚流光，德澤深厚影響深遠，光裕子孫。典出《穀梁傳·僖公十五年》："天子七廟，諸侯五，大夫三，士二，故德厚者流光，德薄者流卑。"

〔一一〕肅拜：古代九拜之一。《周禮·春官·太祝》謂"九拜"："一曰稽首，二曰頓首，三曰空首，四曰振動，五曰吉拜，六曰凶拜，七曰奇拜，八曰褒拜，九曰肅拜。"

〔一二〕枡槳：以椒浸制的酒漿，用以祭神。枡，"椒"字之異體。

〔一三〕企予：佇立。

〔一四〕上澣：每月上旬。澣，"浣"字之異體。

〔一五〕一抔：一捧之土，借指墳墓。

〔一六〕幽宫：謂墳墓。

〔一七〕洙泗：洙水和泗水。孔子曾在洙泗之間聚徒講學，後以此代稱孔子儒學。

〔一八〕奠椒：向孔子供獻椒漿致敬。奠，將祭品置於神前致敬。

〔一九〕萬載讀書者，水源木本同：此兩句謂千萬年的讀書者之學問皆師從孔子。即所謂"其前數千年之文化，賴孔子而傳；其後數千年之文化，賴孔子而開"。

〔二〇〕吉禮：指祭祀之禮。

〔二一〕虔：恭敬。

〔二二〕申：神也。

〔二三〕祭臺：舉行祭禮的土臺。

〔二四〕喬林：樹木高大之叢林。

〔二五〕桒："桑"字之異體。

〔二六〕方趾圓顱：方形腳、圓形頭，意指人。

〔二七〕立教：樹立教化。

〔二八〕立教惟師真是獨：意謂孔子爲萬世師表。

〔二九〕柞枌：柞，木名，柞木。枌，木名，白榆。

〔三〇〕鬱森：樹木茂盛高聳繁密。

（陳以鳳）

乾隆三十七年吏部侍郎曹秀先祭少昊碑

此碑立於清高宗乾隆三十七年(1772),位於少昊陵西廡前廊北端,高1.58米,寬0.65米,厚0.15米。該碑已斷爲兩截,現已修復,斷裂修復處殘損三字,其他文字完好無損。碑文係曹秀先正楷書写,正文9行,落款5行,共203字。

駱承烈《石頭上的儒家文獻——曲阜碑文録》没有收録此碑。

此碑不僅是重要的文獻史料,更是一副難得的書法珍品。碑文的書寫者爲著名書法家曹秀先,以儒臣起家的曹秀先不僅學識淵博,還工於詩文,尤善書法。其書法深受"館閣體"的影響,是"正統派"的代表人物。他的作品和張照、劉墉等人一樣,沉著端莊、圓健純熟,引領時代風氣。曹秀先字恒所,號地山,與張照(得天)、王傑(偉人)被乾隆並稱爲"天地人",時人以擁有他的書品而爲珍寶。此碑,從筆墨上看,取法锺繇、王羲之爲多,温文爾雅,格調清新,一絲不苟,無一怠筆,古風彌漫。雖用正楷書寫,但沉厚之中又不乏靈動之美,字法外實而内虚,外静而内動,穩健中見動感。人常説"字如其人",通過曹秀先的這一碑文,我們也可想见他嚴謹的爲人和深厚的學識。

維乾隆三十七年(歲)〔一〕次壬辰正月丁酉朔越祭日癸亥〔二〕,皇帝遣吏部右侍郎曹(秀)先〔三〕致祭於少昊金天氏陵曰:惟帝王體元則大〔四〕,撫世誠〔五〕民。勳被寰區〔六〕,德昭徃〔七〕古。羹牆〔八〕匪隔,累朝之統緒相承;俎豆〔九〕維新,百代之英靈如在。兹以慈闈萬壽〔一〇〕,懋舉鴻儀。敬晉徽稱〔一一〕,神人洽慶。孝道以尊親(為)〔一二〕大,式仰前型;母儀之錫類〔一三〕者宏,永綏厚福。彝章〔一四〕載舉,祀典斯崇。布肹蠁〔一五〕以告虔,庶靈明之來格。

賫送香帛官太常寺筆帖式〔一六〕臣德慶,陪祭官分巡兗沂曹兵備道〔一七〕臣松齡,兗州府知府臣福森布,曲阜縣知縣臣潘相〔一八〕。

經筵講官吏部右侍郎臣曹秀先敬書。

【注釋】

〔一〕按古代時間格式補足,爲"歲"字無疑。

〔二〕癸亥:正月二十七。

〔三〕曹秀先:字恒所,號地山,江西新建(今江西新建)人,著名文學家、書法家。乾隆元年,舉博學鴻詞,未試,成進士,改庶吉士,授編修。十年,遷浙江道御史。七遷至侍郎,曆工、户、吏諸部。三十九年,遷禮部尚書、上書房行走,命爲總師傅。四十七年,罷上書房總師傅。四十九年卒,贈太子太傅,謚文恪。曹秀先爲官清廉,誠敬勤慎,學問淵博,工於詩文,尤善書法。有大量文學作品、書法作品留諸後世。括弧内所補"秀"字之依據:一、乾隆三十七年,朝廷派曹秀先詣闕里,祭孔子、告少昊,孔廟十三碑亭立有乾隆三十七年曹秀先致祭孔子碑。二、該碑落款處"經筵講官吏部右侍郎臣曹秀先敬書"之"秀"字確鑿無疑。

〔四〕體元則大:體和則爲動詞。體,體認、踐行。則,以……爲法則。元和大爲名詞。元,基。大,道。

〔五〕誠:動詞,使和諧融洽。

〔六〕寰區:環宇,指天下。

〔七〕徃:"往"字之異體。

〔八〕羹牆:《後漢書·李固傳》:"昔堯殂之後,舜仰慕三年。坐則見堯於牆,食則睹堯於羹。斯所謂聿追來孝,不失臣子之節者。"後因以"羹牆"爲思慕之詞,用以表達追念前輩或仰慕聖賢的意思。

〔九〕俎豆:祭祀用的禮器,代指國家的典禮制度。

〔一〇〕慈闈萬壽:闈,婦女居室、后妃居處,慈闈,母親的代稱,皇后、皇太后母儀天下,故亦以稱皇后、皇太后。萬壽,指皇帝、皇太后的生日。乾隆三十六年,乾隆生母孝聖憲皇后八十大壽。孝聖憲皇后,鈕祜禄氏,四品典儀淩柱女。年十三,事世宗潛邸,號格格。康熙五十年八月庚午,生乾隆。雍正中,封熹妃,進熹貴妃。高宗即位,以世宗遺命,尊爲皇太后,居慈寧宫。高宗事太后孝,以天下養。遇萬壽,率王大臣奉觴稱慶。乾隆十六年,六十壽;二十六年,七十壽;三十六年,八十壽:慶典以次加隆。四十二年正月庚寅,崩,年八十六,葬泰東陵。

〔一一〕敬晉徽稱:晉献美好的称号。晉,晉现。徽,美好。稱,称号。

〔一二〕據乾隆三十七年祭黄帝、炎帝、舜帝等祭文補足,此類祭祀屬於公祭,不僅祭祀少昊,還有炎帝、黄帝、舜帝等,祭文都是一樣的。此處文字,其他祭文皆是"為"。

〔一三〕錫類:語出《詩·大雅·既醉》:"孝子不匱,永錫爾類。"毛傳:"類,善也。"鄭玄箋:"孝子之行非有竭極之時,長以與女之族類,謂廣之以教導天下也。”謂以善施及衆人。

〔一四〕彝章:常典,永久不變的典章。彝,常、固定的、不變的。

〔一五〕肹蠁:肹,芬芳,指代祭品。蠁,声响,指代乐舞。

〔一六〕筆帖式:滿語“bithesi”(有學問的人)的音譯,清朝官職之一。此官職配置於朝廷或地方的輔助部門,品等爲正六品至正九品。該官職主要從事工作爲負責翻譯漢、滿章奏與文書抄寫,清初還負責奏章滿漢文間的校注。

〔一七〕分巡兖沂曹兵備道:駐兖州府,雍正九年始設兖莒沂道,轄兖州一府、沂莒二州。十二年改沂州爲府,隸莒州,又兼轄曹州府。乾隆朝改銜爲分巡兖沂曹道。

〔一八〕潘相:湖南安鄉人,進士,乾隆三十四年任曲阜縣知縣,纂修《曲阜縣志》。

(劉文劍)

乾隆五十三年春秋書院兹以祀事碑

該碑2017年1月出土於曲阜市息陬鎮北部春秋書院還轅橋東原水溝封土層下,現移存春秋書院重建辦公室。僅存上半部,下殘,呈上小下大直角梯形,下邊長0.86米,上邊長0.63米,寬0.63米,厚0.13米,存字209個,每字0.03米見方,正楷書體,皆可辨識。

根據目前掌握的資料進行核對,迄今没有發現該碑的著録文獻。在《孔府檔案》中,有相關記載,可相互考證。

兹以祀事〔一〕不無擾亂,特勒碑以垂永久〔二〕。事切有四氏學〔三〕學録〔四〕孔廣棻,於客歲〔五〕臘〔六〕底,不知何故,忽於本集設立行頭〔七〕二名。同社具呈公府〔八〕,蒙批:孔興閔、周雲翱為懇恩〔九〕保全祀典、以光聖跡〔一〇〕等事,查息陬〔一一〕春秋書院,取本村市税〔一二〕以祭,由來已久。本爵府曾飭〔一三〕廣梯承辦在案,該學録何得勁〔一四〕立行頭?故滋擾亂,殊屬不合。爾等止照常辦理可也。碑文抄粘存。

乾隆五十三年正月二十八日。

先是，乾隆三十八年冬，太常寺〔一五〕孔繼泰，為市儈〔一六〕賄囑〔一七〕，輙〔一八〕生異議。孔興閔面稟公府，劄諭〔一九〕春秋書院社首興閔、傳傑知悉。照得該處書院向。

□□春秋。

□□□□□□□□□□年屠行〔二〇〕薛賡唐繳錢廿。

□□□□□□□□□□□□□□□□□□□□據爾。

（以下缺）

【注釋】

〔一〕祀事：指祭祀儀式及相關事宜。

〔二〕勒碑：即往石碑上刻字。

〔三〕四氏學：四氏學是專門爲了孔顔曾孟四氏設立的廟學機構。四氏學創立於明朝嘉靖十五年，前身爲明朝中期的三氏學，或再之前的孔氏家學。

〔四〕學録：爲古代文官官職名，配置於國子監等官學機構，其從事業務相當於老師或學校行政人員。碑文中，時任四氏學學録爲孔廣棻。廣椺，即孔廣椺，據《孔府檔案》四九〇七之三，乾隆五十六年十月尼山學録爲孔廣椺。

〔五〕客歲：去年，即乾隆五十二年。

〔六〕臘：古稱農曆十二月合祭衆神爲臘，故農曆十二月爲臘月。

〔七〕本集設立行頭：本集，指息陬義集，逢農曆五、十爲集。據《孔府檔案》四九九二之十三：孔府管理的"集"，始於明朝。據袁兆春《孔府檔案的法律史料價值研究》，孔府集市分爲義集、屯集、書院集等。行頭,本指某種行業的爲首者。孔府集市的具體管理者一般稱經紀、集頭。息陬集規模相對較小,商品類别相對較少,故由“行頭”負責收取集税。《孔府檔案》中,有很多争集、争税的記載。據《孔府檔案》四九〇八之二十:“息陬春秋書院查系沂陽户候選州同孔尚珥改修大其規模,並請置祭田義集,由來已久。”另據《孔府檔案》四九〇七之二十二:“春秋書院祀典向由息陬義集供辦。”

〔八〕公府:指衍聖公府。

〔九〕懇恩:懇求恩典。

〔一〇〕聖跡:指孔子留下的歷史遺跡,即“孔子作春秋處”。

〔一一〕息陬:曲阜地名。因孔子還轅,息於陬,作《陬操》而著名。今京滬高鐵曲阜東站位於息陬鎮東鄰,孔子大道貫穿鎮境東西。

〔一二〕市税:此指在息陬集上收取的各種攤費。

〔一三〕飭:命令。

〔一四〕勁:功力。

〔一五〕太常寺:指太常寺博士。當時衍聖公諸子有優越的世襲職爵,一般其嫡長子世襲衍聖公,次子世襲翰林院五經博士,三子世襲太常寺博士等。

〔一六〕市儈:舊稱買賣的居間人。借指貪圖私利、投機取巧的人。

〔一七〕賄囑:賄賂囑託。

〔一八〕輙:同“輒”。

〔一九〕劄諭:上級對下級或長輩對晚輩的指示公文。

〔二〇〕屠行:指牲畜屠宰行業。

【論説】

《乾隆五十三年春秋書院茲以祀事碑》雖然歷史年代不算久遠（距今229年），且爲殘碑，文字内容爲管理糾紛，其研究價值似乎不大。然而，由於其涉及孔子春秋書院，關係到春秋學史與春秋書院史，碑文内容與《孔府檔案》的相關記載又息息相關、一一對應，與其他存世文獻互相依存、互相證實，更重要的是它不被著録、久埋地下，今年一旦重見天日，便見證了書院重建和啓動，與孔子、儒學、經學、書院歷史開展跨時空的對話。其上溯相關事件的年代，無論按照孔子晚年編撰《春秋》、孟子"孔子作春秋"、《春秋緯》、任昉《述異記》"曲阜縣南十里有春秋臺"、宋代立祠設計畫像、康熙五十四年孔尚珥《息陬乃魯陬邑碑》，到本碑的乾隆五十三年，遠則兩千多年，近則七十多年；其下延相關事件的年代，迄於可查閲到的《孔府檔案》四九〇八之二十，爲嘉慶十四年七月十四日，直接相關時間段爲二十一年，這期間本糾紛案各自引經據典、據理力争、跌宕起伏、記載詳實、言辭鑿鑿。

《孔府檔案》中與此碑内容直接相關聯的資料主要有以下九宗：1. 四九〇七之三處理曲阜縣息陬村孔子春秋書院徵收集税糾紛(1)（學録孔廣栫稟爲選得林宗仁等堪以充膺行户管理集税事）；2. 四九〇七之七處理曲阜縣息陬村孔子春秋書院徵收集税糾紛(1)（曲阜縣移爲孔廣栫私立行頭收取息陬集税事）；3. 四九〇七之二十二處理曲阜縣息陬村孔子春秋書院徵收集税糾紛(1)（移曲阜縣爲息陬集期逢五逢十分由新舊行護照管事）；4. 四九〇八之一處理曲阜縣息陬村孔子春秋書院徵收集税糾紛(2)（告示爲曉諭曲阜息陬春秋書院仍著孔昭燮等管理事附劄）；5. 四九〇八之五處理曲阜縣息陬村孔子春秋書院徵收集税糾紛(2)（四氏學學録稟爲經營息陬春秋書院一案請批示遵行事）；6. 四九〇八之六處理曲阜縣息

陬村孔子春秋書院徵收集税糾紛(2)(息陬村孔興閔等呈爲經管息陬春秋書院集税事);7. 四九〇八之十處理曲阜縣息陬村孔子春秋書院徵收集税糾紛(2)(告示爲曉諭收回息陬春秋書院祭田行税事);8. 四九〇八之十五處理曲阜縣息陬村孔子春秋書院徵收集税糾紛(2)(孔昭燮呈為保舉劉峨嵩充任息陬集行頭事)9. 四九〇八之二十處理曲阜縣息陬村孔子春秋書院徵收集税糾紛(2)(告示爲曉諭息陬春秋書院仍著孔興閔管理事)。

按照時間順序來對以上《孔府檔案》進行梳理,從乾隆五十三年(1788)到嘉慶十四年(1809)二十一年之間,與此碑相關的重要時間和事件節點有十個:1. 乾隆五十三年,祀事不無擾亂,勒碑以垂永久;2. 乾隆五十六年十月,尼山學録孔廣椦選得隋紹宗、林宗仁堪以充膺息陬集行頭;3. 乾隆五十七年正月十九日,兖州府曲阜縣移爲孔廣椦私立行頭收取息陬集税事;4. 乾隆五十七年四月十三日,孔興閔、孔廣椦均歸和好,情願照舊同管集市。5. 嘉慶十三年三月二十一日,孔昭燮、庠生周雲翺等與各紳士籲請糾衆整理、期復舊規,獲衍聖公告示附劄;6. 嘉慶十三年四月二十六日,息陬村孔興閔等呈爲經管息陬春秋書院集税事;7. 嘉慶十三年四月,四氏學學録孔憲堉爲經管息陬春秋書院一案請批示遵行事;8. 嘉慶十三年十月初二日,告示爲曉諭收回息陬春秋書院祭田行税事;9. 嘉慶十三年十二月,孔昭燮呈爲保舉劉峨嵩充任息陬集行頭事;10. 嘉慶十四年七月十四日,告示爲曉諭息陬春秋書院仍著孔興閔管理事。

其中涉及的人物有:1. 四氏學學録孔廣棻;孔興閔、周雲翺;廣椦;太常寺孔繼泰;興閔、傳傑;屠行薛賡唐;2. 尼山學録孔廣椦;隋紹宗、林宗仁;職曾祖毓全;孔興閔;職祖傳煦;職父;3. 孔廣椦;孔興閔、張文山;兖州府曲阜縣張、潘二前任;4. 孔興閔、孔廣椦;五品執事官孔毓汭;舊行行户薛密;新行行户吴濟川;5. 大宗户族人孔昭燮、庠生周雲翺;孔興閔、周雲翺;小甲;行頭陳燦傑;

爾父廣梯;6. 恩貢生孔興閔、舉人宋丕恭、生員周雲翱;太常寺孔繼泰;前任學録孔廣梯;前任潘、袁二縣主;(四氏學)現任學録孔憲堉;董事人孔毓汭;7. 四氏學學録孔憲堉;歲貢生孔興閔;本社人五品執事官孔毓汭;本年新行頭陳燦傑;8. 孔興閔;本村紳士;本爵;管勾官、百户官;9. 族協同孔毓瑞;孔興閔;充補行頭劉峨嵩;10. 沂陽户候選州同孔尚珥;□孫孔興閔;廩貢生孔興閔;等等。計10組56人次。

詳情列表如下:

與春秋書院本碑相關的《孔府檔案》記載的相關時間和事件節點表

時間(《孔府檔案》卷號)	事件(涉及的人物)	衍聖公	備注(涉及春秋書院歷史及禮俗文化)
乾隆五十三年	祀事不無擾亂,勒碑以垂永久。(四氏學學録孔廣棻;孔興閔、周雲翱;廣梯;太常寺孔繼泰;興閔、傳傑;屠行薛賡唐)	七十二代孔憲培	1788年。息陬春秋書院,取本村市税以祭,由來已久。本爵府曾飭廣梯承辦在案,該學録何得勁立行頭?故滋擾亂,殊屬不合。爾等止照常辦理可也。
乾隆五十六年十月(四九〇七之三)	尼山學録孔廣梯選得隋紹宗、林宗仁堪以充膺息陬集行頭。(尼山學録孔廣梯;隋紹宗、林宗仁;職曾祖毓全;孔興閔;職祖傳煦;職父)	七十二代孔憲培	1791年。息陬村乃聖祖遠(還)轅之所,舊有春秋書院。自東山寇亂,廟宇傾圮,職曾祖毓全將聖像移請本族園亭,糾合會社以爲修葺之費,將本莊集税具呈有司,以作辦祭之用。其行户例由社内於十月十五日會社之期公同撿擇充膺。

（續表）

時間（《孔府檔案》卷號）	事件（涉及的人物）	衍聖公	備注（涉及春秋書院歷史及禮俗文化）
乾隆五十七年正月十九日（四九〇七之七）	兗州府曲阜縣移爲孔廣榜私立行頭收取息陬集税事。（孔廣榜；孔興閔、張文山；兗州府曲阜縣張、潘二前任）	七十二代孔憲培	1792年。 息陬書院春秋享祀，取本村市税以供粢盛，由來已久。嗣有市儈窺伺。經張、潘二前任判斷立案，現有碑誌鑿鑿可據。 續緣社友孔興閔將社内所存任情使用，負欠累累，以致廟貌傾頹。伊遂無顔在社，因將一切賬目交與職祖傳煦，現有社簿可憑。職祖目擊心傷，復約社重將大殿東廡及大門廚房修改□齊。五十一年職父病故，公爺慎重其事，是以出示並劄諭職董理一切。嗣因四氏學學録擅批行户，合社公呈，蒙批更正在案。孔興閔惟時乘機列名，復得入社。詎料其懷私挾詐，不待社期，不同社衆，暗將行户盡行批膺，情弊顯然。職伏念聖祖血食所關，兼之祖父數世經營之苦，復蒙公爺委任之重，設使行税不能畫一，咎將誰歸。今選得隋紹宗、林宗仁家道殷□，爲人老成，堪以充膺行户。如有拖欠，致廢祀典，惟職是問。爲此備悉陳明。伏乞公爺恩准給示施行。

（續表）

時間(《孔府檔案》卷號)	事件（涉及的人物）	衍聖公	備注（涉及春秋書院歷史及禮俗文化）
乾隆五十七年四月十三日（四九〇七之二十二）	孔興閔、孔廣栂均歸和好，情願照舊同管集市。 （孔興閔、孔廣栂；五品執事官孔毓汭；舊行行户薛密；新行行户吴濟川）	七十二代孔憲培	1792年。 春秋書院祀典向由息陬義集供辦。前據貢生孔興閔、學録孔廣栂互控一案，當經本爵府飭傳妥議，務歸協和，以息訟端去後。兹據五品執事官孔毓汭呈稱，切照春秋書院義集職與社内人等酌議調處，現再孔興閔、孔廣栂均歸和好，情願照舊同管集市，嗣後倘有參商，致起争端情弊，職等均願甘罪，並無揑飾。
嘉慶十三年三月二十一日（四九〇八之一）	孔昭燮、庠生周雲翱等與各紳士籲請糾衆整理、期復舊規，獲衍聖公告示附劄。 （大宗户族人孔昭燮、庠生周雲翱；孔興閔、周雲翱；小甲；行頭陳燦傑；爾父廣栂）	七十三代孔慶鎔	1808年。 息陬村書院祭田及集市各行税前經先公批示，勒石廟中，著令社内經理徵收租税，以供祭典，並經曲阜縣批示，歷有案據。 大宗户族人孔昭燮、庠生□□（周雲）翱等呈前事呈稱，切息陬春秋書院乃聖祖還轅之區，係族等祖父結社購地，以供春秋二祭，其主祭即社内齒德兼全者膺之。又將集税以及酒店油房赴縣呈討。蒙縣主批撥，以供祭祀修葺廟宇。其集各行行頭亦均由社内酌議更换充膺。 於乾隆五十一年族祖故後，奉有劄諭委族父廣栂董理在案。忽於五十三年有四氏學學録批集霸行，本社孔興閔、周雲翱呈明案下。蒙批不許他人干預，勒石以垂永久。族父故後，乃小甲即獨斷獨行，侵蝕祭祖行税，社遂星散。

（續表）

時間（《孔府檔案》卷號）	事件（涉及的人物）	衍聖公	備注（涉及春秋書院歷史及禮俗文化）
嘉慶十三年四月二十六日（四九〇八之六）	息陬村孔興閔等呈爲經管息陬春秋書院集税事。（恩貢生孔興閔、舉人宋丕恭、生員周雲翱；太常寺孔繼泰；前任學録孔廣榜；前任潘、袁二縣主；現任學録孔憲堉；董事人孔毓汭）	七十三代孔慶鎔	1808年。 附呈碑文四事。 □南十里許曰息陬，《志》稱先聖還轅處，孔子作《春秋》於斯。學者讀書懷古，有宋時即設祠像，故曰春秋書院，又曰息陬書院云。我朝自雍正十年族□建祠院，公爲義市。取市税些須，以供春秋之薦。猶虞祠廟敝壞，公爲義會，置田八畝以備修葺之費，歲有常丁時請廟學官以主祭。至凡書□祭品、祭儀皆公舉可人以董其事。凡義市交易一切皆公議行人，以收其税，即廟學官不得過而問焉。厥典綦重，傳爲盛事，蓋以道觀於鄉禮可以跡留於永也。嗣於乾隆三十八年太常寺孔繼泰欲賣此義集，貢生面稟宗主，親蒙賜劄諭禁。五十三年前任學録孔廣榜劈空勁立行頭收税，呈稟公府，又蒙嚴示，禁止所有市儈窺伺漁利等弊。社衆節次呈稟顯尊，經前任潘、袁二縣主均行出示嚴禁，有案可查，更有碑誌鑿鑿，抄粘呈明。

（續表）

時間（《孔府檔案》卷號）	事件（涉及的人物）	衍聖公	備注（涉及春秋書院歷史及禮俗文化）
嘉慶十三年四月（四九〇八之五）	四氏學學録孔憲堉爲經管息陬春秋書院一案請批示遵行事。（四氏學學録孔憲堉；歲貢生孔興閔；本社人五品執事官孔毓汭；本年新行頭陳燦傑）	七十三代孔慶鎔	1808年。 緣春秋書院向有西息陬集税，闔社公議自立各行抽税，以供祭祀，歲修廟宇。久有孔興閔把持侵蝕，廟宇傾頹，祭祀草率，種種不堪，闔族所不齒。衆人仍念其年老無依，皆爲援情。卑職到任一年有餘，查問係學録主祭。内值祭田四氏學西齋承納，由來已久，且縣誌載明廟學官主祭。自去年八月内覆蒙劄飭，以孔興閔承辦祭祀，豬羊疲瘦不堪。該學録並未事前查驗，亦大疏忽。合行嚴飭，等因在案。卑職當即會同伊本社人五品執事官孔毓汭照舊妥議修葺之法，值辦祭器之舉，俟秋間方能妥就。卑職遵劄查辦一切舊章，毫無更易，所有各行仍系舊日社内議立。乃孔興閔所稱，卑職勁立行頭，私收行税等語，指何爲憑？本年新行頭陳燦傑等系奉金批在案，與卑職無干。孔興閔恃老横行，自顯呑霸，反誣揑妄控。所有緣由合併稟聞。伏候爵憲大人批示存案，俾得遵循，庶争端可息，即廟宇祀典永存不朽矣。

（續表）

時間（《孔府檔案》卷號）	事件（涉及的人物）	衍聖公	備注（涉及春秋書院歷史及禮俗文化）
嘉慶十三年十月初二日（四九〇八之十）	告示爲曉諭收回息陬春秋書院祭田行稅事。（孔興閔；本村紳士；本爵；管勾官、百户官）	七十三代孔慶鎔	1808年。借由結社，究干例禁，更非祭祀體制。凡係至聖祖廟祭祀大典，自應本爵府專主，族衆不得攙越。所有祭田行税，本爵一概收回，自行管理，招募行頭徵收租稅，興工修整，俾得廟貌重新。應用祭器、祭品即著管勾官、百户官遵照各書院一律辦理，以昭誠敬，統歸畫一，並將所立之社永遠革除，毋許妄生事端。
嘉慶十三年十二月（四九〇八之十五）	孔昭燮呈爲保舉劉峨嵩充任息陬集行頭事。（族協同孔毓瑞；孔興閔；充補行頭劉峨嵩）	七十三代孔慶鎔	1808年。詎孔毓瑞見示之後並不經心，又兼孔興閔素行武斷，不但無人充膺行户，即行頭亦無人充膺。時屆歲除，礙難再遲。
嘉慶十四年（四九〇八之二十）	告示爲曉諭息陬春秋書院仍著孔興閔管理事。（沂陽户候選州同孔尚珥；□孫孔興閔；廪貢生孔興閔）	七十三代孔慶鎔	1809年。息陬春秋書院查係沂陽户候選州同孔尚珥改修大其規模，並請置祭田義集，由來已久。前此屢經批示，□孫孔興閔等經理社事，並禁止攪亂各在案。乃近年以來並不妥協承辦，祭祀廢弛，紊亂舊規，横争滋訟，殊屬不合，合亟出示曉諭。爲此示仰該廪貢生孔興閔等遵照所有集市祭田一應事宜，悉仍照舊承辦，以供祀典，仍將如何妥辦之處呈明存案。

通過此表可以看出本碑糾紛案二十一年間發展經歷了三個階段，第一階段（1788—1792），從乾隆五十三年到乾隆五十七年，争端爆發時期；第二階段（1792—1808），從乾隆五十七年到嘉慶十三年，相安無事的十六年；第二階段（1808—1809），出人意料的戲劇性轉折時期。

嘉慶十四年七月十四日，襲封衍聖公府告示爲曉諭息陬春秋書院仍著孔興閔管理事，是我們能查閱到的關於本案的大結局。這一年，是1809年。嘉慶十三年四月二十六日，息陬村孔興閔等呈爲經管息陬春秋書院集税事。據《孔府檔案》四九〇八之六，具呈恩貢生孔興閔年八十三歲、舉人宋丕恭、生員周雲翱等住息陬村。爲呈明緣由、懇恩電察、以肅祀典、以光聖跡事。碑誌鑿鑿，抄粘呈明。附呈碑文四事。其中提到的“碑文四事”，我們推測其中就應該有本文碑主“乾隆五十三年春秋書院‘茲以祀事’碑”，另外“三事”，我們今天看不到原碑。但是，“三事”之中，有一塊碑是可考可定的，即“康熙五十四年息陬乃魯陬邑碑”。

（齊金江）

乾隆五十四年重濬洙水碑

此碑立於清高宗乾隆五十四年(1789),現位於孔林洙水橋南東面北側,東起第1石。碑身高3.0米,寬0.8米,厚0.29米。雕龍紋碑頭,高0.5米,上篆書"大清"二字。碑身正書,共18行。碑身底部現深埋土中,字跡不現,正文存611字,落款存72字。

駱承烈《石頭上的儒家文獻——曲阜碑文録》著録全碑,"祇"誤作"祗","志"誤作"誌","飭"誤作"飾","厥"誤作"廟","闕山"誤作"闕山","二水"誤作"兩水","載度"前脱"載咨","坦"誤作"垣","肇工"誤作"肇二","積土"誤作"積之","剔抉"誤作"剔扶","源深"脱"深"字,"左驗"脱"左"字,"僉曰"脱"曰"字。清孔祥霖《曲阜碑碣考》卷三丙部有記,名爲"重浚洙水碑記"。

重浚洙水碑記

乾隆戊申之歲,余與學使者副憲〔一〕劉公祇謁聖林。既成禮,周環〔二〕觀攬,見夫泗水繞其北,沂水環其南,皆由西南而下趋。惟洙水源壅流閼積壤墳起，幾與橋平。蓋湮廢已不知幾經年所矣。按《曲阜志》：洙源在泗水縣東北闕山，為費縣蒙山之麓。《水經》云：洙泗異源同流，西南流於下城。爰飭[三]所司[四]按厥圖經，尋涉澗谷，窮深極（邈）[五]，求所謂蒙山之麓者，既渺不可得，惟泗東境卞橋村東北微[六]流涓涓，所在多有，然亦僅遶出林北，西注入泗，而於林以内之水，故不相入也。於是循今河東行，至林外四里之五泉莊北古魯城基外，傍河土中得遺碑，篆書深刻四字曰"浚復洙河"。無欵（識）[七]。查志碑為前明工部侍郎章拯[八]所立。正與《水經注》所云"至魯縣東北分為二水，水側有故城"之語相合。因就碑處淘浚，尺餘有舊甃磚（石）。再濬之，沸泉湧出，深廣各三尺，累日不涸。所司者以狀告余，與劉公載咨載度，都人士[九]耆老[一〇]咸以為然。乃率僚吏脩工徒畚鍤[一一]具施，坻[一二]（者）以坦，湮者以通，既導既灑[一三]，靈源汩[一四]然。自東而西而南，又折而西南，以達於沂。始謍於戊申之春，迄今歲四月肇工數旬而告竣。凡所浚（縱）經十三里，由原河身加深一丈五尺以上十之，一丈二尺以上者六之，丈以下者三之，其加廣自一丈五尺至一丈恙有差，而於是乎（洙）水之经流具著矣。抑余又思之。《檀弓》云：事夫子於洙泗之間。太史公《孔子世家》贊云：洙泗之間斷斷如也[一五]。洙與泗率並稱，今泗水源深（流）遠，而洙水湮沒於淤河積土中者，已閲[一六]有年所。一旦剔抉爬疏[一七]，浩乎其沛然，而又有司空章公之碑以為左驗[一八]，則豈非大聖人之遺蹤，餘潤千載，不可磨滅。而興廢舉墜〔一九〕,事在人之為之也哉。後之人崇昭聖蹟,以時濬修,無俾重遭湮廢,致複有積壤墳起之虞〔二〇〕,則余與劉公實厚望之。既落成,僉〔二一〕曰是不可以無記,乃為綜其巔末〔二二〕如此。

乾隆五十四年歲在乙酉秋九月撫東使者覺羅長麟〔二三〕謹譔并書。

布政使繆其吉,按察使甘定進,兖沂漕濟道高璐,兖州府知府高宮璽,曲阜縣知縣李維本,鄒縣知縣慶泰,旌德李良玉鐫。

【注釋】

〔一〕副憲:官名,清代都察院副長官左副都御史的别稱。

〔二〕瓌:"環"字之異體。

〔三〕爰飭:於是命令。

〔四〕冴司:謂主管、負責的官吏。冴,"所"字之異體。

〔五〕窮深極邈:深入偏僻、遥遠之地。括号内文字據駱承烈《石頭上的儒家文獻——曲阜碑文録》補,下同。

〔六〕微:"微"字之異體。

〔七〕欵識:即款識,古代鐘鼎、彝器、石碑上鑄刻的文字以及書畫上的題名。

〔八〕章拯(1479—1548):字以道,號樸庵。弘治十五年進士,授工部主事。嘉靖中累官至工部尚書。嘉靖二十七年正月卒,年七十。贈太子少保,謚恭惠。著有《朴庵文集》。

〔九〕都人士:指居於曲阜城有士行的人。典出《詩·小雅·都人士》:"彼都人士,狐裘黄黄。"鄭玄箋:"城郭之城曰都。古明王時,都人之有士行者。冬則衣狐裘,黄黄然,取温裕而已。"

〔一〇〕耆老:年老而有地位的士紳。

〔一一〕鍤:鐵鍬,掘土的工具。

〔一二〕坻:高坡地。

〔一三〕灑:疏導分散。

〔一四〕汩:水流的樣子。

〔一五〕洙泗之間齗齗如也:此句出自《史记·鲁周公世家》:"甚矣魯道之衰也!洙泗之間齗齗如也。"碑文所記出自《孔子世家》有誤。齗齗如也,争辯貌。裴駰集解引徐廣曰:"蓋幼者患苦長者,長者忿愧自守,故齗齗争辭,所以爲道衰也。"

〔一六〕閲:經歷。

〔一七〕剔抉爬疏:剔剜抉擇,整理疏導。

〔一八〕左驗:證據,佐證。

〔一九〕興廢舉墜:使廢毁和即將喪失的事物興復起來。

〔二〇〕虞:憂慮。

〔二一〕僉:皆、全部。

〔二二〕巔末:事情之始末。

〔二三〕覺羅長麟(?—1811):字牧庵,隸正藍旗。乾隆四十年進士,授刑部主事。乾隆五十二年至乾隆五十五年任山東巡撫,責所屬濬河道,修四十一州縣城工。本碑所載重濬洙水河即於此時。

(陳以鳳)

乾隆五十四年補種孔林樹木記碑

此碑立於清高宗乾隆五十四年(1789)九月,現位於孔林洙水橋前東面,北側,西起第1石。雕龍碑頭,高0.9米,篆書"大清"二字。碑高2.4米,寬0.83米,厚0.3米。碑身正書,共13行,殘,現已修復。碑身底部現深埋土中,字跡不現。今正文存290字,落款存79字。

駱承烈《石頭上的儒家文獻——曲阜碑文録》著録全碑,"栽植"誤作"裁植","豈"誤作"宅","林官"誤作"抑官";落款處人名"繆其吉"誤作"繆其書"。清孔祥霖《曲阜碑碣考》卷三丙部有記,名爲"補種樹木碑"。

補種孔林樹木碑記

丁未之春,余啣〔一〕恩命,來撫〔二〕是邦。維時〔三〕視學使者副憲長沙劉公為余言,按試時伏謁〔四〕聖林。見宰樹〔五〕鬱然〔六〕舊觀,惟享殿橋門以外,繚垣〔七〕以内,嚮之〔八〕栽植不下數萬樹。以比歲〔九〕旱之故,穉〔一〇〕者不溽[一一]遂,而槁[一二]者不得蕪[一三],(於)(兹)[一四]年矣。夫聖澤之滋培[一五],今猶昔也。視彼甘棠勿剪[一六],角弓[一七]勿忘,奚啻什伯[一八]千萬之失,今弗治。豈惟孔氏之子孫林官斯土者,與有責焉。(既)(餘)部往來曲阜,瞻拜林廟,亦心韙[一九]劉公之言。閲歲戊申,雨膏霑渥[二〇],土脈滋潤[二一],於樹藝尤宜。乃與劉公會諸同官,共出俸錢,得樹五千株,視諸隙[二二](地)(之)者易之,缺者補之。厥材檜柏物土之宜也,種以元冬[二三]沍寒[二四]善其時也,畀[二五]場師[二六]之良者使封殖[二七]之,擇臺隸[二八]助林戶以時守(護)(之)。其成也,同時衍聖公亦率其宗人分地補植,以次皆編。是役也,余幸觀厥成,又願有以示來者,俾無廢墜[二九]。遂伐石以(紀)(歲),且列同宮[三〇]襄事[三〇]姓名具如左方:

乾隆五十四年歲次己酉季秋之月,撫東使者覺羅長麟謹譔。

布政使繆其吉,按察使甘定進,兖沂曹道高璐,兖州府知府高宮璽,曲阜縣知縣袁廷翽、李維本,寧陽縣教論畢所讜,安丘縣教諭王申年書。

【注釋】

〔一〕啣:領受,肩負。

〔二〕撫:治理。

〔三〕維時:當時。

〔四〕伏謁:伏地謁見尊者。

〔五〕宰樹：墳墓上的樹木。

〔六〕鬱然：繁盛的樣子。

〔七〕繚垣：圍牆。

〔八〕嚮之：從前，原來。

〔九〕比歲：連年。

〔一〇〕穉：幼。《集韻·脂韻》："穉，幼也。"

〔一一〕潯：水。《玉篇·水部》："潯，水。"

〔一二〕槁：枯木。《廣韻·晧韻》："槁，木枯也。"

〔一三〕蘓："蘇"字之異體。

〔一四〕於茲：據駱承烈《石頭上的儒家文獻——曲阜碑文録》補，下同。

〔一五〕滋培：栽培、養育。

〔一六〕甘棠勿剪：甘棠，木名，即棠梨。語出《詩·召南·甘棠》："蔽芾甘棠，勿翦勿伐，召伯所茇。"

〔一七〕角弓：以獸角爲飾的硬弓。

〔一八〕什伯：謂超過十倍、百倍。

〔一九〕韙：贊美。

〔二〇〕雨膏沾渥：霖雨浸潤。

〔二一〕土脉滋潤：土壤濕潤。

〔二二〕隙：孔穴、空隙。

〔二三〕元冬：玄冬，冬天。

〔二四〕沍寒：寒氣凝結。謂極爲寒冷。

〔二五〕畀：付託、委任。

〔二六〕場師：古代園藝匠師之稱。

〔二七〕封殖：壅土培育。

〔二八〕臺隸：地位最低下的奴僕。隸，"隸"字之異體。

〔二九〕廢墜：懈怠而中止。

〔三〇〕同宫:謂同僚。

〔三一〕襄事:成事。

(陳以鳳)

乾隆五十四年聖林補植樹木誌功碑

此碑立於清高宗乾隆五十四年(1789),現位於孔林洙水橋前東边北側,西起第2石。孔子七十二代孫衍聖公孔憲培立。雕龍碑頭,高0.7米,篆書"大清"二字。碑高1.75米,寬0.8米,厚0.18米。碑身正書,共19行,周邊龍紋。碑身殘爲三段,今已修復,底部損壞。殘損斷裂處缺數字。今正文存493字,落款存36字。

駱承烈《石頭上的儒家文獻——曲阜碑文録》著録全碑,"冡塋"誤作"蒙塋","六丈"誤作"六史","楷材"誤作"楷樹","且舉"誤作"但舉","而林内外"誤作"一一林内外","數千緡"前脱"中丞於","從此萬木"脱"此萬木"。清孔祥霖《曲阜碑碣考》卷三丙部有記。

聖林補植樹木誌功碑記

宰〔一〕之有木舊矣,而聖林為獨著〔二〕。《家語》云:孔子葬泗水(上)〔三〕,封〔四〕為偃斧〔五〕之形,樹松柏為志焉。《皇覽》云:孔子冢塋百畝,樹以百數,皆異種。魯人世古〔六〕無能名其樹者,□□持其方樹來種之,塋中不生荆棘及刺人草。蓋嘉樹〔七〕林立,不獨六丈之檜,百莖〔八〕之蓍,與夫楷材文草,表異〔九〕於萬古也。恭逢我朝崇儒重道,加意〔一〇〕於先聖林廟者,鴻恩鉅典〔一一〕,不可殫述。林樹之茂,甲於前代。聖祖仁皇帝幸魯親賦古檜〔一二〕,他如壇杏、瘦楷、唐槐、銀杏、文草、神蓍,靡不罔覽而嘉賞□。皇上稽古佑文,宏樂育則,澤沛菁莪〔一三〕,歌戾至則,恩流芹藻〔一四〕,凡兹嘉植,一一見諸和章〔一五〕。崇聖□□□□,我孔氏子孫者,既優且渥矣。比歲〔一六〕以来,大方伯〔一七〕繆公相繼涖東土,凡所以總大綱,敷覃澤,以福佑我東土者,何其鴻纖〔一八〕。且但舉恩膏□□也,之歲戊申,又適逢我郡伯〔一九〕高公来守兖和我東土之民,無不爭歌來後矣。歲己酉中丞偕方伯率郡守祗謁聖林,既成禮,仰瞻殿宇,周視垣墉〔二〇〕,煥然崇然〔二一〕,整具秩也。而林内外株木風雪之所摧,旱幹之所剥,蟲蟻之□□□□□□□□枯代謝之殊。我中丞於□數千緡〔二二〕,令補植松柏樟楠之屬,幾及萬顆,復重濬洙源,地氣通靈,水泉衍沃,舊幹增濃,新條擁翠,加以□□□□□□□□無不欣欣向榮,從此萬木□檜靈蓍,互相映誅〔二三〕,一草木也與文運並興矣。夫守禮護木,憲培〔二四〕之責。乃仰荷〔二五〕帝心眷顧憲德,兹培如此。其有加無已也,心竊感焉。為誌林木復盛之由,勒諸貞石,嗣今以後,勿剪勿伐〔二六〕,綿綿翼翼□□□鬱蟠〔二七〕鞏固,是在后人之善,□為記。

孔子七十二代孫襲封衍聖公紀録一次，孔憲培敬泐[二八]。

乾隆五十有四年歲次己酉嘉平穀旦。

【注釋】

〔一〕宰：冢，墳墓。

〔二〕獨著：特别著稱。

〔三〕括弧内字據《孔子家語》補足。

〔四〕封：聚土爲墳。

〔五〕偃斧：仰斧。指堆土爲墳，墳頂窄狹如仰斧形狀。

〔六〕卋："世"字之異體。

〔七〕嘉樹：佳樹、美樹。

〔八〕茔："筮"字之異體。

〔九〕表異：旌表、表彰。

〔一〇〕加意：特别注意。

〔一一〕鴻恩鉅典：鴻恩，皇恩。鉅典，朝廷大法。

〔一二〕聖祖仁皇帝幸魯親賦古檜：謂清聖祖仁皇帝玄燁於康熙二十三年(1684)十一月十八日親臨曲阜祭拜孔子，觀覽先聖孔子手植檜，御作《古檜賦》一事。

〔一三〕菁莪：指育材。

〔一四〕芹藻：比喻貢士或才學之士。語本《詩·魯頌·泮水》："思樂泮水，薄采其芹……思樂泮水，薄采其藻。"

〔一五〕和章：謂酬和他人的詩章。

〔一六〕比歲：近年。歲，"歲"字之異體。

〔一七〕方伯：殷周時代一方諸侯之長。後泛稱地方長官。漢以來之刺史，唐之采訪使、觀察使，明清之布政使均稱"方伯"。

〔一八〕鴻纖：大小、巨細。

〔一九〕郡伯：爵名。金置，元因之。明清時亦稱知府爲郡伯。

〔二〇〕垣墉：墻。

〔二一〕焕然崇然：焕然，光明貌。崇然，高大貌。

〔二二〕緡：量詞。古代通常以一千文爲一緡。

〔二三〕映蔟：輝映。蔟，"發"字之異體。

〔二四〕憲培：即孔憲培（1756—1793），原名允憲，字養元，號篤齋，山東曲阜人。孔子七十二代孫，乾隆四十八年（1783）襲封衍聖公。工書、畫，善寫蘭，傳其家恭慤遺法，著有《凝緒堂集》。

〔二五〕仰荷：敬領、承受。

〔二六〕勿剪勿伐：語出《詩·召南·甘棠》："蔽芾甘棠，勿翦勿伐，召伯所茇。"朱熹："翦，翦其枝葉也。伐，伐其條幹也。"

〔二七〕鬱蟠：濃盛。

〔二八〕泐：同"勒"，銘刻。

（陳以鳳）

嘉慶十七年重脩復聖廟碑記

此碑立於清仁宗嘉慶十七年(1812),爲顔廟中院西碑亭内北側東石。全碑高2.27米,寬0.8米,厚0.23米,有麒麟、雲、波紋及篆書"大清重修復聖廟碑"8字碑頭。鄭文明撰文,顔錫嘏立石,陳醇書丹,正書,共18行,足行52字。

駱承烈《石頭上的儒家文獻——曲阜碑文録》録有此文,文字偶有脱誤,如"之十有三"誤爲"六十有三","脩"多誤作"修","亟加"作"備加","興事"作"褁事","褁事"作"意事","益堅"作"亦堅","陞任"作"升任","廡下"作"廟下","衆曰"作"衆日","建立"作"之立","以來"下脱"三百餘年","於臣民"下脱"而臣民","世守"作"在於","漢以後"作"□以後","接蹟"作"按迹","永昌"作"家昌","儀徵"作"儀征","長洲"作"長州"。

皇上御極之十有三年,寰宇肅清,庶民樂業,御史孔昭虔奏請脩造賢祠,以崇祀典。奉上諭:山東曲阜縣建有復聖顔子廟,久膺崇祀,今祠宇日就欹頹,自應亟加脩葺,整復舊觀,著山東巡撫吉綸即親往敬謹閱勘確估,奏明動項興修,以副朕崇德重道至意。大哉王言,急先務也。嗣經奏定,發帑銀四萬兩有奇,以資工費。大吏重興事,命兗州府知府鄭文明監修。於是鳩工庀材〔一〕,敬謹襄事。經始於嘉慶十五年秋,越明年冬落成,規制如前,而締構益堅。時撫軍吉公綸陞任工部尚書,觀察王公如金調任河北道,惟大中丞同公興、藩司朱公錫爵、臬司張公彤、觀察熊公方受觀厥成焉。而文明與曲阜令徐君如浩莅事廡下,既畢獻乃諗於衆曰:"斯廟建立久矣。考《陋巷志》,自前明正德時繕治以來三百餘年,雖屢加脩葺,而費重工繁、材木堅鉅未有如今日者也。然則仰檐楹之聳□,瞻丹□之焜煌,當肅然想見皇上崇德重道之至意,而知學聖人者必自顔子始。學顔子之所學,益知天德王道,統於一心,不以窮達異。其有位於朝也,必工於使民,不窮其力,庶異於東野畢之御〔二〕乎!其脩之於家者,必□大忘小,重内輕外,庶比於津人之操舟若神〔三〕乎!此皆聖天子所屬望於臣民,而臣民所當仰副恩旨於萬一者也。至於賢裔世守先訓,漢以後忠賢接蹟,今博士循循雅飭,克紹前徽,永昌後嗣,又其宜矣。"衆皆曰"然",謹記修治本末,興工歲月,俾後有所攷,且為學者勸。

賜進士出身朝議大夫山東兗州府知府加三級儀徵鄭文明撰。

文林郎滋陽縣知縣長洲陳醇書。

嘉慶十七年歲次壬申仲春月吉旦,復聖七十三代孫文林郎世襲翰林院五經博士顔錫嘏勒石。

【注釋】

〔一〕庀材：備齊材料，多指建築材料。

〔二〕東野畢之御：意爲不要窮盡民力，典出《孔子家語·顔回》，《韓詩外傳》卷二亦載。

〔三〕津人之操舟若神：意爲輕視外部的情形，尤其是困難情況，專注内心就能取得良好效果。典出《莊子·達生》。

（曹景年）

道光二十九年重修尼山書院紀恩碑記

此碑立於清宣宗道光二十九年(1849)，位於尼山孔廟大成殿前，西側南石。碑高3.6米(含篆書“大清重修尼山紀恩碑記”10字雕龍碑頭1米)，寬1.1米，厚0.36米。孔繁灝立並書，正書。共22行，行56字。

大清重修尼山紀恩碑記

七十四代孫襲封衍聖公繁灝〔一〕撰並書。

尼山為我祖至聖發祥地。立廟祀以妥〔二〕神靈，置書院以教族姓，由來舊〔三〕矣。雖然創建興作〔四〕，脩舉〔五〕無廢，要皆官吏士民之捐助，與主鬯〔六〕者之自為出貲〔七〕。孰如我皇上發德音〔八〕，出帑藏〔九〕，大啟宏規，永垂曠典〔一〇〕。若今日之盛者，不有以泐〔一一〕諸石，其何以紀天恩，示來茲乎？

謹按尼山跨鄒魯之境，西北距曲阜城六十里，西距鄒縣城六十里，五峰列峙，中峰為聖母所禱處。漢建甯元年〔一二〕，魯相史伯〔一三〕時以孔瀆顔母井去市遼遠，百姓酤買〔一四〕不能得香酒美肉，於昌平亭〔一五〕下立會市〔一六〕，其饗祀〔一七〕之始歟？

周顯德中〔一八〕，始創廟祀於山之東麓。宋慶曆三年〔一九〕，四十六代文宣公〔二〇〕始即廟為學。元至元二年〔二一〕，始置書院，以彭璠為山長〔二二〕。三年，璠以私錢草創堂宇，而山東東西道肅政廉訪使〔二三〕分司楊訥，會同六十三代衍聖公〔二四〕倡率所屬，及齊魯士大夫共成之。於是殿宇崇閎〔二五〕，規模大備，而門、而堂、而亭、而齋塾，次第畢舉〔二六〕。造禮器〔二七〕、塑聖像，後復塑四配像，又改造石像於坤靈洞，章甫〔二八〕、逢掖〔二九〕如古禮。

明永樂中〔三〇〕，五十九代衍聖公〔三一〕率族人增建啟聖殿及寢殿於西偏，宏治〔三二〕中，以脩文廟餘貲重葺之。我朝康熙十三年〔三三〕，六十七代衍聖公〔三四〕又加脩飾，易圍牆以石磚。雍正二年〔三五〕，六十八代衍聖公〔三六〕更為鼎新。乾隆二十年〔三七〕，七十一代衍聖公〔三八〕率族人出資重修，是即繁灝之曾祖也。自是以後，曆久未脩，剝風蝕雨，摧殘日甚。繁灝承先澤，襲世爵，夙夜冰競〔三九〕，以無力修葺為懼。道光丙午〔四〇〕春，咨請工部奏，蒙皇上允准敕〔四一〕修，特命大吏勘估〔四二〕，撤舊更新，撥山東藩庫〔四三〕廟工生息〔四四〕銀三萬一千五百五十兩零，使繁灝敬謹督工。經始於道光丁未〔四五〕春二月，告成於道光己酉〔四六〕夏五月。計大成門三間，大成殿五間，東西廡十間，寢殿五間，東西廡六間，講堂三間，啟聖殿五間，寢殿五間，門三座，毓聖侯祠三間，門一間，后土祠一間，内外圍牆共一百二十丈。大成殿簷柱舊用木，今易以石柱六，添置斗拱承塵〔四七〕。大成門外添建石欞星門一座，圍牆五十餘丈。於廟後隙地添建神庖、神廚二所，新修禮器，謹藏廟廡。又書院九間，大門一間，茶房一間，圍牆三十丈。門外觀川亭一間，顔母山、顔母祠三間，大門一間，圍牆十八丈。

繁灝欣逢盛典，樂於觀成，願我族眾弟子，敦詩説〔四八〕禮，相與陶淑〔四九〕其中，恪〔五〇〕承祀事，庶〔五一〕無忝〔五二〕乎祖德，以仰酬〔五三〕國恩於萬一云爾。

惟時董其事者四氏學學録孔憲舉、四品執事官孔衍祚、恩貢生五吕執事官兼提舉林廟事孔繼志、五品執事官孔傳豐、原任尼山學録孔憲炯例得備書。

道光貳拾玖年〔五四〕歲次己酉仲夏穀旦。

【注釋】

〔一〕繁灝：即孔繁灝(1804—1860)，字文淵，號伯海。孔子七十四代嫡長孫，道光二十一年(1841)襲封衍聖公。

〔二〕妥：安置。

〔三〕舊：久。

〔四〕興作：興起建造。

〔五〕舉：恢復。

〔六〕主鬯：主掌宗廟祭祀。

〔七〕出貲：出資。

〔八〕德音：指合乎仁德的言語、教令。

〔九〕帑藏：國庫。

〔一〇〕曠典：前所未有的典制。

〔一一〕泐：同“勒”。

〔一二〕建甯元年：公元168年。

〔一三〕魯相史伯：史晨，字伯時，河南人。東漢時期魯相，曾爲祀孔而以隸書作碑，立於孔廟，史稱“史晨碑”。

〔一四〕酤買：買酒等日用品。

〔一五〕昌平亭：在昌平山下的沂河南岸。

〔一六〕會市：集貿市場。

〔一七〕饗祀：享受祭祀。

〔一八〕周顯德中：公元954年至960年間。

〔一九〕宋慶曆三年：公元1043年。

〔二〇〕四十六代文宣公：孔聖佑，孔子四十五世孫。

〔二一〕元至元二年：公元1336年。

〔二二〕山長：又稱院長、洞主、教授等，祭祀式書院的總主持人。

〔二三〕肅政廉訪使：俗稱“憲司”“監司”，其前身爲提刑按察司。主管監察事務。

〔二四〕六十三代衍聖公：孔貞acies，孔子六十二世孫。

〔二五〕崇閎：高大宏偉。

〔二六〕畢舉：齊備。

〔二七〕禮器：古時祭祀用的各種器物，如鼎、簋、觚、鐘等。

〔二八〕章甫：亦作“章父”，指商代的一種冠，後指儒者之冠。

〔二九〕逢掖：亦作“縫腋”，指大袖單衣，古儒者所服。

〔三〇〕明永樂中：公元1403年至1424年間。

〔三一〕五十九代衍聖公：即孔彥縉，字朝紳。孔子五十八世孫。精篆書，作有《書史會要》。

〔三二〕宏治：明孝宗朱祐樘的年號，公元1488年至1505年。

〔三三〕康熙十三年：公元1674年。

〔三四〕六十七代衍聖公：即孔毓圻(1657—1723)，字鍾在，又字翊宸，號蘭堂。孔子六十六代世孫。康熙六年(1667)襲封衍聖公。

〔三五〕雍正二年：公元1724年。

〔三六〕六十八代衍聖公：孔傳鐸，孔子六十七代世孫。

〔三七〕乾隆二十年：公元1755年。

〔三八〕七十一代衍聖公：即孔昭煥(1742—1782)，字顯文，號堯峰。孔子七十代世孫。

〔三九〕冰兢：表示恐懼、謹慎之意。

〔四〇〕道光丙午：公元1846年。

〔四一〕敕：帝王的詔書、命令。

〔四二〕勘估：工程的現場勘察和專案評估。

〔四三〕藩庫：即省庫。

〔四四〕生息：利息。

〔四五〕道光丁未：公元1847年。

〔四六〕道光己酉：公元1849年。

〔四七〕承塵：天花板。

〔四八〕説：古同"悦"。

〔四九〕陶淑：謂陶冶使之美好。

〔五〇〕恪：謹慎而恭敬。

〔五一〕庶：但願。

〔五二〕無忝：不辱。

〔五三〕仰酬：向上報答。

〔五四〕道光貳拾玖年：公元1849年。

（李　翠）

道光二十九年重修尼山廟宇書院記略碑

此碑立於清道光二十九年(1849),現存尼山孔廟東廡南側階下。碑高2.44米,寬0.87米,厚0.26米,下有石座。碑頭上篆書“大清”,碑身楷書,共9行,行28字,孔繁灝撰。

重修尼山廟宇書院記略

余少時隨先公恭謁尼山,瞻仰廟貌,竊見殿宇規模未能宏敞,寢殿及前後兩廡並啟聖王殿、毓聖祠等處,歷久廢修,半多殘缺。書院及各從房,僅存基址。先公〔一〕屢欲措資修葺,緣工用浩繁,力有未逮,每以不能舉行為憾。迄今四十年矣,風霜剝蝕,日見傾頹。余襲爵後,冀承先志,昕夕縈懷〔二〕,立意經營,難償夨願。百戶〔三〕張協庸〔四〕進而告曰:“當今聖天子崇儒重道,屢奉覃恩〔五〕,詔修聖賢廟宇。我公寵眷特隆,宜請於朝,乞帑重修,以遂先公未竟之志,協庸願效奔走之勞。”余諾之,而亦未敢輕舉。丙午〔六〕春,霪霖不止,坍塌益甚,幾無以蔽風雨而妥神靈。協庸又進而告曰："急宜興修，未可再緩。"於是備文咨請工部代奏，得旨報可。命山東大府委員勘估〔七〕。是年秋七月，高載園太守奉檄到山，估計需銀三萬一千五百兩零，奏准動用藩庫廟工生息〔八〕銀兩内撥給，交衍聖公自行委員承修，以期鞏固。丁未〔九〕春二月，諏吉〔一〇〕鳩工，越二年己（酉）〔一一〕（秋）〔一二〕八月落成蕆〔一三〕事。榱題絢彩，輪奐聿新，鳥革翬飛，勝於舊制。余撰文泐石，紀恩並誌。大成殿前楹易以石柱，添設斗拱承塵〔一四〕，並櫺星門一座，而壯觀瞻。克酬夙願，心竊喜之。是役也，齎〔一五〕公牘、領帑金〔一六〕、繪圖繕冊，協庸一人任之，南北奔馳，不辭勞瘁。攷百戶一官建自東漢，名曰"百石卒史"，有永興初年〔一七〕碑石可稽〔一八〕。于衛林廟責綦〔一九〕重焉，協庸居是官也，勤慎趨公，無忝〔二〇〕厥職〔二一〕，贊勷盛舉，竭力殫心。若無一言紀之，何以彰厥功，且何以為後來膺斯職者勸。爰書〔二二〕顛末，壽諸貞珉〔二三〕，用垂永久，亦古人有善必録之意也。至於承修各員，敬謹將事，夙夜匪懈，姓氏載記恩碑中，不復更書。

襲封衍聖公孔繁灝記并書。

道光二十九年歲次己酉小陽月穀旦立。

【注釋】

〔一〕先公：指孔慶鎔（1787—1841），字陶甫，號冶山氏。孔子七十三代嫡長孫，乾隆五十九年（1794）襲封衍聖公。

〔二〕昕夕縈懷：日夜牽掛於心。

〔三〕百户：官名。金初設置，爲世襲軍職。元設百户爲"百夫之長”,隸屬於千户,爲世襲軍職。明清爲低級軍官。明時此職務爲衛所軍中職務,掌軍户一百。

〔四〕張協庯:至聖林廟守衛。

〔五〕覃恩:廣施恩澤。舊時多用以稱帝王對臣民的封賞、赦免等。

〔六〕丙午:公元1846年。

〔七〕勘估:工程的現場勘查和專案評估。

〔八〕生息:利息。

〔九〕丁未:公元1847年。

〔一〇〕諏吉:擇取吉日。

〔一一〕酉:今存最上面一横,丁未年再過二年是己酉年。

〔一二〕秋:殘損嚴重,八月屬秋天,據此補。

〔一三〕蕆:完成、解決。

〔一四〕承塵:天花板。

〔一五〕賚:派遣。

〔一六〕帑金:錢幣。多指國庫所藏。

〔一七〕永興初年:公元153年。

〔一八〕稽:考察。

〔一九〕綦:極其,非常。

〔二〇〕無忝:不玷辱或不羞愧。

〔二一〕厥職:職責、工作。

〔二二〕爰書:古代的一種司法文書。秦漢時通行。審問犯人考實的判詞,猶今定罪的判決書。

〔二三〕貞珉:石刻碑銘的美稱。

(李　翠)

至聖林恭紀碑

此碑立於清代,具體時間不詳,現位於孔林洙水橋橋北東側,南起第2石。碑身下半部已損壞。現存碑高1.2米,寬0.74米,厚0.23米。碑座高0.1米。碑身正書,正文殘存40字,落款僅存5字,"吳"字下已斷殘,作者不得而知。

駱承烈《石頭上的儒家文獻——曲阜碑文録》有著録,"思"誤作"恩"。

夢寐由來識所尊,高□□□□猶存。
帝王分[一]合崇禋[二]□,□□□應祚[三]後昆[四]。
香楷[五]峙[六]同□□□,□蓍攢繞[七]五雲[八]根。
蒔[九]賢□□□□思,遲我循墻[一〇]幸得門[一一]。
至聖林恭紀。
吳。
(以下缺)

【注釋】

〔一〕分:"分"字之異體。

〔二〕禋:祭祀。

〔三〕祚:賜福。

〔四〕後昆:子孫後代。昆,"昆"字之異體。

〔五〕香楷:指孔林裏的子貢手植楷。

〔六〕峙:聳立。

〔七〕攢繞:聚集圍繞。

〔八〕五雲:青、白、赤、黑、黄五種雲色。古人視雲色占吉凶豐歉。《周禮·春官·保章氏》:"以五雲之物,辨吉凶、水旱降、豐荒之祲象。"

〔九〕歬:"前"字之異體。

〔一〇〕循墻:沿牆而走,表恭謹或畏懼。典出《左傳·昭公七年》:"一命而僂,再命而傴,三命而俯。循牆而走,亦莫余敢侮。"

〔一一〕得門:指找到門徑。

(陳以鳳)

尼山遺愛碑

此碑立於清朝，位於尼山孔廟觀川亭南。該碑衹剩一段，高0.85米，寬0.45米，厚0.17米。正書。殘存2行，正文殘存11字。

（以上缺）

兼理府務清廉仁慈遺愛碑。

欽賜尼山户人仝立。

（李　翠）

顏母故里碑

此碑的有關資料來自顏母村村委會。據村委會現存資料記載:清光緒年間,村中原有一石碑,爲晚清康有爲書寫,刻有"顏母故里"四個大字。1958 年興建尼山水庫,村莊原址被水庫淹没,石碑去向不明。該村於 1968 年劃歸曲阜縣南辛公社,1970 年歸尼山公社,2000 年劃歸南辛鎮。

顏母故里〔一〕。

【注釋】

〔一〕顏母故里:顏母,指顏徵在,孔子生母。顏母故里,今山東省濟寧市曲阜市尼山鎮顏母莊村。据酈道元《水經注》記載,北魏時曲阜有兩個"顏母廟",一個位於尼山之東十里,一個位於闕里孔廟之西北二里。尼山之東十里便指此村。

(李　翠)

民國十一年修葺聖林記

此碑立於民國十一年(1922),现位於孔林洙水橋北西側,南起第2石。碑高1.85米,寬0.76米,厚0.21米。行書。碑身中間部分斷殘,今已修復,但字跡无存。碑身正文共12行,因石碑殘壞每行缺字不等,部分内容已不成句,現存224字,落款存13字。碑右側中下部刻有康有爲謁聖林題記,亦殘損,現存88字。

駱承烈《石頭上的儒家文獻——曲阜碑文録》著録全碑,並附有民國十一年康有爲題修葺聖林記碑拓片圖片。碑身,“逘”誤作“逘”,“歲時”前脱“雖”字,“飄摇”誤作“瓢摇”,“臨江太守”脱一“江”字,“傳槐”誤作“傳槐”,“聖墓”誤作“呈墓”,“墥”誤作“墥”,“比以”後脱“也”二字,“泚筆”誤作“此筆”;康有爲題字,“麗”誤作“嚴”。

壬戌修葺聖林記

至聖林墓自同光〔一〕以逘〔二〕,迄未大脩,瓦斷□□□年若矣。雖歲時補葺而顧此失彼,終多遺漏。矧〔三〕遭時多故，吾道不昌□□□□□□而嘆風雨之飄摇，失綢繆[四]於牖户[五]，不弟[六]為中外觀瞻[七]所繫，且有關□□□□□□焉如擣。歲壬戌，壽州孫文正，相國猶子[八]，臨江太守傅棉偕公子民□□□□□□□以臣資鳩工庀材[九]。自董[一〇]其事，舉聖墓、碑亭、楷亭、林門、紅牆諸處□□□□□□□□□□功始竣。孫君以古稀之年，不辭勞瘁，卒底於成，可謂難能□□□□□□□□□□□老所堷建寺天下靡然，而杏壇洙泗，流風遺蹟稍陵夷[一一]□□□□□□□□□□□□□□是以遠彼得保羅之廟[一二]横行斜上之文，風起雲涌，山□□□□□□□□□□□□□倫挾所有，以投於新闢之衢[一三]，蘄[一四]天純佑者比以也，叺[一五]□□□□□□□□□□□□□□戔，德成泚[一六]筆記此，以志族人不恷[一七]之意，拜以興起[一八]□□（以下缺）

壬戌十二月衍聖公孔德成記嘱□（以下缺）

（以下碑右側中下部題字）

丙辰八月謁聖林，（殿）[一九]（寢）（殘）（凋）（黯）（然），（因）（思）耶路撒冷、麥加之陵莊麗為感歎，而國人所捐修者，惟佛寺道觀。越七年，（癸）（亥）（五）（月）（再）（謁）聖林，則金碧璀璨，煥然一新。聞為孫稚筠太守捐金二万所修，吾因与孫文正至交，乃嘆孫氏之多賢也，書此碑後，以風[二〇]當世。

南海康有為。

【注釋】

〔一〕同光：指清代同治（清穆宗年號）、光緒（清德宗年號）

年間。

〔二〕遂："後"字之異體。

〔三〕矧：況且。

〔四〕綢繆：緊密纏繞貌。

〔五〕牖户：窗及門。

〔六〕不弟：同"不第"，不但。

〔七〕觀瞻：對事物外觀的印象與反應。

〔八〕猶子：侄子。

〔九〕鳩工庀材：招聚工匠，籌集材料。指興建土木工程前的各種准備工作。

〔一〇〕董：監督管理。

〔一一〕陵夷：衰頹，衰落。陵，"陵"字之異體。

〔一二〕彼得保羅之廟：即彼得保羅大教堂，爲俄羅斯古教堂，坐落於聖彼得堡市涅瓦河畔。爲紀念聖徒彼得保羅而隆重奠基，是彼得堡舊城的主要名勝古跡，也是其城内最早的象徵物。

〔一三〕衢：大路。

〔一四〕蘄：通"祈"，祈求。

〔一五〕叺："以"字之異體。

〔一六〕泚：用筆蘸墨。

〔一七〕忩："忘"字之異體。

〔一八〕興起：因感動而奮起。

〔一九〕括號内文字據駱承烈《石頭上的儒家文獻——曲阜碑文録》附録"民国十一年康有爲題修葺聖林記"拓片圖片補足。下同。

〔二〇〕風：教育、感化。

（陳以鳳）

民國十三年古昌平鄉碑

此碑立於民國十三年(1924)九月。碑高1.72米,寬0.71米,厚0.17米,正文1行,4大字。康有爲行書。係難得的康氏真跡。此碑原立於曲阜城東南20餘千米去尼山之路旁,現移至尼山孔廟觀川亭西北。

古昌平鄉

(以下上款)

孔子生二千四百七十五年。

(以下下款)

甲子九月康有為敬書。鄒縣魯源社〔一〕劉鴻文、任錫柱、劉衍常、董清蘭、杜長鴻、范承彬、張蔭山、蘇憲忠、董瑢、劉德全、牛保清仝立。

【注釋】

〔一〕魯源社：據明嘉靖四年（1525）戴光編修的《鄒縣地理志》載："尼丘山去城東60里，在魯源社、魯源村。昔啓聖王夫人顔氏禱於此，而生孔子者也，其山五峰連峙，中峰之麓有孔子廟"。魯源村位於山東省曲阜市尼山南側山坡下，南有大沂河，河水流至曲阜城，東南有尼山水庫，南面隔大沂河是昌平山。《闕里文獻考》載："昌平山在尼山南五里，下有魯源林。即《史記》所云昌平鄉也。"因昌平山下多泉，泉水匯入沂河西去，乃魯水之源，故村名魯源。魯源林春秋時爲魯國陬邑的屬地。

（李　翠）

民國十七年重濬洙源記碑

此碑立於民國十七年(1928),現位於孔林洙水橋北西側,南起第1石。碑高2.16米,寬0.8米,厚0.32米。碑身正書,共16行,正文存509字,落款存132字,殘1字。碑身中上部斷裂,現已修復。

駱承烈《石頭上的儒家文獻——曲阜碑文録》著録全碑,“發源之地”脱“之”字,“乾隆”前脱一“清”字,“光緒二年”誤作“光緒兩年”,“問清”誤作“向清”,“雲門”誤作“雩門”,“河源”誤作“河流”,“會”誤作“今”,“一家”後衍“而”字,“淩雲”脱“雲”字,“孔令沅”誤作“孔令源”。

戊辰重濬洙源記

我國文化發源之地洙泗並稱,而洙水源頭久經湮没。自清乾隆五十四年、光緒二年,兩次重修,後迄未大修。間亦興工,而旋通旋涸。河流壅塞,已歷有年所矣。成〔一〕以沖齡〔二〕,遭時多故,睹源泉之將竭,慨河道之未通。每念及之,惄焉如擣〔三〕。歲次戊辰,適上海濟生會張君賢清,邱君問清,陸君書臣,李君雲門,于君子翼等,因曲阜連年災歉,賑濟來東。心傷道路之流離,目睹河源之荒廢,因思一兩全之法,商之本縣長官、吾鄉父老,援以工代賑例,俾免饑民失所,古跡就湮。復經諸公沐雨櫛風〔四〕,日搜羅於洙河故道,荒煙蔓草間卒得窮源竟委,以底於成。從此河流暢達,克復〔五〕舊觀,不第〔六〕□前哲之遺崁〔七〕,且可立後來之基礎。行將與泗水湯湯〔八〕,齊驅並駕,謂非在會諸公之熱心毅力,能見其大,精誠所感,金石為開不可也。是役自春徂〔九〕冬,歷時幾經一載,以為其犖犖〔一〇〕大者。其餘如收買蝗蝻,補修聖林圍牆,及墓前供案旁之襄石林外橋樑,以及疏浚文獻泉暨城南沂河濟生堤等等,尤指不勝屈。工竣日,復設立洙河保管會,以善其後,舉凡栽樹修堤諸端,亦均預為籌備,計共用大洋三萬六千六百五十元。此乃核實總數。故較五泉碑記計相差四千餘元。起數千年文教之衰,為中外人觀瞻所繫,非獨有益於一鄉一邑一人一家已也。而我國文化之復興其庶幾乎。矧此舉也,不弟災黎戴德,薄海〔一一〕同欽,即列聖在天之靈亦當凌雲一笑,乢〔一二〕當垂諸不朽,昭示來茲,敢辭不敏〔一三〕,而不為之記,並以示後來者,永矢弗諼〔二二〕云爾。

中國濟生會工賑主任張淦楊,工賑員邱培源、李昌龍、陸兆麟,工程師胡升鴻,技士吳祖修,總監工于建勲、監工員楊彭齡、尤文田、宋家駒、黄炳宸、徐文驥、魏繼昌、蔣云琤、孔德堉、孔繼恕、孔慶瀛、孔慶熙、孔繁沂、孔繁瀓、孔祥杕、孔令儁、孔令佑、孔令沅。

孔子七十七代孫孔德成謹記。

孔子七十四代孫孔繁裕〔二三〕書丹。

中華民國十七年戊辰孟冬穀旦。

【注釋】

〔一〕成:即孔德成(1920—2008),字玉如,號達生,孔子第七十七代嫡孫,襲封三十一代衍聖公。

〔二〕沖齡:幼年。

〔三〕惄焉如擣:惄,憂鬱,傷痛。擣,撞擊。

〔四〕沐雨櫛風:謂飽經風雨,勞苦奔波。

〔五〕克復:恢復。

〔六〕不第:不但。

〔七〕遺徽:死者生前之美好德行。徽,"徽"字之異體。

〔八〕湯湯:水流盛大貌。

〔九〕徂:至、到。

〔一〇〕犖犖:分明、顯著貌。

〔一一〕薄海:海内外廣大地區。

〔一二〕允:"允"字之異體。

〔一三〕不敏:不聰明、無能力。用作自謙或推託之辭。

〔一四〕永矢弗諼:決心永遠牢記。

〔一五〕孔繁裕(?—1937):字仲光,孔子七十四代孫。曾任洙泗學院學録,曲阜孔教會會長。擅長書法,專攻歐陽詢楷書,其書法工穩、質樸,法度謹嚴,結體端莊古樸。

(陳以鳳)

圖書在版編目(CIP)數據

曲阜儒家碑刻文獻輯録. 第3輯/楊朝明主編. —濟南:齊魯書社,2017.12

ISBN 978-7-5333-3888-6

Ⅰ.①曲… Ⅱ.①楊… Ⅲ.①碑刻—匯編—曲阜市 Ⅳ.①K877.42

中國版本圖書館CIP數據核字(2017)第297674號

曲阜儒家碑刻文獻輯録(第3輯)

楊朝明 主編

主管單位	山東出版傳媒股份有限公司
出版發行	齊魯書社
社　　址	濟南市英雄山路189號
郵　　編	250002
網　　址	www.qlss.com.cn
電子郵箱	qilupress@126.com
營銷中心	(0531)82098521　82098519
印　　刷	山東德州新華印務有限責任公司
開　　本	880mm×1230mm　1/32
印　　張	12.75
插　　頁	3
字　　數	312千
版　　次	2017年12月第1版
印　　次	2017年12月第1次印刷
册　　數	1—1000
標準書號	ISBN 978-7-5333-3888-6
定　　價	**42.00圓**